CW00404489

Ondina E. Gon
Justo L. González

DOCUMENTOS PARA LA HISTORIA DEL CRISTIANISMO EN AMERICA LATINA

VOCES DE AYER Y DE HOY

EDICIONES
KAIROS

© 2016 Ediciones Kairós
Caseros 1275 - B1602ALW Florida
Buenos Aires, Argentina
www.kairos.org.ar

Ediciones Kairós es un departamento de la Fundación
Kairós, una organización no gubernamental sin fines
de lucro dedicada a promover el discipulado y la misión
integral desde una perspectiva evangélica y ecuménica
con un enfoque contextual e interdisciplinario.

Diseño de portada y diagramación: Adriana Vázquez

Impreso en Argentina
Printed in Argentina

González , Ondina E.
  Documentos para la historia del cristianismo en América
Latina: voces de ayer y de hoy / Ondina E. González; Justo L.
González; dirigido por C. René Padilla. - 1a ed . - Florida: Kairós,
2015.
  340 pp.; 23 x 15 cm.

  ISBN 978-987-1355-66-2

1. Historia. 2. Cristianismo. I. Padilla, C. René , dir. II. González,
Justo L. III. Título.

  CDD 230

A Jorge Luis

CONTENIDO

LISTA DE ILUSTRACIONES

LISTA DE DOCUMENTOS
Y SUS FUENTES

en la política en América Latina, José Míguez Bonino, 1999.

Séptimo documento: La fe y el temor de una poetisa: "Temblor", Julia Esquivel, 1986.

7. Protestantes y católicos

Introducción

Primer documento: El Arzobispo se queja: Carta del Arzobispo de Lima, 1864.

Segundo documento: El plan de acción de una mujer católica: *Acción pública y privada*, Celia LaPalma de Emery, 1910.

Tercer documento: Un catolicismo de avanzada: "Cristianismo con sentido social", Gabriela Mistral, 1924.

Cuarto documento: Justificar la presencia: "The Validity of Protestant Missions", John A. Mackay, 1942.

Quinto documento: No todos somos católicos: *Hacia la renovación religiosa*, Gonzalo Báez Camargo, 1930.

Sexto documento: La violencia: "What's Behind the Persecution in Colombia?", James E. Goff, 1961.

8. La iglesia católica ante las nuevas condiciones

Introducción

Primer documento: Los obispos ante el futuro: *IIª Conferencia General del Episcopado Latinoamericano*, CELAM, 1969.

Segundo documento: Una carta de amor a Dios: *Teología de la liberación: Perspectivas*, Gustavo Gutiérrez, 1988.

Tercer documento: Un regaño oficial: *Instrucción sobre algunos aspectos de la "teología de la liberación"*, Sagrada Congregación para la doctrina de la fe, 1984.

Cuarto documento: ¡Que se convierta el Vaticano!: "Joseph Cardenal Ratzinger: ¿exterminador del futuro? Sobre la *Dominus Iesus*", Leonardo Boff, 2000.

Quinto documento: Los reyes magos: *El Evangelio en Solentiname*, Ernesto Cardenal, 1975.

Sexto documento: Un retablo: New Mexico State University, 1945.

Séptimo documento: Otro retablo: New Mexico State University, s.f.

9. Una realidad compleja

Introducción

Primer documento: El Espíritu Santo en Chile: *Historia del avivamiento pentecostal en Chile*, Willis C. Hoover, 1948

Segundo documento: Pentecostales quichuas: Entrevistas por Eloy H. Nolivos, 2006.

Tercer documento: Un sacerdote carismático: Carta de Emiliano Tardif, 1993.

Cuarto documento: Changó: "Afro-Cuban *Orisha* Worship", Miguel "Willie" Ramos, 1996.

Quinto documento: Al ritmo de tambores: Entrevistas por Héctor López Sierra, 2005.

Sexto documento: La historia de un inmigrante: "Trinidad Salazar: A Call to Service", Jane Atkins-Vásquez, 1988.

Séptimo documento: La respuesta católica: *Ministerio hispano: Tres documentos importantes*, "Voces proféticas", United States Conference of Catholic Bishops, 1995.

Octavo documento: Una respuesta protestante: "Report of the Committee to Develop a National Plan for Hispanic Ministry", General Board of Global Ministries, The United Methodist Church, 1992.

Noveno documento: Teología en grafito: fotografía, Puerto Rico, 1980.

Epílogo

RECONOCIMIENTOS

Los autores reconocen y agradecen la ayuda de:

- Jane Atkins-Vásquez, Programa de Adiestramiento de Liderato Laico, Presbyterian Church (USA)

- Oscar Báez Hernández, Casa Unida de Publicaciones, S.A.

- Jeffrey M. Burns, Academy of American Franciscan History

- Matthew Butler, University of Texas at Austin

- Francisco Cañas, General Board of Global Ministries, The United Methodist Church

- Ernesto Cardenal, Movimiento de Renovación Sandinista, Nicaragua

- Allan Figueroa Deck, S.J., Loyola Marymount University

- Joan Duffy, Yale University

- Jane Elder, Bridwell Library, Southern Methodist University

- John Fleury, Comunidad Siervos de Cristo Vivo

- Gustavo Gutiérrez, University of Notre Dame

- Kristin Hellmann, American Bible Society

- Carlos René Padilla, Ediciones Kairós

- Héctor López Sierra, Universidad Interamericana de Puerto Rico

- Griselda Laerty, Columbia Theological Seminary

- Eloy Nolivos, Wesley Seminary, Indiana Wesleyan University

- Eliseo Pérez-Alvárez, Seminary Consortium for Urban Pastoral Education

- Miguel Ramos, Ilarií Obá, Florida International University

- Mary Sperry, United States Conference of Catholic Bishops

- David Sowell, Juniata College

- Carl A. Talbert, Jr., United States Conference of Catholic Bishops

- Stephanie L. Taylor, New Mexico State University Art Gallery

- Cherie Velasco White, Seminario Gonzalo Báez Camargo

Gracias especiales a Carlos Cardoza-Orlandi, Perkins School of Theology, Southern Methodist University, por su valiosísima ayuda en la recolección de fuentes.

Introducción

Era el último domingo antes de la Navidad del año 1511 y en la isla a la cual Colón dio el nombre de La Española (hoy Haití y la República Dominicana) la gente acudía a la iglesia. Bien podemos imaginar el espíritu festivo de aquella misa en la que los colonos españoles se preparaban para la celebración de la Navidad.

Les esperaba una gran sorpresa. El fraile dominico Antonio de Montesinos se acercó al púlpito, desde donde debía predicar. El pasaje del evangelio asignado para ese día era la historia de Juan el Bautista, quien había declarado que él era "la voz de uno que clama en el desierto: enderezad el camino del Señor."

Entonces Montesinos declaró:

> "Yo soy la voz de uno que clama en el desierto.... Esta voz dice que todos estáis en pecado mortal y en él vivís y morís, por la crueldad y tiranía que usáis con estas inocentes gentes. Decid, ¿con qué derecho y con qué justicia tenéis en tan cruel y horrible servidumbre a estos indios?... Tened por cierto, que en el estado [en] que estáis no os podéis más salvar que los moros o turcos que carecen y no quieren la fe de Jesucristo."[1]

Como era de esperarse, sus palabras no fueron bien recibidas. Primero hubo protestas ante los dominicos de la isla, quienes habían aprobado de antemano lo que Montesinos habría de decir, y luego ante las autoridades de España. Aunque por todo

---

[1] http://www.dominicanaonline.org/Portal/espanol/cpo_conquista.asp

el resto de su vida Montesinos sufrió dificultades, hoy se le honra en Santo Domingo mediante una estatua monumental que domina el paisaje por varias cuadras a la redonda –monumento que aparece en la portada de este libro.

Aquello no fue un acontecimiento aislado. Al contrario, bien puede decirse que la confrontación entre Montesinos y los otros dominicos por una parte, y los colonos españoles por otra estableció un patrón que habría de continuar a través de toda la historia de la iglesia en América Latina. Montesinos era cristiano. Los colonos también lo eran. Todos pertenecían a la misma iglesia. Pero representaban dos rostros diferentes y contrastantes de esa misma iglesia.

Al leer este libro, encontrará repetidas instancias de esos dos rostros contrastantes del cristianismo en América Latina. Verá esfuerzos de justificar la explotación y de calmar la conciencia, y verá también ardientes llamados hacia una transformación radical. Verá intentos de usar el cristianismo para instar a los oprimidos a someterse, y verá también resistencia y hasta rebelión, también en nombre del cristianismo. Le invitamos a que busque las diversas expresiones de estos dos polos del cristianismo según fueron evolucionando a través de los siglos, al responder a la esclavitud africana, al llamado a la independencia, a los diversos programas de transformación social y de revolución. Verá que no sólo se manifestaron en el catolicismo romano, sino también entre los protestantes cuando entraron en escena.

Sin embargo, estos dos rostros del cristianismo no constituyen la totalidad de la inmensa variedad de experiencias religiosas, creencias y prácticas que han tenido lugar en América Latina. En las páginas que siguen podrá leer acerca de las religiones nativas y africanas y cómo elementos importantes de ellas han subsistido, frecuentemente debajo de un barniz de cristianismo. Se encontrará usted con una mujer que trató de recuperar el amor de su esposo mediante la magia. Verá un hombre al que mataron bajo acusación de ser secretamente judío, pero quizás realmente fue porque tenía demasiadas riquezas y éxitos. Conocerá a una mujer extraordinariamente inteligente que buscaba mantener su libertad de estudiar y aprender aun en un mundo dominado por los varones. Leerá las órdenes secretas que la corona española envió para posesionarse por sorpresa de las propiedades de los jesuitas. Será testigo de una acalorada discusión entre el presidente de México y dos obispos en representación de la jerarquía católica. Habrá voces clamando por la reforma de la iglesia, otras defendiendo los derechos de la iglesia contra lo que les parecía ser una injerencia indebida del gobierno, y otros culpando a la iglesia por todos los males de sus naciones. Habrá misioneros, santos, poetas, teólogos, y habrá ciertamente pecadores. Leerá palabras de papas y de campesinos. Escuchará acerca de las luchas y sueños de quienes viven al margen de la sociedad.

A veces le parecerá difícil reconciliar todas estas voces diferentes, esta algarabía de opiniones y agendas, de fe e incredulidad, de sueños y pesadillas. Pero esto no es sino un reflejo de las luchas de la vida y de la complejidad de todas las sociedades. Lea este libro como quien se asoma a través de una ventana a la caótica belleza de la vida y la sociedad latinoamericanas.

Abra la ventana. Examine el paisaje de esta, nuestra patria grande, que es la América Latina.

LOS ORÍGENES

Introducción

Como es por todos sabido, al grito de "¡tierra!" aquel 12 de octubre de 1492, se abrió un nuevo capítulo en la historia de la humanidad. Pero los cambios que aquel viaje de Colón acarreó para lo que después se llamaría América no tuvieron lugar en el vacío. El impacto de aquel viaje y la respuesta a lo que Colón halló fueron reflejo y consecuencia de las civilizaciones que entonces se encontraron. A fin de entender lo que sucedió *después* de 1492, es necesario entender también lo que estaba teniendo lugar *antes*, tanto en España como en América. Esta es la evolución que tiene lugar cuando diferentes religiones se encuentran, chocan y a la postre se reconcilian, aun cuando la una parezca conquistar a la otra. Un modo de acercarnos a la complejidad de las civilizaciones y religiones es escuchar las palabras, observar el arte, leer los mitos de los pueblos. Eso es lo que haremos en las selecciones que siguen.

Comenzaremos con los españoles, cuyo mundo estaba sufriendo rápidos cambios en 1492: los judíos fueron expulsados del país; los moros fueron derrotados en Granada; e Isabel le concedió a Cristóbal Colón el derecho de navegar bajo sus pendones.

Colón y los muchos que a través de los años le siguieron trajeron consigo no sólo sus comidas y enfermedades, sino también sus actitudes respecto a la guerra y la religión. El primer documento, "Un destino manifiesto", nos presenta un modo de entender el fervor religioso y el poder arrollador de la reconquista.

Ese proceso que duró siglos, y mediante el cual los cristianos reclamaron militarmente los territorios que fueron conquistados por los moros en el año 711, culminó en 1492, poco antes de la partida de Colón. Para ese entonces, había surgido el mito según el cual el proceso de reconquista fue consciente y continuo. Así reinterpretado, el pasado sirvió para crear en España una visión en la que las empresas nacionalistas se identificaban con los propósitos de Dios.

La religión también le dio forma al modo en que los habitantes originales de América respondieron a la invasión y conquista tanto militar como espiritual. Esto se ve en nuestra segunda selección, "Creencias ancestrales", en la que veremos el mito sobre el nacimiento del dios azteca *Huitzilopochtli*. Esa narración nos introduce a la cosmología mexicana y su convicción de que el mundo había surgido del caos y el conflicto.

El tercer documento, "Un mercado sorprendente", es una selección de la crónica de Bernal Díaz del Castillo en que se cuenta con cierto detalle el proceso de la conquista de México. Esta crónica ayuda a los lectores de hoy a entender el mundo de los conquistadores que atravesaron México. De interés particular es el conflicto interno de los españoles al tratar de reconciliar lo que veían con lo que creían acerca de los aztecas. La descripción de Tatelulco (hoy Tatelolco), un mercado próspero en la capital azteca, nos ayuda a entender algo de ese conflicto interno.

Nuestro cuarto documento, "La conversión de un inca", nos muestra que los esfuerzos de entender al "otro" no se limitaban a los españoles, sino que también los habitantes originales de la región se veían obligados a semejantes esfuerzos. Lo que el príncipe Titu Cusi Yupanqui cuenta acerca del maltrato de su padre, Manco Inca, en manos de los españoles nos da un atisbo de un gobernante andino que trataba de entender quiénes eran estos invasores. Leeremos aquí acerca de la conversión del propio Titu Cusi al cristianismo y veremos cómo ambas partes usaban la fe como instrumento para sus propósitos.

Felipe Guamán Poma de Ayala también contó los abusos de los españoles en el mundo andino. Pero en nuestro quinto documento, "Una tragedia en pinturas", no tenemos documentos escritos. Son más bien ilustraciones que representan gráficamente las acciones de los conquistadores tal cual las entendían los conquistados.

Al leer estas fuentes y observar estos dibujos, podemos preguntarnos qué puntos comunes pudo haber entre los americanos pre-europeos y los europeos pre-americanos. ¿Cómo se manifestarían esas cosmovisiones diferentes en el encuentro mismo? ¿De qué manera contribuyeron a la interpretación de la conquista los principales elementos en estas fuentes?

En cada una de estas fuentes, el autor o artista expresa su percepción del mundo que le rodea. Al ver el mundo a través de los ojos de los protagonistas en el encuentro, el lector moderno puede empezar a entender por qué los mundos que surgieron en Europa y América después de 1492, y el cristianismo en esos mundos, se desarrollaron como lo hicieron.

PRIMER DOCUMENTO

Un destino manifiesto

Introducción

En 1530, unos pocos años después de que Colón emprendiera su último viaje a América, tanto Isabel de Castilla como Fernando de Aragón llevaban largo tiempo muertos: Fernando casi quince años, e Isabel más de veinticinco. Pero fue en esa fecha que Lucio Marineo Sículo publicó su *De rebus Hispaniae memorabilibus Libri XXV* (XXV libros de cosas memorables de España). Este siciliano que había servido como capellán de Fernando el Católico escribió una monumental historia de España en la que incluía "la vida ilustre y hechos heroicos de los Reyes Católicos". Marineo se gloriaba en las riquezas de su patria adoptiva y en el reinado de aquellos monarcas cuyo gobierno señaló el comienzo de la España moderna. Escribió acerca de la geografía de la región, de la cultura de sus habitantes, y de su historia militar y religiosa. Un elemento importante en la supuesta "historia" religioso-militar que inspiraba a la España de Isabel era el mito de Reconquista. Según ese mito, a partir de la invasión por parte de los moros en el año 711, los cristianos españoles habían luchado valientemente para reclamar su país para la gloria de Dios. La idea de que Dios estaba de parte de los españoles, y los españoles de parte de Dios, se encontraba profundamente arraigada en la vida española hacia fines del siglo quince y principios del dieciséis. Las selecciones que hemos escogido centran su atención en los esfuerzos de Fernando e Isabel hacia fines del siglo quince por unir a España bajo una sola fe, practicada por todos por igual. Aquí leerá usted sobre la inquisición y los herejes –mayormente judíos que se habían convertido al catolicismo para luego volver a su vieja religión,– sobre intentos de reforma contra monjas y monjes cuyas vidas se apartaban de la regla monástica bajo la cual supuestamente vivían; y sobre la guerra contra los moros de Granada. Al leer estas selecciones, notemos lo que la unidad religiosa significaba para los gobernantes españoles y por qué Marineo incluyó tal tema en su informe acerca de los hechos heroicos de los monarcas. También vale la pena pensar acerca de cómo ese modo de ver los éxitos militares como reflejo tanto del beneplácito de Dios como de la fidelidad del pueblo hacia ese Dios afectaría la conquista de América. El mito de la Reconquista dejó su huella en la conquista de América.

Texto[1]

Pues ya hemos dicho de las costumbres de los judíos, diremos agora brevemente la causa de cómo se tornaron cristianos en España. En los años pasados, y casi en nuestro tiempo, fué un varón natural de la cuidad de Valencia, que se decía fray Vicente Ferrer, de la orden de los predicadores, muy famoso teólogo y predicador maravilloso,... Así que, siendo de tan santa vida y tan elocuente, y de tan gran doctrina, demostraba predicando y probaba por muy recios argumentos y razones

---

[1] Lucio Marineo Sículo, *Vida y hechos de los Reyes Católicos*, ed. Jacinto Hidalgo, 1587; repr. Ediciones Altas, Madrid, 1943, pp. 68-74, pp, 102-104.

evidentes, a los judíos, todos los errores y manifiestos engaños, en los cuales estaban muy ciegos; y así convirtió a muchos de ellos a la fe católica. Los cuales, como conociesen la religión cristiana y nuestra fe, ser muy santa y verdadera, y fuesen de su propia voluntad bautizados, y recibiesen todos los Sacramentos de la Iglesia, comenzaron a vivir como cristianos. Mas después, andando el tiempo, por persuasión diabólica, o por la conversación que tenían con los judíos que habían quedado en su ley,... fácilmente se tornan a sus costumbres siniestras y acostumbradas. Así, que, pensando los nuevos cristianos que Cristo no había sido el que Dios había de enviar, y el que ellos esperaban, arrepentidos de su conversión, menospreciaban la religión cristiana y celebraban en lugares secretos de sus casas los sábados y las ceremanias [sic] judaicas, entrando de noche en sus sinagogas y honrando sus fiestas Pascuales y la memoria de sus abuelos con pies descalzos, según que antes habían acostumbrado... Así que el tiempo, o la justicia de Dios por mejor decir, descubrió a los Príncipes Católicos haber mancebos que delinquían en tinieblas, de noche y en lugares ocultos, y no permitió que más pecasen sin castigo; y remediando los Príncipes Católicos estos maleficios, y tan grandes errores, con consejo del Cardenal [Jiménez] ... mandaron primeramente a los sacerdotes y varones religiosos que en todas las ciudades y pueblos, a todos los cristianos nuevos amonestasen e instruyesen, así por predicaciones públicas como por las privadas y particulares, con diligencia, y los tuviesen y confirmasen en todos los sacramentos de la iglesia y en la santa fe católica. Y como después supiesen que aquello aprovechaba poco o nada, por esta causa enviaron embajadores a Roma para el Santo Padre. El cual, como hubo oído la embajada, maravillándose de la nueva herejía, y doliéndose mucho de la deshonra e ignominia que los herejes hacían a los cristianos y a la honra de Dios, envió sus bulas, signadas con el sello apostólico, para los Príncipes Católicos. Por las cuales mandaba hacer Inquisición diligentemente, y castigo contra aquellos que sintiesen mal de la fe católica, y fuesen contra ella, o hubiesen ido en cualquier manera. Así que el Rey y la Reina, ... mandaron a los inquisidores, que para ello eligieron de todos los sacerdotes de sus reinos, muy aprobados en costumbres y doctrina, que en todas las ciudades de España, y en sus pueblos, pusiesen sus edictos públicos, por autoridad apostólica, y publicasen que todos los que hubiesen incurrido en crimen de herejía, dentro de cierto tiempo viniesen confesando sus errores a los padres inquisidores y pidiendo humildemente perdón, y reconciliados a la Iglesia, hiciesen penitencia de sus errores. Y en este juicio, antes que el término expirase, parecieron ante los padres casi diez y siete mil personas, entre hombres y mujeres. A los cuales la Iglesia, que es fuente de misericordia y madre de piedad, contenta con su penitencia, que cada uno ponía según la calidad de su exceso, dió a muchos la vida que por ventura no la merecían. Y muchas personas, que no quisieron obedecer a sus mandamientos, perseverando en sus herejías, por información de testigos dignos de fe, fueron presos y puestos a quistón de tormento, y confesando sus errores fueron quemados. De los cuales, unos llorando sus pecados y confesando a Cristo, y otros perversando en sus errores, llamaban el nombre de Moisés. Así que, en pocos años, quemaron casi dos mil herejes. A muchos arrepentidos, que les pesaba de sus errores, aunque habían pecado gravemente, ponían en cárceles perpetuas, haciendo penitencia. A otros, que libraban de la muerte y de la cárcel perpetuas, daban esta pena: que quedasen infames y privados e inhábiles para oficios públicos, que no pudiesen traer oro ni seda de cualquier manera que fuese y que trujesen sambenitos con dos cruces coloradas, una en los pechos y otra en las espaldas, sobre toda la ropa, porque todos los viesen y fuesen conocidos. Procedieron también contra los muertos que constaba haber delinquido mientras vivieron; y, confiscados sus bienes y privados sus hijos de ellos y de todas honras y oficios, sacaron los huesos de las sepulturas, que fueron muchos, y los quemaron; y muchos otros judíos, temiendo esta justicia y sabiendo sus maldades, dejaron sus casas con muchos bienes, y a España, y fueron huyendo, de ellos a Portugal, otros a Navarra, muchos a Italia y algunos a Francia y a otras partes, a donde pensaban estar seguros. Y los bienes de éstos, así muebles como raíces, gastaron los Príncipes Católicos en las guerras que hacían contra moros, que fué muy gran suma de dineros. Porque solamente en el Andalucía quedaron más de cinco mil casas, de los judíos que se habían ido huyendo con sus mujeres y hijos. Y porque, como arriba hemos dicho, la conversación de los judíos nuevamente convertidos a nuestra fe era dañosa, porque sin duda daba ocasión de pecar a los otros, echaron los Príncipes Católicos para siempre todos los judíos de sus reinos y señoríos. Los cuales, como requeridos por edictos y amonestaciones no pudiesen vender sus casas ni llevar consigo dineros, fueron tomados algunos, que llevaban en las albardas y oídos de lo asnos...

Fácilmente hemos visto cuánto cuidado y diligencia tuvieron nuestros Católicos Príncipes por conservar la virtud y honestidad, no solamente en las cosas temporales y humanas, mas aun en las divinas y espirituales, que tocaban a la honra de Dios y salud de los hombres. De la cual tuvieron siempre no menor cuidado, y tanto celo, como de la gobernación de sus reinos. Los cuales, no menos parecían sacerdotes y pontífices muy santos, que reyes, ordenando continuamente muy santas leyes, así para la honra del culto divino, como para las cosas humanas y gobernación de sus reinos. Por lo cual, como viesen muchos religiosos, principalmente Menores, observantes y predicadores, que guardaban sus reglas, y otros claustrales y de otras órdenes, vivir deshonestamente, no guardando lo que eran obligados; por esto pusieron observancia y regla de honesta vida, defendieron también y prohibieron la conversación de los hombres en los monasterios de monjas, que vivían en mucha libertad y disolutamente, las cuales pusieron en observancia encerrándolas en sus monasterios, y defendiéndolas todas las hablas sospechosas y las salidas de sus monasterios.

... Mas agora vuelvo a los moros granatenses. Los cuales, como ocupasen la ciudad de Granada, como arriba es dicho, y muchos lugares, esforzándose siempre de proseguir adelante, contendían con muchas peleas y escaramuzas, y entradas continuamente con los cristianos cercanos y propíncuos de ellos, de lo cual se seguían de ambas partes muchos captiverios, y prisiones, y muertes. Mas no faltaron cristianísimos Príncipes de España, y varones muy esforzados y de grand ánimo, y muy celadores de nuestra religión Cristiana, que en batalla campal, vencidos y desbaratados los moros, los persiguieron hasta las puertas de la ciudad de Granada y combatieron fuertemente sus muros... y una noche, con gran silencio, vinieron al lugar de Zahara, que era de cristianos, y puestas escalas a los muros entraron dentro, y con grande y arrebatado ímpetu, quebradas y arrancadas las puertas, muy cruelmente mataron los cristianos que dentro estaban, que con seguridad de la treguas, sin guardas y velas, seguros y desnudos, dormían, no perdonando a las mujeres ni a los niños. Porque es increíble la crueldad de la gente mora contra los cristianos. Y hecha esta crueldad, dejaron guarnición en el dicho lugar que habían tomado; y muy alegres fueron a otros lugares de cristianos y hicieron lo mismo. Lo cual, según yo pienso, fué por Dios permitido para comienzo de la guerra del reino de Granada, y perdición y destruimiento de los moros. Porque la fama de la miserable muerte de los cristianos, y la crueldad espantable de los moros, despertó y encendió a los Católicos Príncipes, y a todos los Grandes y pueblos de España, en maravillosa manera, con rabia cruel para la destrucción de los moros. Sobre lo cual, luego que los dichos Católicos Reyes Don Fernando y Doña Isabel ... fueron certificados de la maldad y maleficio de los moros, con diligencia enviaron letras y mensajeros a todos los principales, y a todas las ciudades y lugares de las provincias del Andalucia y de Cartagena, avisándolos y amonestándolos, que guardasen y fortaleciesen sus pueblos, y ayuntasen toda la gente de caballo y de pie que pudiesen, y aparejasen todas las otras cosas necesarias para el ejército de la guerra, y mirasen y considerasen con mucha diligencia y vigilancia todas las cosas que conviniesen de las entradas de los moros; prometiéndoles, que ellos vernían muy prestamente con ejército a ellos, o enviarían sus capitanes con mucha gente en su ayuda y socorro. Y los caballeros y pueblos de ambas provincias, a quien tocaba defender, a sí y a sus cosas, de los enemigos, aunque de buena voluntad y con diligencia miraban y proveían las cosas necesarias a su guarda y defensión, empero, con el aviso y amonestación de sus Príncipes, y esperanza de la ayuda y socorro, más se esforzaban... Y como los moros, por sus espías, los sintieron, no sólo se disistieron de lo comenzado, mas con temor se comenzaron a retraer. Los cristianos, aparejadas las armas y cosas necesarias, estaban atentos y sobreseídos, esperando la venida de los Reyes Católicos, o su mandado, para los que habían de hacer.

SEGUNDO DOCUMENTO

Antiguas creencias

Introducción

Según nos cuenta fray Bernardino de Sahagún, *Huitzilopochtli*, el dios mexicano de la guerra, nació en medio de la deshonra. En la década de 1540, menos de 30 años después de que Hernán Cortés conquistara México, Sahagún, un misionero franciscano, recopiló la historia del mundo azteca, así como de su cultura y de su sociedad, mediante una serie de entrevistas con ancianos de lengua nahua. Su *Historia general de las cosas de Nueva España*, conocida también como el *códice florentino*, por conservarse actualmente en Florencia, es un compendio de lo que Sahagún escuchó. Su orden le había mandado compilar esta historia como instrumento para la conversación e instrucción cristianas de los indígenas americanos. Como buen lingüista que era, Sahagún produjo también un diccionario y una gramática de la lengua nahua. Estas fuentes, en particular la *Historia general*, de marcado carácter etnográfico, son el mejor modo que tenemos de conocer un poco de la cosmovisión azteca antes de la llegada de los españoles. Nótese lo que la historia de Huitzilopochtli nos dice acerca del modo en que los aztecas entendían el mundo, y cómo esto afectaría el modo en que los aztecas recibieron a los españoles. Como sabemos, los españoles usarían esa cosmovisión azteca para su propia ventaja. Al leer lo que el texto seleccionado nos dice acerca de Huitzilopochtli, vemos cómo un misionero podría usar esa información en sus esfuerzos por convertir a los indios. ¿Qué contactos podía establecer un misionero cristiano con esta historia de este dios guerrero a fin de presentar el cristianismo de una manera más aceptable y comprensible? ¿Qué razones pudieron haber tenido los ancianos indígenas para participar en el proyecto de Sahagún? ¿Cómo matizarían lo que decían en vista de la raza y religión de Sahagún?

Texto[2]

1. Según lo que dijeron y supieron los naturales viejos, del nacimiento y principio del diablo que se decía *Huitzilopochtli*, al cual daban mucha honra y acatamiento los mexicanos, es:

2. que hay una sierra que se llama *Coatépec* junto al pueblo de *Tulla*, y allí vivía una mujer que se llamaba *Coatlicue*, que fue madre de unos indios que se decían *Centzonhuitznahua*, los cuales tenían una hermana que se llamba *Coyolxaujqui*; y la dicha *Coatlicue* hacía penitencia barriendo cada día en la sierra de *Coatépeci*, y un día acontecióle que andando barriendo descendióle una pelotilla de pluma, como ovillo de hilado, y tomóla y púsola en el seno junto a la barriga, debajo de las naguas y después de haber barrido [la] quiso tomar y no la halló de que dicen se empreñó; y como vieron los dichos indios *Centzonhuitznahua* a la madre que ya era preñada se enojaron bravamente diciendo: ¿Quién la empreñó que nos infamó y avergonzó?

3. Y la hermana que se llamaba *Coyolxauhqui* decíales: hermanos, matemos a nuestra madre porque nos infamó, habiéndose a hurto empreñado.

4. Y después de haber sabido la dicha *Coatlicue* (el negocio) pesóle mucho y atemorizóse, y su criatura hablábala y consolábala, diciendo: no tengas miedo, porque yo sé lo que tengo de hacer.

5. Y después de haber oído estas palabras la dicha *Coatlicue* aquietósele su corazón y quitósele la pesadumbre que tenía; y como los dichos indios *Centzonhuitznahua* habían hecho y acabado el consejo de matar a la madre, por aquella infamia y deshonra que les había hecho, estaban enojados mucho, juntamente con la hermana que se decía *Coyolxauhqui*, la cual les

---

[2] Fr. Bernardino de Sahagún, *Historia general de las cosas de Nueva España*, numerado, anotado y editado por Angel María Garibay K.,1575-1577; repr. Editorial Parrúa, S.A., Ciudad de México: 1989, pp. 191-192.

importunaba que matasen a su madre *Coatlicue*; y los dichos indios *Centzonhuitznahua* habían tomado las armas y se armaban para pelear, torciendo y atando sus cabellos, así como hombres valientes.

6. y uno de ellos que se llamaba *Quauitlícac*, el cual era como traidor, lo que decían los indios *Centzonhuitznahua* luego se lo iba a decir a *Huitzilopochtli*, que aún estaba en el vientre de su madre, dándole noticia de ello; y le respondía diciendo el *Huitzilopochtli*: ¡Oh, mi tío!, mira lo que hacen y escucha muy bien lo que dicen, porque yo sé lo que tengo de hacer.

7. Y después de haber acabado el consejo de matar a la dicha *Coatlicue*, los dichos indios *Centzonhuitznahua* fueron a donde estaba su madre *Coatlicue*, y delante iba la hermana suya *Coyolxauhqui* y ellos iban armados con todas armas y papeles y cascabeles, y dardos en su orden; y el dicho *Quauitlícac* subió a la sierra a decir a *Huitzilopochtli*, cómo ya venían los dichos indios *Centzonhuitznahua* contra él, a matarle; y díjole el *Huitzilopochtli* respondiéndole: mirad bien a dónde llegan . Y díjole el dicho *Quauitlícac* que ya llegaban a un lugar que se dice *Tzompantitlan* ...

8. Y en llegando los dichos indios *Centzonhuitznahua* nació luego el dicho *Huitxilopochtli*, trayendo consigo una rodela que se dice *teueuelli*, con un dardo y vara de color azul, y su rostro como pintado y en la cabeza traía un pelmazo de pluma pegado, y la pierna siniestra delgada y emplumada y los dos muslos pintados de color azul, y también los brazos.

9. Y el dicho *Huitzilopochtli* dijo a uno que se llamaba *Tochancalqui* que encendiese una culebra hecha de teas que se llamaba *xiuhcóatl*, y así la encendió y con ella fue herida la dicha *Coyolxauhqui*, de que murió hecha pedazos, y la cabeza quedó en aquella sierra que se dice *Coatépec* y el cuerpo cayóse abajo hecho pedazos;

10. y el dicho *Huitzilopochtli* levantóse y armóse y salió contra los dichos *Centzonhuitznahua*, persiguiéndoles y echándoles fuera de aquella sierra que se dice *Caotépec*, hasta abajo, pelando contra ellos y cercando cuatro veces la dicha sierra; y

los dichos indios *Centzonhuitznahua*, no se pudieron defender, ni valer contra el dicho *Huitzilopochtli*, ni le hacer cosa alguna, y así fueron vencidos y muchos de ellos murieron; y los dichos indios *Centzonhuitznahua* regaban y suplicaban al dicho *Huitzilopochtli*, diciéndole que no los persiguiese y que se retrayese de la pelea, y el dicho *Huitzilopochtli* no quiso ni les consintió, hasta que casi todos los mató, y muy pocos escaparon y salieron huyendo de sus manos, y fueron a un lugar que se dice *Huitztlampa*, y les quitó y tomó muchos despojos y las armas que traían que se llamaban *anecúhiotl*.

11. ... y los dichos mexicanos lo han tenido en mucho acatamiento y le han tenido por dios de la guerra, porque decían que el dicho *Huitzilopochtli* les daba gran favor en la pelea; y el orden y costumbre que tenían los mexicanos para servir y honrar al dicho *Huitzilopochtli* tomaron el que se solía usar y hacer en aquella dicha sierra que se nombra *Coatépec*.

TERCER DOCUMENTO

Un mercado sorprendente

Introducción

¿Quién podría creer que un pueblo tan "salvaje" como los aztecas pudo haber sostenido un comercio tan ordenado y disciplinado como se ve en la variedad de productos que aquí se describen, así como en su disposición? Después de todo, Aristóteles había dicho que el comercio era señal característica de la civilización, y que sobre la base de esta última se podía clasificar toda una población dentro de una escala que les hacía esclavos o señores, humanos o sub-humanos. Y los europeos de comienzos de la Edad Moderna sentían alto respeto por el pensamiento y las opiniones de Aristóteles. Bernal Díaz del Castillo, soldado y cronista que acompañó a Hernán Cortés, fue uno de entre muchos a quienes sorprendía la yuxtaposición entre la "civilización" y la "barbarie" –esta última manifestada, entre otras cosas, por los sacrificios humanos. Y sin embargo, tal situación existía en el Valle de México. En su *Historia verdadera de la conquista de Nueva España*, Díaz del Castillo describe la ardua y destructora campaña a través de México, el asombro y la credulidad de los españoles, y su entrada a Tenochtitlán, la capital de los aztecas. Fue allí en Tenochtitlán que vio una actividad económica que bien podía compararse con la de cualquier capital europea.

En el texto que sigue, Díaz del Castillo ofrece una descripción detallada de la variedad de productos que vio en aquel mercado. Es preciso entender la actitud de los españoles según se ve en la sorpresa de Díaz del Castillo. ¿Qué conflictos internos crearía tal mercado para un europeo que trataba de determinar el lugar propio de los aztecas dentro de la escala humana, o quizás hasta decidir si los aztecas eran humanos o no? Díaz del Castillo presenta "evidencias" del carácter sub-humano de los indígenas, y de su humanidad. Aquí vemos también cómo la religión le daba forma al mundo económico de los aztecas, así como un poco de la estructura económica del imperio azteca. Esto nos invita a reflexionar sobre los modos en que todo este sistema económico podría ayudar u obstaculizar la conquista de los aztecas, tanto espiritual como física.

Texto[3]

Dejemos al Montezuma, que ya había ido adelante, como dicho tengo, y volvamos a Cortés y a nuestros capitanes y soldados, como siempre teníamos por costumbre de noche y de día estar armados, y así nos veía estar Montezuma, y cuando lo íbamos a ver, no lo temíamos por cosa nueva. Digo esto porque a caballo nuestro capitán, con todos los más que tenían caballos, y la más parte de nuestros soldados muy apercibidos, fuimos al Tatelulco, e iban muchos caciques que el Montezuma envió para que nos acompañasen; y cuando llegamos a la gran plaza, que se dice el Tatelulco, como no habíamos visto tal cosa, quedamos admirados de la multitud de gente y mercaderías que en ella había y del gran concierto y regimiento que en todo tenían; y los principales que iban con nosotros nos lo iban mostrando;

---

[3] Bernal Díaz del Castillo, *Historia verdadera de la conquista de Nueva España*, 1601, repr. Editorial Ramón Sopena, Barcelona, 1975, capítulo XCII, pp. 292-294.

cada género de mercancías estaban por sí, y tenían situados y señalados sus asientos. Comencemos por los mercaderes de oro y plata y piedras ricas, y plumas y mantas y cosas labradas, y otras mercadería, esclavos y esclavas; digo que traían tantos a vender a aquella gran plaza como traen los portugueses los negros de Guinea, e traíanlos atados en unas varas largas, con collares a los pescuezos porque no se les huyesen y otros dejaban sueltos. Luego estaban otros mercaderes que vendían ropa más basta, e algodón, e otras cosas de hilo torcido, y cacaguateros que vendían cacao; y desta manera estaban cuantos géneros de mercaderías hay en toda la Nueva-España, puesto que por su concierto, de la manera que hay en mi tierra, que es Medina del Campo, donde se hacen las ferias, que en cada calle están sus mercaderías por sí, así estaban en esta gran plaza; y los que vendían mantas de henequén y sogas, y cotaras, que son los zapatos que calzan, y hacen de henequén y raíces muy dulces cocidas, otras zarrabusterías que sacan del mismo árbol; todo estaba a una parte de la plaza en su lugar señalado; y cueros de tigres, de leones y de nutrias, y de venados y de otras alimañas, e tejones e gatos monteses, dellos adobados y otros sin adobar. Estaban en otra parte otros géneros de cosas e mercaderías. Pasemos adelante, y digamos de los que vendían frisoles y chía y otras legumbres e yerbas, a otras partes. Vamos a los que vendían gallinas, gallos de papada, conejos, liebres, venados y anadones, perrillos y otras cosas deste arte, a su parte de la plaza. Digamos de las fruteras, de las que vendían cosas cocidas, mazamorreras y malcocinado; y también a su parte, puesto todo género de loza hecha de mil maneras, desde tinajas grandes y jarrillos chicos, que estaban por sí aparte; y también los que vendían miel y melcochas y otras golosinas que hacían, como nuégados. Pues los que vendían madera, tablas, cunas viejas e tajos e bancos, todo por sí. Vamos a los que vendían leña, ocote e otras cosas desta manera. ¿Qué quieren más que diga? Que hablando con acato, también vendían canoas llenas de hienda de hombres, que tenían en los esteros cerca de la plaza, y esto era para hacer o para curtir cueros, que sin ella decían que no se hacían buenos. Bien tengo entendido que algunos se reirán desto; pues digo que es así; y más digo, que tenían por costumbre, que en todos los caminos, que tenían hechos de cañas o paja o yerbas porque no los viesen los que pasasen por ellos, y allí se metían si tenían ganas de purgar los vientres porque no se les perdiese aquella suciedad. ¿Para qué gasto ya tantas palabras de lo que vendían en aquella gran plaza? Porque es para no acabar tan presto de contar por menudo todas las cosas, sino que papel, que en esta tierra llaman amatl, y unos cañutos de olores con liquidámbar, llenos de tabaco, y otros ungüentos amarillos, y cosa deste arte vendían por sí; e vendían mucha grana debajo de los portales que estaban en aquella gran plaza; e había muchos herbolarios y mercaderías de otra manera; y tenían allí sus casas, donde juzgaban tres jueces y otros como alguaciles ejecutores que miraban las mercaderías. Olvidádoseme había la sal y los que hacían navajas de pedernal, y de cómo las sacaban de la misma piedra. Pues pescaderas y otros que vendían unos panecillos que hacen de una como lama que cogen de aquella gran laguna, que se cuaja y hacen panes dello, que tienen un sabor a manera de queso; y vendían hachas de latón y cobre y estaño, y jícaras, y unos jarros muy pintados, de madera hechos. Ya quería haber acabado de decir todas las cosas que allí se vendían, porque eran tantas y de tan diversas calidades, que para que lo acabáramos de ver e inquirir era necesario más espacio; que, como la gran plaza estaba llena de tanta gente y toda cercada de portales, que en un día no se podía ver todo. Y fuimos al gran cu, e ya que íbamos cerca de sus grandes patios, e antes de salir de la misma plaza estaban otros muchos mercaderes, que según dijeron, era que tenían a vender oro en granos como lo sacan de la minas, metido el oro en unos cañutillos delgados de los de ansarones de la tierra, e así blancos porque se pareciese el oro de por defuera, y por el largor y gordor de los cañutillos tenían entre ellos su cuenta qué tantas mantas o jiquipiles de cacao valía, o qué esclavos, o otra cualquiera cosa que lo trocaban. E así, dejamos la gran plaza sin más la ver, y llegamos a los grandes patios y cercas donde estaba el gran cu, y tenía antes de llegar a él un gran circuito de patios, que me parece que eran mayores que la plaza que hay en Salamanca, y con dos cercas alrededor de cal y canto, y el mismo patio y sitio todo empedrado de piedras grandes de losas blancas y muy lisas, y adonde no había de aquellas piedras, estaba encalado y bruñido, y todo muy limpio, que no hallaran una paja ni polvo en todo él. Y cuando llegamos cerca del gran cu, antes que subiésemos ninguna grada de él, envió el gran Montezuma desde arriba, donde estaba haciendo sacrificios, seis papas y dos principales para que acompañasen a nuestro capitán Cortés, y al subir de las gradas, que eran ciento y catorce, le iban a tomar de los brazos para le ayudar a subir, creyendo que se cansaría, como ayudaban a subir a su señor Montezuma, y Cortés no quiso que se llegasen a él; y como subimos a lo alto del gran cu, en una placeta que arriba se hacía, adonde tenían un espacio como andamios, y en ellos puestas unas grandes piedras adonde ponían los tristes indios para sacrificar, allí había un gran bulto como de dragón e otras malas figuras, y mucha sangre derramada de aquel día.

CUARTO DOCUMENTO
La conversión de un inca

Introducción

La conquista de un pueblo rara vez es cosa fácil, a pesar de que se diga lo contrario. Esto puede verse en la conquista del Perú por parte de los españoles en la década de 1530. Los españoles llegaron al país cuando éste se encontraba en medio de una guerra civil para determinar quién sería el nuevo gobernante o sapa inca del imperio –una guerra que por fin ganó Atahualpa. Aprovechándose de la situación, los españoles mataron a Atahualpa y a la postre colocaron a su hermano Manco Inca como gobernante títere bajo sus órdenes. Pero resultó que Manco Inca no se amoldó a todo lo que los españoles querían. En 1536, sitió la ciudad de Cuzco, centro del poderío español. El sitio no tuvo éxito, y Manco Inca y sus seguidores se retiraron a Vilcabamba, hacia el norte, donde se mantuvieron independientes del régimen español. Tras la muerte de Manco Inca en 1545, su hijo Titu Cusi Yupanqui, quien usurpó el poder de su medio hermano y se proclamó a sí mismo como sapa inca, llegó a gobernar este foco de resistencia incaica. Titu Cusi continuó gobernando hasta su propia muerte en 1571, pero su actitud hacia los españoles difería significativamente de la de su padre. Se declaró partidario de lo que hoy llamaríamos "coexistencia pacífica", lo cual puede verse en sus esfuerzos por negociar con los españoles, al mismo tiempo que conducía actos de hostilidad contra ellos. A la postre, Titu Cusi les permitió a los misioneros entrar a la región de Vilcabamba, y él mismo se declaró cristiano. En 1570, Titu Cusi dictó su versión de la conquista, subrayando su derecho a ser el único señor de los incas. (Para entonces España había colocado otro gobernante títere en Cuzco.) En la selección que sigue, tomada de esa narración, Titu Cusi cuenta el modo en que su padre veía la perfidia de los españoles. ¿Qué razones tendría para contar los acontecimientos del modo en que lo hace? Al leer acerca de su conversión al cristianismo, cuando tomó el nombre de Don Diego de Castro de Titu Cusi, vemos algunas de las razones que pudo haber tenido para tal conversión. ¿En qué aspectos sería ventajosa su conversión al cristianismo? ¿Qué puede verse aquí acerca del papel de la iglesia en la pacificación de regiones donde continuaban la resistencia e independencia indígenas?

Texto[4]

Documento que Mango Inga dio a los indios
quando se quiso rrecojer a los Andes en la manera
que habian de tener con los Españoles

Muy amados hijos y hermanos míos: Los que aquí estáis presentes y me habéis seguido en todos mis trabajos é tribulaçiones, bien creo no sabéis la caussa porque en vno os he mandado juntar agora ante mí: yo os la diré en breue. Por vida vuestra que no os alteréis de lo que os dixiere, porque bien sabéis que la neçesidad muchas veces compele a los hombres a haçer aquello que no querrían y por esso, por serme forçado dar contento a estos Andes que tanto tiempo ha que me importunan que los vaya a ver, habré de darles este contento por algunos días. Ruegoos mucho que dello no rresçibáis pena, porque yo

---

[4] Diego de Castro Titu Cusi Yupanqui, *Instrucción del Inca Don Diego de Castro Titu Cusi Yupanqui al Licenciado don Lope García de Castro*, en *Relación de la conquista del Perú y hechos del Inca Manco II*, ed. Horcacio H. Urteaga, Imprenta y Librería Sanmarti y Compañía, Lima 1916, pp. 74, 76-77, 101-102.

no os la deseo dar, pues os amo como a hijos; lo que aquí os rogaré me daréis mucho contento haçiendo. Bien sabéis, como muchas veçes sin ésta os lo he dicho, la manera como aquella çente barbuda entró en mi tierra, so color que decían que eran Viracochas, lo qual por sus trajes e diuissas tan diferentes de las nuestras vosotros e aun yo lo pensamos, por el qual pensamiento y certifficasçión de los tallanas yungas que de cosas que les vieron hacer en su tierra, me hicieron, como habéis visto los traxiese á mi tierra e pueblo y les hice el tratamiento ya notorio a toda tierra y les dí las cossas que sabéis, por lo qual e por ellas me trataron de la manera que habéis visto; y no solamente ellos sino mis hermanos Páscac e Inguill y Guáipar me desposeyeron de mi tierra y aun me trataran la muerte, de la qual yo me libre por el auisso que dixe de Antonico, como el otro día aquí os dixe: alqual comieron los Andes por no se sauer valer; y viendo todas aquellas cossas y otras muchas que por la prolexidad dexo, os mandé juntar al Cuzco para que les diésesmos algún de los muchos que nos hauían dado; y paréçeme que o porgue su dios les ayudó o porque no me hallé presente, no salistes con vuestro intento. De lo qual yo he rrescibido gran pena …

Respuesta de los indios al Inga

"… Si ellos ffueran hijos del Viracochan, como se jatauan, no ouieran hecho lo que han hecho porque el Viracochan puede allanar los cerros, secar las aguas, haçer çerros donde no los hay; no hace mal a naidie y estos no vemos que han hecho ésto, mas antes en lugar de haçer bien nos han hecho mal, tomándonos nuestras haçiendas, nuestras muçeres, nuestros hijos, nuestras hijas, nuestras chácaras, nuestras comidas y otras muchas cossas que en nuestra tierra teníamos por ffuerça, y con engaños, y contra nuestra voluntad, y a çente que esto hace no les podemos llamar hijos del Viracochan, sino como otras veces os he dicho, del supai, y peores, porque en sus obras le han emitado pues han hecho obras de tal, que por ser tan vergonçossas, no las quiero deçir."

"Lo que más hauéis de haçer es que por ventura éstos os dirán que adoréis a lo que ellos adoran, que son vnos paños pintados, los quales diçen que es Viracochan, y que le adoréis como a guaca, el qual no es sino paño; no lo hagáis, sino lo que nosotros tenemos, eso tened, porque como veis lass villcas hablan con nosotros y al Sol y á la Luna véemoslos por nuestros ojos, y lo que esos diçen no lo veemos. Bien creo que alguna vez por ffuerça o con engaño os han le hacer adorar lo que ellos adoran: quando más, quando más no pudiéredes, haceldo delante dellos, y por otra parte no olvidéis nuestras çerimonias. Y si os dixieren que quebrantéis vuestras guacas, y esto por ffuerça, mostraldes lo que no pudiéredes hacer menos, y lo demás guardaldo, que en ello me daréis á mí mucho contento."

Aqui comiença la manera y modo por la via que yo, Don Diego de Castro Titu Cusi Yupangui, vine a tener paz con los españoles, de la qual paz, por la bondad de Dios, a quien nosotros antiguamente llamabamos Viracochan, vine a ser crixptiano. La qual es esta que se sigue:

... por escriuirme vuestra señoría muchas cartas rrogándome que me voluiese cristiano, diçiendo que convenía para seguridad de la paz. Proçuré de inquirir de Diego Rodríguez y de Martín de Pando quién era en el Cuzco la persona más prençipal de los rreliçiosos que en ella hauía, y quál rreliçión más aprouada y de más tono y dixiéronme que la rreliçión de más tono y de más autoridad y que más floressçía era la de señor Sant Agustín, y el prior della, digo de los ffrailes que rresiden en el Cuzco, era la persona más prencipal de todos los que en el Cuzco hauía; y sido y entendido ser ésto ansí, afficionéme en gran manera a aquella orden y reliçión más que a otra ninguna y determiné del escriuir al dicho prior muchas cartas rrogándole que me viniese a bautizar él en persona, por que me daua gusto ser bautizado por su mano, por ser persona tan prençipal, antes que por otro y ansí, siendo como es tan honrrado reliçioso, me hizo merced de tomar el trauajo y llegarse a esta mi tierra a buatizarme, trayendo consigo a otro rreliçiosso y a Gonçalo Pérez de Viuero e Tilano de Anaya, los quales llegaron a Rayangalla, a doce dias del mes de Agosto del año del mill e quinientos y sesenta y ocho, a donde yo salí deste Villcabamba a rresçiuir el bautismo como entendí que me lo venían a dar. Y allí, en el dicho pueblo de Rayangalla, estuuo el dicho Prior llamado ffray

Joan de Viuero con su compañero y los demás, catorce días en-
dustriándome en las cossas de la ffe, á cabo de los quales, día
del gloriosso doctor Sant Agustín, me bautizó en dicho prior,
siendo mi padrino Gonçalo Pérez de Viuero, y madrina doña
Ançelina Siça Ocllo; y desque me vbo bautizado estuvo otros
ocho días el dicho prior retificándome de todo en todo en las
cossas de nuestra santa ffee católica y enseñándome las cossas e
misterios della. Acabado todo, vno y otro, se ffué el dicho Prior
con Gonçalo Pérez de Viuero, e dexóme en la tierra ál compañero llamado ffray Marcos Garçía para que me ffuese poco á
poco advirtiendo de las cossas que el dicho Prior me hauía enseñado, porque no se me olvidasen, y para que enseñase y pre-
dicase a la çente de mi tierra la palabra de Dios. E antes que se
ffuese, les dí a entender a mis indios la cuasa porque me hauía
buatizado y traído aquella çente a mi tierra, y el effeto que de
bautizarse los hombres sacaban y para qué quedaua este padre
dicho en la tierra; todos me rrespondieron que se holgauan di
mi bautismo y de que quedase el padre en la tierra, que ellos
procurarían de haçer otro tanto en breve, pues el padre quedaua
para dicho effeto en la dicha tierra.

Pasados dos meses que este dicho padre estuvo en Rayangalla, después que se ffué el prior, enseñando e industriando
en las cossas de la ffe y bautizando algunas criaturas por consentimiento de sus padres, acordó de ir con Martín de Pando
a visitar la tierra que está de la otra parte de los puertos, haçía
Guamánga, en la qual estuuo quatro meses haçiendo el messmo
offiçio e poniendo cruces e haçiendo iglesias en los pueblos a
donde llegó, que ffueron ocho los pueblos y tres las iglesias, y
en los demás, cruces. Bautizó en todos ellos noventa criaturas,
lo qual hecho todo y dixando mochachos para que dixiesen
la doctrina se voluió al dicho pueblo de Rayangalla, a donde
estuvo sólo siete meses, bautizando y enseñando a los indios de
toda la comarca; y por el mes de septiembre le vino otro padre
compañero, y ambos juntos se estuvieron en aquella tierra hasta
que yo los traxe a este Villcabamba, donde agora estamos. No
han bautizado aquí ninguno porque aún es muy nueua la çente
desta tierra en las cossas que han de saber y entender tocantes

a la Ley e mandamientos de Dios. Yo procuraré que poco a poco
lo sepan.

QUINTO DOCUMENTO

Una tragedia en dibujos

Introducción

¿Cómo captar la atención de Felipe III, quien reinó en España
entre 1598 y 1621? Felipe Guamán Poma de Ayala decidió que
el mejor modo era escribir una extensa historia del imperio inca
tanto antes como después de la llegada de los españoles, e incluir en ella dibujos que mostraran lo que decía. Guamán Poma
era un noble indígena en lo que ahora es el sur de Perú. Su propósito era presentarle una petición al Rey para que le fueran res-
tauradas tierras que él creía eran su herencia, y al mismo tiempo
protestar por el maltrato de la población india por parte de los
españoles –tanto laicos como religiosos. Es dudoso que su obra
de casi mil doscientas páginas, *El primer nueva corónica* [sic] *y
buen gobierno*, escrito a principios del siglo diecisiete, llegara a
manos del Rey, aunque sí parece ser que llegó a España. En todo
caso, tenemos aquí una rica fuente de donde quienes deseen
entender la historia del mundo andino antes de su contacto con
los europeos, así como del primer contacto, pueden aprender
mucho –siempre recordando que se trata de una perspectiva a
través de los ojos de un noble indio desposeído y descontento.

Los dibujos que presentamos a continuación tratan principalmente acerca de los abusos y excesos de los frailes y sacerdotes. Cabe preguntarnos por qué Guamán Poma presentaría a
los españoles de una manera tan negativa, y cómo esto podría
apoyar o no su petición ante el Rey. Como siempre que intentamos leer el pasado, tenemos que interpretar estos dibujos teniendo en mente la perspectiva y los propósitos de quien los
hizo. Pero en todo caso siempre es bueno ver lo que nos dicen
acerca del mundo andino.

Además, tomados en conjunto, estos dibujos nos dicen algo
acerca de los papeles de los varones y las mujeres en la sociedad

andina. Nos dan un atisbo de lo que Guamán Poma parece haber esperado de los sacerdotes españoles. Y también nos muestran mucho acerca de la intersección entre ambas culturas.

(Una advertencia: Algunos de los dibujos de Guamán Poma tienen dos pies de grabado o notas al calce. La primera es una transcripción del texto que aparece en el dibujo mismo, y que no siempre es fácil de leer. La segunda, entre paréntesis, es una explicación del dibujo provista por quienes han puesto la obra de Guamán Poma en la red cibernética. El propio Guamán Poma numeró sus páginas de dos maneras diferentes, y por ello en nuestras citas de los dibujos ofrecemos ambos números. Si se buscan estos dibujos en la red cibernética, los números que han de utilizarse son los que aparecen entre corchetes.)

Los dibujos[5]

Primer dibujo (número 237, página 594 [608])

Este primer dibujo nos muestra un poco del modo en que Guamán Poma ve la relación entre los sacerdotes y sus parroquianos. En este caso particular, se trata de una mujer indígena, y por tanto el dibujo nos lleva a pensar sobre la relación entre los sacerdotes y las indias, así como el modo en que los varones indios responderían a todo esto.

---

[5] Felipe Guamán Poma de Ayala, *"El primer nueva corónica y buen gobierno,"* The Guamán Poma Website, *The Royal Library of Denmark*, 1 de enero de 2014, http://www.kb.dk/permalink/2006/poma/info/es/frontpage.htm

MVI BRABO I COLÉRICO padre contra los caciques prencipales y contra sus yndios.
Porque le defiende a las solteras y donzellas, le mata de palos a los yndios.
(Un indio parroquiano es apaleado a muerte por defender a las solteras
y doncellas andinas del padre lascivo.)

Segundo dibujo (número 266; página 670 [684])

Este dibujo enfoca la atención sobre la interacción entre los maestros españoles y los niños indígenas. Vale la pena observarlo detenidamente, pues en él vemos mucho de la relación entre los maestros y los niños, al menos tal como la veía Guamán Poma. También cabe preguntarse por qué Guamán Poma emplearía este dibujo y lo que el mismo implica en sus esfuerzos por persuadir al Rey a devolverle sus tierras.

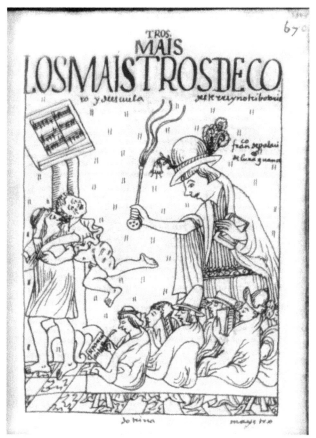

MAISTROS: LOS MAISTROS DE CORO y de escuela deste rreyno tributario.
(Los crueles maestros de coro y de escuela han de enseñar a sus estudiantes
a leer y escribir para que sean buenos cristianos.)

Tercer dibujo (número 231, página 576 [590])

Aquí Guamán Poma presenta el comportamiento de un sacerdote en la administración del sacramento de la confesión.
Cabe preguntarse por qué la confesión sería importante tanto
para Guamán Poma como para la población indígena. Nótese
que el dibujo presenta una mujer embarazada. El pie de grabado
dice mucho acerca del modo en que Guamán Poma ve al sacerdote. También cabe preguntarse qué importancia tendría el
hecho de que no se permitía a las mujeres de más de veinte años
de edad confesarse. Por último, cabe preguntarnos también de

qué manera el encuentro entre las culturas europea y andina produjo cambios en el lugar de la mujer en la sociedad.

MALA CONFICIÓN Q[VE] que [sic] haze los padres y curas de las dotrinas.
Aporrea a las yndias preñadas y a las biejas y a yndios.
Y a las dichas solteras no las quiere confezar de edad de beynte años,
no se confiesa ni ay rremedio de ellas.
("Mala confesión": durante el sacramento de confesión,
un sacerdote maltrata a una feligresa andina embarazada.)

Cuarto dibujo (número 258, página 647 [661])

En el presente dibujo vemos el papel de los sacerdotes en la economía del mundo andino. Nótese que el sacerdote está haciendo uso de la fuerza. Quien trabaja en el telar es una mujer, y el telar mismo refleja antiguas prácticas textiles tanto en los Andes como en Europa. Tenemos aquí un atisbo de lo que sería el orden social y económico del mundo andino poco después de la conquista.

FRAILE MERZENARIO MORVA. Son tan brabos y justiciero y maltrata a los yndios
y haze trauajar con un palo en este rreyno en las dotrinas, no ay rremedio.
(El fraile mercenario Martín de Murúa maltrata a sus feligreses,
y se hace kuraka, o autoridad.)

Un dibujo extra: Retorno a Guamán Poma

Este dibujo apareció en camisetas en el año 2002 en Cuzco, Perú, como expresión del encuentro entre los españoles y los habitantes de América que tuvo lugar a partir de 1492. Como vemos, aunque el dibujo es diferente de los de Guamán Poma, los imita, dándole así continuidad a aquella antigua protesta.

Este dibujo apareció en camisetas en Cuzco, Perú, el año 2002,
como expresión de la reacción a las celebraciones de 1992.
Nótese el parecido con los dibujos de Guamán Poma y las diferencias.

LA LLEGADA

Introducción

Los españoles estaban bien seguros de sus conocimientos. Sabían cómo estaba estructurado el mundo, y por qué. La teología, la Biblia, la observación de la realidad, y algunos antiguos escritores griegos, les hacían saber la verdad. Pero ahora el encuentro con la realidad de América pondría en duda mucho de lo que los europeos habían creído hasta entonces acerca del mundo. Y esto a su vez amenazaba la seguridad que surge de una certeza absoluta.

En cuanto al mundo físico, los europeos sabían desde mucho antes que la tierra era redonda, pues lo habían aprendido de los antiguos griegos. También sabían que el sol daba vueltas alrededor de la tierra, lo cual era obvio y además parecía confirmarse en la Biblia, donde relata que Josué dijo: "Sol, deténte en Gabaón, luna, párate sobre Ayalón." Y el sol se detuvo, y la luna se paró (Jos 10: 12-13). Y sabían también que el mundo estaba formado por tres grandes continentes, lo cual era reflejo de la Trinidad que lo había creado.

En cuanto al mundo metafísico, los europeos sabían también que existía una estructura jerárquica de toda la humanidad y que ellos estaban en la cima. Esto era ciertamente lo que Aristóteles había dicho. Sabían también que el cristianismo era la única fe verdadera. En España, el mito de los siete siglos de la Reconquista mostraba que Dios reinaba. Y sabían también que el mundo espiritual gobernaba sobre el temporal, pues la historia de la iglesia lo mostraba una y otra vez.

Buena parte de estas creencias estarían en juego en todo el proceso mediante el cual los europeos, y sobre todo los españoles, trataron de interpretar lo que Colón decía acerca de lo que había encontrado. Algunas de esas creencias se reafirmarían, otras se desplomarían, y otras se transformarían de tal modo que pudieran ajustarse a la nueva realidad. Bien le puede parecer al lector moderno que el modo en que los líderes religiosos y políticos trataron de colocar la nueva información recibida dentro de su antigua cosmovisión era ingenuo –y a veces también trágico. Tal puede ser el caso de nuestro primer documento, "La liberalidad del Papa", que es la bula *Inter caetera*, promulgada por el papa Alejandro VI en mayo de 1493. Los Reyes Católicos habían acudido al papa poco después del retorno de Colón con los informes de lo que había visto. Los monarcas pedían que les diera autoridad sobre el nuevo mundo a cambio de emprender la tarea de cristianizarlo. Alejandro asintió sin mayores remilgos –entre otras cosas, porque uno de sus hijos estaba casado con una prima del rey. Tanto para el papa como para los Reyes Católicos, lo que la bula decía concordaba con la opinión de muchos acerca de la autoridad pontificia, que se extendía sobre la autoridad temporal aun en tierras donde el cristianismo no se conocía hasta entonces. Sin proponérselo, sin embargo, el papa creó un conflicto tanto político como económico entre España y Portugal, lo cual requirió un nuevo tratado entre ambos países. Aparentemente los Reyes Católicos sabían que esta bula papal que leemos acarrearía también grandes riquezas.

Pero esa bendición papal sobre una empresa mayormente secular no bastaba para calmar la conciencia de quienes se preguntaban si podían hacerles la guerra a los nativos americanos. Para 1513, un jurisconsulto español, Juan López de Palacios, buscaba el modo de responder a esa preocupación. Para ello creó el *Requerimiento*, un documento legal que debía leerse a los indios en español y que resumía la obligación que tenían los indios de obedecer a los españoles y el derecho de estos últimos de guerrear contra ellos si los indios no cumplían con sus obligaciones. Este documento es nuestro segundo documento ("Cómo justificar lo injustificable").

Por otra parte, que los españoles creyeran que su conquista se justificaba no garantizaba que los conquistados estarían de acuerdo. Nuestro tercer documento, "Un dios se acomoda", muestra que frecuentemente los habitantes originales de la región encontraron modos de combinar su fe y cosmovisión con las de los españoles, a veces causándoles enfado a estos últimos.

Nuestro cuarto documento, "La Virgen le habla a Juan Diego", es la historia de la aparición de la Virgen de Guadalupe al indio Juan Diego en México. Es otro ejemplo de cómo el intercambio entre el mundo europeo y el americano produjo resultados inesperados. En contraste con el documento anterior, en este caso la historia se refiere a un símbolo cristiano, la Virgen María, quien le da instrucciones al indio.

Los desafíos que debían enfrentar los españoles en el Nuevo Mundo no se limitaban a ese hemisferio, ni a sus habitantes. En España, Francisco de Vitoria, un respetado teólogo y erudito en cuestiones legales, se negaba a aceptar la autoridad del papa para concederles a los monarcas españoles derechos de conquista sobre el nuevo mundo. Siguiendo la metodología típica de su tiempo, Vitoria fue refutando punto por punto las aseveraciones acerca de la autoridad pontificia, para llegar a la conclusión de que el papa no podía concederles poderes temporales en América a los monarcas de España. Nuestro quinto documento, "Un erudito protesta", es una serie de selecciones de las conferencias de Vitoria sobre las Indias. En ella vemos cómo Vitoria niega lo que muchos sostenían acerca de las obligaciones de los indios, así como del poder del papa.

También hubo protestas contra las prácticas de los colonizadores por parte de quienes las veían en las Indias mismas. Las selecciones de un sermón que constituyen nuestro sexto documento, "Os vais todos al infierno", son ejemplo del modo en que varios clérigos de origen ibérico protestaron contra lo que se hacía en las Américas. Antônio Vieira, un jesuita que vivía en Brasil, predicó un sermón airado el primer domingo de cuaresma de 1653, y en él hacía caer las brasas del infierno sobre las cabezas de los colonos que abusaban de los indios.

Como era de esperarse, sus palabras no fueron bien recibidas, y se le forzó a regresar a Portugal por espacio de varios años. Sin embargo, desde allí continuó su lucha en pro de los indios por todo el resto de su vida.

Varias de las fuentes que siguen muestran cómo tanto los europeos como los americanos buscaban entender a la luz de sus viejas cosmovisiones la nueva realidad que iba surgiendo. Resulta interesante ver paralelismos entre algunas de las respuestas ibéricas y otras de los indígenas. Al leer estas fuentes, no puede quedarnos duda del papel de la religión en el proceso de crear nuevas cosmovisiones y un nuevo entendimiento del orden social. Al comparar nuestras últimas dos fuentes con las anteriores veremos también el conflicto entre los europeos mismos por razón de diversos entendimientos de la fe y del orden social humano.

Al mismo tiempo que estas fuentes muestran claramente los retos y las respuestas en las Américas a lo que estaba surgiendo, también nos indican cómo dejaba su huella sobre el cristianismo ibérico lo que estaba ocurriendo en América.

PRIMER DOCUMENTO
La liberalidad del Papa

Introducción

Cuando Colón partió buscando llegar al Oriente navegando hacia oeste, Portugal ya había desarrollado bastantes relaciones comerciales con el Oriente navegando hacia sur y el este rodeando a África. Exploradores como Bartolomeu Dias y Vasco da Gama habían hecho de Portugal un centro comercial que les proveía productos del Oriente a los mercados europeos. España, que hasta entonces había estado ocupada en la guerra contra los moros, no había participado en gran manera en los descubrimientos de su tiempo hasta fines del siglo quince. Aunque, como vimos en nuestro primer capítulo, los Reyes Católicos eran profundamente religiosos, también les atraían las riquezas que podrían venir del Oriente. Por ello, Isabel apadrinó el viaje de Colón hacia el oeste.

Las noticias que Colón trajo al regresar no eran lo que Isabel esperaba. El "descubrimiento" de un nuevo mundo requería acción inmediata por parte de los monarcas. Estos hicieron lo que todo buen europeo de entonces habría hecho: acudieron al papa. Alejandro VI, quien era español, promulgó tres bulas en 1493 en las cuales dividía los territorios recientemente "descubiertos", así como los que estaban por descubrirse, entre Portugal y España. La tercera de estas bulas, que aparece a continuación, sustituyó a las anteriores. En ella Alejandro le daba a España "absoluto poder, autoridad, y jurisdicción" sobre todas las tierras que se encontraran al occidente de una línea de la demarcación que se trazaría cien leguas al oeste y al sur de las Azores y Cabo Verde. Se estipulaba que esto era válido solo para aquellas tierras que no estuvieran en posesión de algún gobernante cristiano.

Portugal reaccionó casi inmediatamente con amenaza de guerra, protestando que el papa había sido demasiado liberal para con España. Lo que Portugal temía era que, dada la dirección de los vientos prevalecientes en el sur del Atlántico, se le hiciera difícil seguir las rutas que había establecido para llegar al Oriente. La disputa se resolvió mediante el tratado de Tordesillas (1494), que trasladaba la línea de demarcación 270 leguas hacia el oeste. Así quedaron determinadas las jurisdicciones de España y Portugal sobre todos los territorios por descubrirse. De paso, cabe notar que el tratado de Tordesillas resultó en que a la postre Brasil fuera una colonia portuguesa, y también en graves conflictos entre los españoles y los portugueses cuando se reencontraron al otro lado del mundo, unos navegando hacia el este y otros hacia el oeste.

Al leer esta bula, cabe notar el modo en que los europeos entendían el lugar de la religión en el orden político, y el modo en que el papa reclama para sí los derechos de donación de tierras aún no conocidas. También cabe destacar la acción del papa prohibiendo la entrada a esas tierras de toda persona que no fuera autorizada por los reyes a quienes se hacía la concesión.

En todo esto vemos que la bula y las acciones que más tarde
encontraron justificación en ella tenían motivos no sólo religiosos, sino también económicos y políticos.

Texto[1]

Alexandro Obispo, Siervo de los Siervos de Dios: A los
ilustres Carissimo en Christo, hijo Rey Fernando, y muy amada
en Christo, hija Isabél Reyna de Castilla, de Leon, de Aragon,
de Sicilia, y de Granada, salud y bendicion Apostolica. Lo que
mas entre todas las obras agrada á la Divina Magestad, y nuestro
corazon desea, es, que la Fé Catholica, y Religion Christiana
sea exaltada mayormente en nuestros tiempos, y que, en toda
parte sea ampliada, y dilatada, y se procure la salvacion de las
almas, y las Barbaras Naciones sean deprimidas y reducidas á
esa misma Fé. Por lo qual, como quiera que á esta Sacra Silla
de S. Pedro á que por favor de la Divina Clemencia, aunque
indignos, ayamos sido llamados, conociendo de Vos, que sois
Reyes, y Principes Catholicos verdaderos, quales sabemos, que
siempre aveis sido, y vuestro preclaros hechos, de que ya casi
todo el Mundo tiene entera noticia, lo manifiestan, y que no
solamente lo deseais, mas con todo conato esfuerzo, fervor, y
diligencia, no perdonando á trabajos, gastos, ni peligros, y de-
rramado Vuestra propia Sangre, lo hazeis, y que aveis dedicado
desde atras á ello todo Vuestro animo, y todas Vuestras fuerzas:
como lo testifica la recuperacion del Reyno de Granada, que
aora con tanta gloria del Divino Nombre hicisteis, librandole de
la tyrania Sarracena. Dignamente somos movidos, no sin causa,
y debemos favorablemente, y de nuestra voluntad, concederos
aquellos, mediante lo qual, cada dia con mas ferviente animo,
á honra del mesmo Dios, y ampliacion del Imperio Christiano,
podais proseguir este Santo, y loable proposito, de que nuestro
Inmortal Dios se agrada. Entendimos, que desde atrás aviades
propuesto en vuestro animo de buscar, y descubrir algunas
Islas, en tierras firmes remotas, é incognitas, de otros hasta aora
no halladas, para reducir los Moradores, y Naturales de ellas al

---

[1] Juan de Solorzano Pereira, *Politica Indiana*, Matheo Sacristan, Madrid, 1736, vol
   1, pp. 41 -43.

servicio de Nuestro Redemptor, y que professen la Fé Catholica: y que por haver estado muy ocupados en la recuperacion del dicho Reyno de Granada, no pudistes hasta aora llevar adeseado fin este vuestro santo, y loable proposito: y que finalmente, haviendo por voluntad de Dios cobrado el dicho Reyno queriendo poner en execucion vuestro deseo, proveistes al dilecto hijo Christoval Colón, hombre apto, y muy conveniente á tan gran negocio, y digno de ser tenido en mucho, con Navios, y gente para semejantes cosas bien apercibidos, no sin grandissimos trabajos, costas, y peligros, para que por la Mar buscasse con diligencia las tales tierras firmes, é Islas remotas, é incognitas, á donde hasta aora no se havia navegado, los quales despues de mucho trabajo con el favor Divino haviendo puesto toda diligencia, navegando por el Mar Occeano, hallaron ciertas Islas remotissimas y tambien tierras firmes, que hasta aora no havian sido por otros halladas, en las quales habitan muchas gentes, que viven en paz: y andan, segun se afirma, desnudas, y que no comen carne. Y á lo que los dichos vuestros Mensageros pueden colegir, estas mesmas gentes, que viven en las susodichas Islas, y tierras firmes, creen, que ay un Dios, Criador en los Cielos, y que parezen assaz aptos para recibir la Fé Catholica, y ser enseñados en buenas costumbres: y se tiene esperanza, que si fuessen doctrinados, se introduciera con facilidad en las dichas tierras, é Islas el Nombre de Salvador, Señor Nuestro Jesu-Christo. Y que el dicho Christoval Colón hizo edificar en una de las principales dichas Islas una Torre fuerte, y en guarda de ella puso ciertos Christianos de los que con él havian ido, para que desde alli buscassen otras Islas, y tierras firmes remotas, é incognitas: y que en las dichas Islas, y tierras yá descubiertas, se halla oro, y cosas aromaticas, y otras muchas de gran precio, diversas en genero, y calidad. Por lo qual, teniendo atencion á todo los susodicho con diligencia, principalmente á la exaltacion, y delatacion de la Fé Catholica, como conviene á Reyes, y Principes Catholicos, y á imitacion de los Reyes Vuestros antecessores de clara memoria propusisteis con el favor de la Divina Clemencia sugetar las susodichas Islas, y tierras firmes, y los Habitadores, y Naturales de ellas, reducirlos á la Fé Catholica.

Assi, que Nos alabando mucho en el Señor este Vuestro Santo, y loable proposito, y deseando, que sea llevado á debida execucion, y que el mesmo Nombre de Nuestro Salvador se plante en aquelles partes: os amonestamos muy mucho en el Señor, y por el Sagrado Bautismo, que recibisteis, mediante el qual estais obligados á los Mandamientos Apostolicos, y por las Entrañas de misericordia de Nuestro Señor Jesu-Christo atentamente os requerimos, que quando intentaredes emprehender, y proseguir del todo semejante empressa, y querais, y debais con animo prompto, y zelo de verdadera Fé, inducir los Pueblos, que viven en las tales Islas, y tierras, á que reciban Religion Christiana, y que en ningun tiempo os espanten los peligros, y trabajos, teniendo esperanza, y confianza firme, que el Omnipotente Dios favorecerá felizmente vuestras empressas, y que siendoos concedida la liberalidad de la gracia Apostolica, con mas libertad, y atrevimiento tomaeis el cargo de tan importante negocio: motu proprio, y no á instancia de peticion vuestra, ni de otro, que por Vos nos lo aya pedido, mas de nuestra mera liberalidad, y de ciertas Ciencia, y de plenitud del poderio Apostolico, todas las Islas, y tierras firmes, halladas, y que se hallaren descubiertas, y que se descubrieren hácia el Occidente, Mediodia, fabricando, y componiendo una linea del Polo Artico, que es el Septentrion, al Polo Antartico, que es el Mediodia, ora se ayan de hallar hácia la India, ó hácia otra qualquiera parte, la qual linea diste de cada una de las Islas, que vulgarmente dicen de los Azores, y Cabo Verde, cien leguas hácia el Occidente, y Mediodia. Assi que todas sus Islas, y tierras firmes halladas, y que se hallaren descubiertas, y que se descubrieren desde la dicha linia hácia el Occidente, y Mediodia, que por otro Rey, ó Principes Christianos no fueran actualmente posseídas hasta el dia del Nacimiento de Nuestro Señor Jesu-Christo proximo passado, del qual comienza el año presente de mil y quatrocientos y noventa y tres, quando fueron por vuestros Mensageros y Capitanes halladas. algunas de las dichas Islas: por la Autoridad Omnipotente Dios, á Nos en San Pedro concedida, y del Vicariato de Jesu-Christo, que exercemos en las tierras, con todos los Señoríos de ellas, Ciudades, Fuerzas, Lugares, Villas, Derechos, Jurisdicciones, y todas sus pertenencias, por el tenor de las presentes, las damos, concedemos, y asignamos perpetuamente á Vos, y á los Reyes Castilla, y de Leon Vuestros herederos, y successores: Y hacemos, constituímos, y deputamos á Vos, y á los dichos vuestros herederos, y successores Señores de ellas con libre, lleno, y absoluto poder, autoridad, y jurisdiccion: con declaracion que por esta nuestra donacion, concession, y asignacion no se entienda, ni pueda entender, que se quite, ni aya de quitar el derecho adquirido á ningun Principe Christiano, que actualmente huviere posseído las dichas Islas, y tierras firmes hasta el susodicho dia de Navidad de Nuestro Señor Jesu-Christo. Y allende de esto, os mandamos en virtud de santo obediencia, que assi como tambien lo prometeis, y no dudamos que vuestra grandissima devocion, y magnanimidad Real, que lo dexareis de hacer, procureis embiar á las dichas tierras firme, á Islas hombres buenos, temerosos de Dios, doctos, sabios, y expertos, para que instruyen á los susodichos Naturales, y Moradores en la Fé Catholica, y les enseñen buenas costumbres, poniendo en ello toda la diligencia que convenga. Y del todo inhibimos á qualquier personas, de qualquier Dignidad, aunque sea Real, ó Imperial, estado, grado, orden, ó condicion, so pena de Excomunion *latae sententiae*, en el qual por el mismo caso incurran, si lo contrio y sierren: que no presuman ir, por haver mercaderias, ó por qualquier causa sin especial licencia vuestra, y de los dichos vuestro herederos, y successores á las Islas, y tierras firmes halladas, y que se hallaren descubiertas, y que se descubrieron hácia el Occidente, y Mediodia, fabricando, y componiendo una linia desde el Polo Artico, al Polo Antartico, ora las tierras firmes, ó Islas sean halladas, y se ayan de hallar hácia la India, ó házia otra qualquier parte, la qual diste de qualquiera de las Islas, que vulgarmente llaman de los Azores y Cabo Verde cien leguas hácia el Occidente, y Mediodia, como que la dicho: No obstante Constituciones, y Ordenanzas Apostolicas, y otras quelesquiera, que encontrario sea: confiando en el Señor, de quien proceden todos los bienes, Imperios, y Señorios, que en caminado vuestras obras si proseguis este santo y loable proposito, conseguirán vuestros trabajos, y empressas en breve tiempo con felicidad, y gloria de todo el Pueblo Christiano prosperissima salida. Y por que seria dificultoso llevar las presentes letras á cada lugar, donde fuere necessario llevarse, queremos, y con los mismos motu, y ciencia mandamos, que á sus trassumptos, firmados de mano de Notario Publico, para ello requerido, y corroborados con sello del alguna persona constituída en Dignidad Eclesiastica, ó del algun Cabillo Eclesiastico, se les dé la mesma fee en juicio, y fuera de él, y en otra qualquier parte que se daria á las presentes, si fuessen exhibidads, y mostradas. Assi, que á ningun hombre sea lisito quebrantar, ó con atrevimiento temerario ir contra esta nuestra Carta de encomienda, amonestacion, requerimiento, donacion, concesion, asignacion, constitucion, deputacion, decreto, mandado, inhibicion, y voluntad. Y si alguno presumiere intentarlos sepa, que incurrirá en la indignacion del Omnipotente Dios, y de los bienaventurados Apostoles Pedro, y Pablo. Dada en Roma en San Pedro á quatro de Mayo, del año de la Encarnacion del Señor mil quatrocientos, y noventa, y tres en el año primero de nuestro Pontificado.

Segundo documento
Cómo se justifica lo injustificable

Introducción

Para el año 1513, cuando fue escrito el *Requerimiento*, el debate acerca del maltrato de las poblaciones originales de América ya había cobrado impulso. Sacerdotes como el dominico Antonio de Montesinos habían condenado a los colonos en La Española por sus abusos contra los indios. Bartolomé de las Casas comenzaba su transformación personal que a la postre le llevaría al título de "Protector de los indios". Y hasta la corona misma había decretado leyes que buscaban limitar los peores abusos por parte de los conquistadores. Pero nada de esto hizo menguar el celo con que los españoles se dedicaron a la conquista de América. Lo que sí resultó fue que quedó mostrada la necesidad de justificar de algún modo la conquista. Entre los muchos que buscaron hacerlo estaba Juan López de Palacios Rubios, un jurisconsulto famoso cuyo poder se manifestaba en el hecho de que era miembro del Concejo de Castilla, que asesoraba a la corona. Sus esfuerzos por justificar la conquista tuvieron por resultado el *Requerimiento*. Ese documento no sólo expresaba las razones que justificaban la conquista, sino que también absolvía a los españoles de toda culpa por cualquier mal que pudiera caer sobre los indios. Antes de entrar en batalla contra los indios, los conquistadores debían leerles el *Requerimiento*. A veces se hacía esto en voz baja para que los indios no supieran de la presencia española, pero siempre en español y sin traducción. Si los indios "se negaban" a aceptar la soberanía de la corona española y la potestad del papa, entonces los invasores estaban justificados en guerrear contra ellos, esclavizarlos y, de ser necesario, causarles "muertes y daños" a los indios. Todo ello no sería sino resultado de la intransigencia por parte de los indios mismos. Para mediados del siglo, los españoles ya habían dejado de utilizar este documento.

Aquí vemos el nexo entre lo legal, lo espiritual y lo económico. Leyéndolo con detenimiento, también encontramos las presuposiciones de los españoles respecto a los indígenas, del derecho y de la iglesia, y escuchamos ecos de la bula *Inter caetera*. Por extraño que nos parezca, estas dos fuentes servían para aliviar la culpa que podrían sentir tanto los conquistadores como los juristas y hasta la corona misma.

Texto[2]

De parte del rey, Don Fernando, y de su hija, Doña Juana, reina de Castilla y León, domadores de pueblos bárbaros, nosotros sus siervos, os notificamos y os hacemos saber, como mejor podemos,

Que Dios nuestro Señor, uno y eterno, creó el cielo y la tierra, y un hombre y una mujer, de quien nos y vosotros y todos los hombres del mundo fueron y son descendientes y procreados, y todos los que después de nosotros vinieran. Mas por la muchedumbre de la generación que de estos ha salido desde [hace] cinco mil y hasta más años que el mundo fue creado, fue ne-

---

[2] Juan López de Palacios Rubios, "*Requerimiento*," http://www.gabrielbernat.es/espana/leyes/requerimiento/r1513/r1513.html

cesario que los unos hombres fuesen por una parte y otros por otra, y se dividiesen por muchos Reinos y provincias, que en una sola no se podían sostener y conservar.

De todas estas gentes Dios nuestro Señor dio cargo a uno, que fue llamado San Pedro, para que de todos los hombres del mundo fuese señor y superior a quien todos obedeciesen, y fue cabeza de todo el linaje humano, dondequiera que los hombres viniesen en cualquier ley, secta o creencia; y dióle todo el mundo por su Reino y jurisdicción, y como quiera que él mandó poner su silla en Roma, como en lugar más aparejado para regir el mundo, y juzgar y gobernar a todas las gentes, cristianos, moros, judíos, gentiles o de cualquier otra secta o creencia que fueren. A este llamaron Papa, porque quiere decir, admirable, padre mayor y gobernador de todos los hombres.

A este San Pedro obedecieron y tomaron por Señor, Rey y superior del universo los que en aquel tiempo vivían, y así mismo han tenido a todos los otros que después de él fueron elegidos al pontificado, y así se ha continuado hasta ahora, y continuará hasta que el mundo se acabe. Uno de los Pontífices pasados que en lugar de éste sucedió en aquella dignidad y silla que he dicho, como señor del mundo hizo donación de estas islas y tierra firme del mar Océano a los dichos Rey y Reina y sus sucesores en estos Reinos, con todo lo que en ella hay, según se contiene en ciertas escrituras que sobre ello pasaron, según se ha dicho, que podréis ver si quisieseis.

Así que sus Majestades son Reyes y señores de estas islas y tierra firme por virtud de la dicha donación; y como a tales Reyes y señores algunas islas más y casi todas a quien esto ha sido notificado, han recibido a sus Majestades y los han obedecido y servido y sirven como súbditos lo deben hacer, y con buena voluntad y sin ninguna resistencia y luego sin dilación como fueron informados de los susodichos, obedecieron y recibieron los varones religiosos que sus Altezas les enviaban para que les predicasen y enseñasen nuestra Santa Fe y todos ellos de su libre, agradable voluntad, sin premio ni condición alguna, se tornaron cristianos y lo son, y sus Majestades los recibieron alegre y benignamente, y así los mandaron tratar como a los otros súbditos y vasallos; y vosotros sois tenidos y obligados a hacer lo mismo.

Por ende, como mejor podemos, os rogamos y requerimos que entendáis bien esto que os hemos dicho, y toméis para entenderlo y deliberar sobre ello el tiempo que fuere justo, y reconozcáis a la Iglesia por señora y superiora del universo mundo, y al Sumo Pontífice, llamado Papa, en sus nombre, y al Rey y Reina doña Juana, nuestros señores, en su lugar, como a superiores y Reyes de esas islas y tierra firme, por virtud de la dicho donación y consintáis y deis lugar que estos padres religiosos os declaren y prediquen lo susodicho.

Si así lo hicieseis, haréis bien, y aquello que sois tenidos y obligados, y sus Altezas y nos en su nombre, os recibiremos con todo amor y caridad, y os dejaremos vuestras mujeres e hijos y haciendas libres y sin servidumbre, para que de ellas y de vosotros hagáis libremente lo que quisieseis y por bien tuvieseis, y no os compelerán a que os tornéis cristianos, salvo si vosotros informados de la verdad os quisieseis convertir a nuestra santa Fe Católica, como lo han hecho casi todos los vecinos de las otras islas, y allende de esto sus Majestades os concederán privilegios y exenciones, y os harán muchas mercedes. Y si así no lo hicieseis o en ello maliciosamente pusieseis dilación, os certifico que con la ayuda de Dios, nosotros entraremos poderosamente contra vosotros, y os haremos guerra por todas las partes y maneras que pudiéramos, y os sujetaremos al yugo y obediencia de la Iglesia y de sus Majestades, y tomaremos vuestras personas y de vuestras mujeres e hijos y los haremos esclavos, y como tales los venderemos y dispondremos de ellos como sus Majestades mandaren, y os tomaremos vuestros bienes, y os haremos todos los males y daños que pudiéramos, como a vasallos que no obedecen ni quieren recibir a sus señor y le resisten y contradicen; y protestamos que las muertes y daños que de ello se siguiesen sea a vuestra culpa y no de sus Majestades, ni nuestra, ni de estos caballeros que con nosotros vienen.

Y de como lo decimos y requerimos pedimos al presente escribano que nos lo dé por testimonio signado, y a los presente rogamos que de ello sean testigos.

Vilcabamba fue uno de los últimos reductos del poder inca.

Tercer documento

Un dios se acomoda

Introducción

Bartolomé de las Casas de quien proviene lo que se cita a continuación, había participado en la colonización del Caribe y recibido amplias recompensas por sus esfuerzos. A los pocos años, al convencerse de la injusticia de las atrocidades que los indios sufrían a manos de los colonos, Las Casas renunció a sus propiedades. Se dedicó entonces a defender a los oprimidos, fue ordenado, y en 1522 se unió a la orden de los dominicos. Hasta su muerte en 1566, cuando tenía 82 años de edad, trabajó incansablemente, sobre todo mediante una producción literaria prodigiosa, por despertar la conciencia de los españoles acerca de las condiciones bajo las que vivían los indios. Fue por eso que recibió el título de "Protector de los indios".

Pero el texto que aquí citamos no se refiere principalmente a los abusos por parte de los españoles, sino que trata más bien acerca de la reacción de Pachacama, el dios incaico de la creación, ante la conversión de sus seguidores al cristianismo, y también de las instrucciones que les dio de servir a ambos dioses, es decir, tanto a él mismo como al dios cristiano. Desde el punto de vista de los españoles tal mezcla de dos religiones diferentes era una abominación. A fin de borrar todo residuo de las antiguas religiones andinas, los sacerdotes españoles llevaron adelante extensas campañas de extirpación que condujeron a la tortura y muerte de un enorme número de indígenas.

El texto citado, que no es típico de los materiales que encontramos en las obras de Las Casas, nos muestra un poco del modo en que la religión de América y la de Europa se fueron amoldando mutuamente. También vemos en él que para los españoles los dioses incaicos no eran meras ilusiones o falsedades, sino poderes malignos. Al leer este pasaje, vale la pena considerar cómo nos ayuda a entender la manera en que los conquistadores trataban a los indios e interpretaban su propia conducta. Al tiempo que hay un contraste marcado entre la actitud de Las Casas y las de las fuentes anteriores en este capítulo respecto a los indios, también vemos paralelismos entre estas diversas fuentes, y esos paralelismos nos ayudan a penetrar más profundamente en la mentalidad religiosa de la España del siglo 16.

Texto[3]

Creyeron los españoles, y así debia ser, que el Demonio entraba en aquel ídolo y les hablaba. Y habíales hecho entender que él era el que habia hecho lo tierra y criado los mantenimientos y todo lo que en ella está; y así, Pachacama quiere decir en aquella lengua "Hacedor de la tierra". Y despues que por la ida de los religiosos y por su predicacion, plugo á Dios que algunas gentes de aquellas se convirtiesen, hizo mucho del enojado y fuese a los montes ó al Infierno, que siempre trae á cuestas, no queriendo muchos dias venirles á hablar. Pero viendo que por aquella via perdia más que ganaba, determinó

---

[3] Bartolomé de Las Casas, *De las antiguas gentes del Perú*, ed. Marcos Jiménez de la Espada (Tipografía de Manuel G. Hernández) Madrid, 1892, pp. 69–70, que es una selección de la obra de Las Casas, *Apologética historia sumaria*, c. 1550.

llevar otro camino y apareció á quien solia, que son los sacerdotes, á quien suele (como queda dicho) primero enganar, y díjoles: "Yo he estado de vosotros muy enojado, porque me habeis dejado y tomado el dios de los cristianos; pero he perdido el enojo, porque ya estamos concertados y confederados el dios de los cristianos y yo que nos adoreis y sirvais á ambos, y á mí y á él que así se haga nos place." Porque se vea cuántas mañas y cautelas tiene aquel malaventurado, para llevar consigo las ánimas. Sabia bien que por esta via y con esta industria, no sólo no perdía nada, pero ganaba mucho más; porque, baptizándose la gente y baptizados adorando los ídolos juntamente, á Dios causaban mayor ofensa y mayores tormentos á los que por este camino engañaba. Y que usase deste nuevo engaño débese tener por verdad, porque nuestros religiosos por cierto lo averiguaron.

Cuarto documento
La Virgen le habla a Juan Diego

Introducción

Se cuenta que fue en diciembre de 1531 cuando la Virgen María se le apareció a Cuauhtlatoatzin, un azteca quien tras convertirse al cristianismo ya pasados los 50 años de edad recibió el nombre de Juan Diego. Iba camino al catecismo temprano por la mañana cuando al pasar cerca de la colina de Tepeyac escuchó que le llamaban por su nombre. Allí, sobre la colina, estaba una Virgen María morena vestida como princesa azteca y hablando nahua. El documento que presentamos a continuación contiene mucho de la leyenda acerca del encuentro entre la Virgen, el indio y el obispo español.

Al leer esta historia debemos recordar varias cosas: Primero, que en tiempos pre-colombinos la colina de Tepeyac era el lugar donde se adoraba a Tonantizin, la diosa madre azteca. Segundo, que la Virgen María, bajo el apelativo de Virgen de Guadalupe, se encuentra íntimamente atada a la identidad y la religión popular de México. Tercero, que Guadalupe vendría a ser la santa patrona de México en 1746. Cuarto, que en 1810 fue el estandarte que el cura Miguel Hidalgo y Costilla enarboló en su lucha en pro de la independencia mexicana. También es importante tomar en cuenta que no hay registro histórico alguno de aquella fecha del encuentro entre la Virgen y Juan Diego. Cuando por primera vez se menciona a Guadalupe, a mediados de siglo, sus principales devotos no son indios, sino españoles. No fue sino mucho más tarde que su veneración se expandió por toda Nueva España, saliendo de los confines de la ciudad de México y sus cercanías. La fuente que sigue debe leerse al menos desde dos perspectivas diferentes. La primera es de la leyenda misma. Allí vale la pena notar la importancia que tiene el hecho de que la Virgen María se digne hablarle al indígena en nahua. Ciertamente, el indígena y el obispo interpretarían esto de maneras diferentes. También vale la pena destacar que la Virgen escoge a un hombre pobre de entre el pueblo para darle instrucciones al poderoso oficial de la iglesia. Y por último, cabe preguntarse cuál sería la reacción de los indios al ver al obispo posesionarse del manto y colocarlo en su capilla privada.

La segunda perspectiva nos lleva a considerar el uso de la leyenda. ¿Por qué sería que la Virgen de Guadalupe vino a ser símbolo de identidad mexicana frente a España? Al leer esta historia, es posible ubicarnos en tiempos de la guerra de la independencia, y tratar de adivinar por qué los rebeldes tomaron a Guadalupe por bandera. En todo caso, ese hecho nos pone en alerta respecto a la relación entre la religión y la política en la lucha por la independencia. Y todo eso a su vez nos lleva también a pensar en el impacto de la presencia de la Virgen de Guadalupe entre los mexicanos y otros latinos que emigran hacia los Estados Unidos.

Texto[4]

Corriendo el año del nacimiento de Cristo Señor Nuestro del 1531, y del domino de los españoles en esta ciudad de México y su provincia de la Nueva España complidos diez años y casi cuatro meses; extinguida la guerra, y habiendo comenzado en aqueste Reino el Santo Evangelio, sábado muy de mañana, ántes

---

[4] *La Virgen del Tepeyac patrona principal de la nación mexicana: Compendio histórico-crítico*, Ancira y Hno., Guadalajara, 1884, pp. 27-35, 38-42.

de esclarecer la Aurora, á nueve dias del mes de Diciembre, un indio plebeyo y pobre, humilde y cándido, de los recién convertidos a nuestra santa fé católica, el cual en el santo bautismo se llamó *Juan*, y por sobrenombre *Diego*... Llegando pues [Juan Diego], al romper el alba, al píe de un cerro pequeño que se decía *Tepeyac*, ... oyó el indio ... un canto dulce y sonoro, ... y alzando la vista al lugar, donde á su estimacion se formaba el canto, vió en él una nube blanca y resplandeciente ...

Vió en medio de aquella claridad una hermosisima Señora ... Y hablándole aquella Señora con semblante apacible y halagüeño en idioma mexicano, le dijo:

–Hijo mio, Juan Diego, á quien amo tiernamente como á pequeñito y dedicado ... á dónde vas?

Respondió el indio:

–Voy, noble dueño Señora mia, á México y al barrio de Tlatelolco á oír la Misa ...

Habiéndole oído María Santísima le dijo así:

–Sábete, hijo mio, muy querido, que soy yo la siempre Virgen Maria, Madre del verdadero Dios, Autor de la vida, Criador de todo, y Señor del cielo y la tierra, que está en todas partes; y es mi deseo que se me labre un templo en este sitio, donde, como Madre piadosa tuya y de tus semejantes, mostraré mi clemencia amorosa, y la compasion que tengo de los naturales... Has de ir á la ciudad de México, y al palacio del Obispo, que alli reside, á quien dirás que yo te envio, y como es gusto mio que me edifique un templo en este lugar: le referirás cuanto has visto y oido: y tén por cierto tú que agradeceré lo que por mí hicieres en esto que te encargo, y te afamaré y sublimaré por ello...

Postrándose el indio en tierra le respondió:

–Ya voy nobilísima Señora y dueño mio, á poner por obra tu mandato...

En ejecucion de lo prometido fué vía recta Juan Diego á la ciudad de México ... y entró en el palacio del Señor Obispo: era este el Ilustrisimo Señor D. Fray Juan de Zumárraga, primer

Obispo de México. Habiendo entrado el indio en el palacio del
Señor Obispo, comenzó á rogar á sus sirvientes que le avisasen
para verle y hablarle: no le avisaron luego ora, porque era de
mañana, ó porque le vieron pobre y humilde … Llegando á la
presencia de su Señoría, hincado de rodillas, le dió su embajada
diciendole: *que le enviaba la Madre de Dios, á quien había visto
y hablado aquella madrugada*; … Oyó [el Obispo] con admiracion lo que afirmaba el indio, extrañando un caso tan prodi-
gioso; no hizo mucho aprecio del mensaje que llevó, ni le dió
entera fé y crédito, juzgando que fuese imaginacion del indio, ó
sueno; ó temiendo que fuese ilusion el demonio… Salió el indio
del palacio del Sr. Obispo muy triste y desconsolado…

Habiendo, pues, llegado el indio á la cumbre del cerrillo …
le dijo [a la Virgen]:

–*Niña mia, muy querida, hice lo que me mandaste … Pre-
sumió* [el Obispo] *que el templo que pides se te labre, es ficcion
mia, ó antojo mio, y no voluntad tuya: y asi te ruego, que envies
para esto alguna persona noble y principal, digna de respecto…*

[La Virgen] le dijo así:

–*Oye, hijo mio muy amado, sábete que no me faltan sirvientes, ni criados á quien mandar, … mas conviene mucho que
tu hagas este negocio…*

En el dia siguiente, … oyóle con mayor atencion el Señor
Obispo y … le dijo que no era bastante lo que le había dicho,
para poner luego por obra lo que pretendia; y que así lo dijese á
la Señora que le enviaba…

[Por fin, en una cuarta aparición Juan Diego le dijo a la
Virgen:]

–*Pues envíame, Señora mia, á ver á el Obispo, y dame la
señal que me dijiste, para que me dé crédito.*

Díjole María Santísima:

–*Sube, hijo mio muy querido y tierno, á la cumbre del cerro
en que has visto y hablado, y corta las rosas que hallares allí, y*

recógelas en el regazo de tu capa, y tráelas á mi presencia, y te
diré lo que has de hacer y decir.

Obedecío el indio sin replíca, no obstante que sabia de cierto
que non habia flores en aquel lugar, por ser todo peñascos y
que no producia cosa alguna. Llegó á la cumbre, donde halló un
hermoso vergel de rosas de castilla frescas, olorosas y con rocio;
y poniéndose la manta ó tilma, ... llevólas a la presencia de la
Virgen María ... Humillado el indio en la presencia de la Virgen
María, le mostró las rosas havia cortado: y cogiéndolas todas
juntas la misma Señora, y aparándolas el indio en su manta ...
le dijo:

–Ves aquí la señal que has de llevar al Obispo, y le dirás, por
señas de estas rosas, haga lo que le ordeno ...

Y dicho esto, le despidió la Virgen María. Quedó el indio
muy alegre con la señal, porque entendió que tendria buen
suceso, y surtiria efecto su embajada...

Llegó Juan Diego con su postrer mensaje al palacio episcopal...

Dieron los creados noticia de todo al Sr. Obispo; y habiendo
entrado el indio á su presencia y dándole su mensaje, añadió
que llevaba las señas que le habia mandado pedir á la Señora
que lo enviaba: y desplegando su manta, cayeron del regazo de
ella en el suelo las rosas, y se vió pintada la Imágen de María
Santísima, como se vé en el dia de hoy.

Admirado el Sr. Obispo del prodigio de las rosas frescas, y
con rocio, como recien cortadas, ... y de la santa Imágen que pareció pintada en la manta, habiéndola venerado como cosa ce-
lestial, ... le desató al indio el nudo de la manta, que tenia atrás
en el celebro, y la llevó á su Oratorio; y colocada con decencia
la Imágen, dió las gracias á nuestro Señor y á su gloriosa Madre.

Quinto documento
Un erudito protesta

Introducción

El encuentro con América le planteó profundas cuestiones al mundo español. Como hemos visto en documentos anteriores, la iglesia y el estado, frecuentemente a la par, desarrollaron toda una serie de argumentos para sostener su derecho de conquistar y beneficiarse del nuevo mundo. El viaje de Colón y sus consecuencias les plantearon difíciles cuestiones a quienes se dedicaban a la teología y al modo en que ésta entendía el mundo. Posiblemente el más importante de quienes se dedicaron a discutir las implicaciones teológicas de la conquista y de la conversión de América fue Francisco de Vitoria, profesor en la Universidad de Salamanca, a la sazón la más prestigiosa de la Península. Durante la primera mitad del siglo 16, Vitoria y sus estudiantes se enfrentaron a muchas de las cuestiones planteadas por la existencia del nuevo mundo, y aplicaron principios teológicos a cuestiones tales como: ¿Serán verdaderamente humanos los indios? Probablemente Aristóteles hubiera respondido que no, mientras la respuesta de Vitoria hubiera sido que sí, aunque de manera limitada. ¿Tiene el papa poder temporal sobre los territorios indios? La iglesia respondía que sí, y Vitoria que no. ¿Tiene España una causa justa para conquistar a los indios? Según juristas como Palacios Rubios, la respuesta era que sí, pero no según Vitoria.

La selección que aparece a continuación es la refutación de Vitoria a la pretensión papal de tener una autoridad temporal que se extendía a las tierras de los indios "bárbaros". Nótese que Vitoria sigue el patrón típico de su tiempo en una discusión de este tipo: primero una tesis, luego una antítesis, y por fin una síntesis a manera de respuesta. Primero presenta una proposición y los argumentos a su favor (la tesis), luego la postura contraria con sus propios argumentos (la antítesis), y por último su propia conclusión (la síntesis).

Esta fuente es notable, entre otras cosas, por el modo en que demarca el alcance de la autoridad papal, tanto temporal como espiritual. Resulta interesante compararla con lo que el papa mismo daba por sentado en la bula *Inter caetera* ("La liberalidad del papa"). Es posible imaginar el modo en que sus opositores responderían a lo que Vitoria decía, y qué argumentos emplearían para proteger los derechos de los conquistadores. Nótese el fundamento teológico sobre el cual Vitoria ataca la idea misma de la conquista. Resulta interesante imaginar lo que hubiera sido el curso de la historia de haber prevalecido las opiniones que Vitoria aquí expresa.

Texto[5]

El segundo título que se alega, y con vehemencia por cierto, para justificar la posesión de aquellas provincias, es *la autoridad del Sumo Pontífice*.

Es, dicen, el Sumo Pontífice monarca de todo el orbe, aun en lo temporal, y pudo, por consiguiente y así lo ha hecho, nombrar a los reyes de España príncipes de aquellos bárbaros y regiones.

Acerca de esto opinan algunos juristas que tiene el Papa jurisdicción temporal plena y universal en todo el orbe, y añaden que toda la potestad de los demás príncipes seculares derivan de la del Papa... Asimismo Silvestre, que aún con más largueza y condescendencia atribuye esta potestad al Papa... Verdaderas maravillas dice en esos lugares sobre este asunto, como que la potestad del emperador y de todos los demás príncipes es subdelegada respecto del Papa; que proviene de Dios mediante el Papa y que depende toda ella del Papa; que Constantino donó las tierras al Papa en señal de reconocimiento del dominio temporal y que, en reciprocidad, el Papa donó a Constantino el imperio, en usufructo y compensación. Y aún más, que Constantino nada donó, sino que devolvió lo que al Papa había sido quitado. Pues si el Papa no ejerce jurisdicción temporal fuera de lo que constituye el patrimonio de la Iglesia, no es porque

---

[5] Teófilo Urdanoz, ed., *Obras de Francisco de Vitoria: Relecciones teológicas,* 1557; repr., Biblioteca de Autores Cristianos, Madrid, 1960, pp. 676-83. Usado con permiso.

le falte esa potestad, sino por evitar el escándalo de los judíos y fomentar de este modo la paz de los pueblos; y por este estilo sigue soltando vaciedades y absurdos.

Toda la argumentación de éstos es que *Del Señor es la tierra y todo lo que en ella se contiene* y *Me ha sido dada toda la potestad en el cielo...*

Establecido, pues, este fundamento, sientan los defensores de esta sentencia: *Primero*, que el Papa, como supremo señor temporal, pudo constituir a los reyes de España como príncipes de los bárbaros; y *segundo*, que aun suponiendo que esto no se pudiera, sería, no obstante, motivo suficiente para declararles la guerra y cometerlos a otros príncipes el negarse los bárbaros a reconocer el dominio temporal del Papa sobre ellos. Ambas cosas han sucedido, pues primeramente el Sumo Pontífice concedió aquellas provincias a los reyes de España. Y en segundo lugar, también se les ha sido propuesto y significado que el Papa es vicario de Dios y hace sus veces en la tierra, intimándoles a que lo reconozcan como su superior; por donde si ellos se negaren a esto, ya habría título justo para hacerles la guerra y ocupar sus provincias, etc...

[A esto respondía Vitoria con varias preposiciones]

Primera: *El Papa no es señor civil o temporal de todo el obre, hablando de dominio y potestad civil en sentido propio...* Y si Cristo no tuvo el dominio temporal... mucho menos lo tendrá el Papa, que no es más que su vicario.

...

Además, se prueba que el Papa no es señor de todo el obre, porque el mismo Señor dijo que, al fin del mundo, se formaría *un solo rebaño con un solo pastor.* Por donde se ve no ser, al presente, todos ovejas de un solo rebaño.

...

Segunda proposición: *Dado que el sumo Pontífice tuviera toda potestad secular en todo el orbe, no podría transmitirla a los príncipes seculares.*

Esto es manifiesto, porque sería aneja al papado y no podría el Papa separarla del cargo del Sumo Pontífice, ni podría privar a su sucesor de aquella potestad. No puede ser un Sumo Pontífice inferior a su predecesor; y si un Pontífice cediese esta potestad, o tal entrega sería nula, o el siguiente Pontífice la podría retirar.

Tercera proposición: *El Papa tiene potestad temporal en orden a las cosas espirituales, esto es, en cuanto sea necesario para administrar las cosas espirituales.*

Pero el fin de la potestad espiritual es la felicidad final y, en cambio, el fin de la potestad civil es la felicidad social; luego la potestad temporal está sujeta a la espiritual.

... Y en verdad que ningún cristiano auténtico debería negar esta potestad al Papa.

...

E incluso yo no dudo que de este modo también tienen los obispos autoridad temporal en su obispado, por idéntica razón.

...

De aquí puede tomarse un nuevo argumento en favor de la conclusión primera. Porque si el Papa fuera señor de todo el orbe, también los obispos serían señores temporales en su obispado, puesto que también ellos en su obispado son vicarios de Cristo, lo cual niegan hasta los mismos adversarios.

Cuarta conclusión: *Ninguna potestad temporal tiene el Papa sobre aquellos bárbaros ni sobre los demás infieles.*

Esto se desprende claramente de la primera y de la tercera conclusión. Porque sólo tiene potestad temporal en orden a lo espiritual; mas no tiene potestad espiritual sobre ellos, como manifiestan las palabras citadas de San Pablo. Luego tampoco temporal.

De donde se sigue el corolario: *Aunque los bárbaros no quieran reconocer ningún dominio al Papa, no se puede por ello hacerles la guerra ni ocuparles sus bienes.* Es evidente, porque tal dominio no existe.

Y se confirma esto manifiestamente. Porque … en el supuesto de que los bárbaros no quieran reconocer por señor a Cristo, no se puede por ello guerrearles o causarles la menor molestia. Nada, pues, más absurdo que lo que esos mismos enseñan, que pudiendo impunemente los bárbaros rechazar el domino de Cristo, estén sin embargo, obligados a acatar el dominio de su vicario bajo pena de ser forzados con la guerra, privados de sus bienes y hasta condenados al suplicio.

SEXTO DOCUMENTO
Os vais todos al infierno

Introducción

Aquel domingo el padre Antonio Vieira estaba sumamente airado. Es más, lo había estado por largo tiempo hasta que por fin se sintió impelido a aceptar la invitación a predicar aquel primer domingo de cuaresma de 1653 en Maranhaõ, Brasil. No es de sorprenderse que se le haya pedido predicar. Después de todo, se le conocía como gran orador y estadista tras sus muchos éxitos como predicador y sus años de servicio a la corona portuguesa. Todo nos lleva a sospechar que los parroquianos no eran conscientes de esa profunda ira de Vieira cuando le invitaron a predicar. Pero una vez que Vieira subió al púlpito y comenzó a predicar sobre las tentaciones de Cristo, no pudo haber lugar a dudas en cuanto hacia quién se dirigía la ira del predicador.

Vieira era un jesuita nacido en Portugal en 1608, pero criado en la región de Bahía, en Brasil. Hizo sus votos cuando era todavía adolecente, y a los veintisiete años de edad fue ordenado como sacerdote. Por varios años se dedicó a trabajar entre la población nativa y los esclavos africanos, hasta que partió hacia Portugal en 1641. Años más tarde, en 1652, regresó a Brasil, sobre todo por cuanto se había vuelto persona no grata en Portugal al proponer que se tratara con más misericordia a los judíos convertidos al cristianismo. Algo semejante sucedió en Brasil, de donde se vio obligado a partir a causa de su abierta defensa de la población indígena. En 1653, casi inmediatamente después de predicar el sermón citado a continuación, regresó a Portugal.

Por fin volvió otra vez a Brasil, donde pasó los últimos 16 años de su vida, hasta que murió en 1697, siempre continuando su labor en pro de los indios brasileños, especialmente de quienes hablaban el tupí y el guaraní.

En el sermón que sigue vemos con cuánta seriedad Vieira tomaba su responsabilidad como predicador, y lo que hizo a fin de cumplir con esa responsabilidad. Tomó el texto señalado para ese día de cuaresma, del capítulo 4 de Mateo, como base para su sermón. Al relacionarlo con la vida de los colonos condenó la injusticia de lo que ocurría y llamó a un nuevo orden. Es bueno comparar el modo en que Vieira parece ver a la población nativa con lo que hemos visto anteriormente tanto en Vitoria como en otros textos.

Texto[6]

¡O día terrible! ¡O ventajoso día! Estamos en los días de las tentaciones del demonio, y en el día de las victorias de Cristo. Día en que el demonio se atreve a tentar en campo abierto al mismísimo hijo de Dios: "Si eres hijo de Dios". ¡O qué terrible día! Si hasta Dios mismo es tentado, ¿quién podrá que no tema ser vencido? … Tres fueron las tentaciones con que el demonio hoy acometió a Cristo… De todas estas tentaciones del demonio, he escogido solo una para tratar acerca de ella, porque para vencer tres tentaciones, una hora es poco tiempo. ¡Y cuán frecuentemente para ser vencido por ellas basta un instante! La que he escogido de las tres no fue la primera, ni la segunda, sino la tercera y última, porque esta es la mayor, porque es la más universal, la más poderosa, la más propia en esta tierra en que estamos… Supongamos primeramente que al hacer su oferta el demonio hablaba verdad, y que podía y habría de dar el mundo, supongamos además que Cristo no hubiera sido Dios, sino un puro ser humano, y suficiente débil como para caer en la tentación. Pregunto: si tal hombre recibiese todo el mundo y se hiciera señor de él, y entregara a cambio de ellos su alma al demonio, ¿sería buen negociante? El mismo Cristo dice en

---

6   Antônio Vieira, *Sermões*, Hedra, São Paulo, 2003, pp. 453, 456, 458-59, 460-61, 462-63, 465, 466.

otra ocasión que nada le aprovecha al ser humano ganar todo el mundo si pierde su alma. ¿Qué le aprovecha al humano ser señor de todo el mundo, si su alma queda cautiva del demonio? ¡O qué divina consideración! Alejandro Magno y Julio Cesar fueron señores del mundo, pero ahora sus almas están ardiendo en el inferno, y arderán por toda la eternidad...

¡A qué diferente precio de lo que ofrecía por ellas antiguamente compra hoy el dominio las almas! ¡En esta tierra os lo digo! Ningún mercado tiene el demonio en el mundo donde las almas resulten más baratas. En nuestro evangelio el demonio ofreció todos los reinos del mundo a cambio de un alma. En Maranhaõ no es necesario que el demonio pague tanto para comprar todas las almas. No es necesario ofrecer mundos, ni ofrecer reinos, ni ofrecer ciudades, ni villas, ni aldeas. Le basta al diablo ofrecer una casucha de paja y dos indios tapuyas, y será adorado de rodillas: "Si postrado me adorares". ¡O, qué compra tan barata! ¡Un negro por una alma, y ésta más negra que él! Ese negro será tu esclavo por los pocos días en que vivirá, y tu alma será mi esclava por toda la eternidad, mientras Dios sea Dios. Este es el contrato que el demonio ha hecho con vosotros, y no sólo lo aceptáis, sino por encima de ello le dais de vuestro dinero.

Señores míos, el evangelio nos lleva por fuerza a la más grave, la más útil cuestión a que se enfrenta este estado. Materia que involucra la salvación del alma y el remedio de la vida. Véase cuan seria y útil es... Pero por la misma razón de no ser cosa grata, había yo decidido nunca hablaros de ella, y por tanto nunca subí al púlpito. Subir al púlpito para disgustar no es lo que me interesa, y mucho menos a personas a quienes deseo todos los beneplácitos y todos los bienes. Pero por otra parte subir al púlpito y no decir la verdad es contra el oficio mismo, contra la obligación, contra la conciencia, principalmente para mí, que he dicho tantas verdades y con tanta libertad y ante tan grandes oídos. Por esta causa decidí dejar un servicio a Dios por otro e irme a enseñar a los indios en sus aldeas.

Permanecí en esa resolución hasta el jueves pasado, cuando ciertas personas a quienes mucho respeto me obligaron a acceder a predicar en la ciudad esta cuaresma. Lo prometí una vez, y me he arrepentido muchas, porque de nuevo me encontré ante la misma perplejidad. Es verdad que en la mente de personas juiciosas me parecía que sería siempre clara mi buena intención. Pero os pregunto: ¿quién es el mejor amigo, aquel que os advierte del peligro, o el que por no apenaros os deja perecer en él? ¿Qué médico es más cristiano, aquel que os advierte de la muerte, o aquel que por no disgustaros os deja morir sin los sacramentos? Todas estas razones se mezclaban dentro de mí, y no acababa de convencerme. El viernes por la mañana fui a decir misa con esta tensión, a pedir que Dios me iluminase y me inspirase a lo que fuese para su mayor gloria, y al leer el texto requerido Dios me dijo lo que quería que hiciese, con las mismas palabras Dios me dijo lo que quería hiciera, con las palabras mismas del texto. Son del capítulo 58 de Isaías: "¡Clama a voz en cuello, no te detengas, alza tu voz como una trompeta! ¡Anuncia a mi pueblo su rebelión y a la casa de Jacob su pecado!" ...

¿Sabéis, cristianos, sabéis los nobles y el pueblo de Maranhaõ, cuál es el ayuno que Dios quiere de vosotros esta cuaresma? ¡Que soltéis la atadura de injusticia, y que deis la libertad a los que tenéis cautivos y oprimidos! Estos son los pecados de Maranhaõ. Estos son los que Dios os anuncia: "¡Anuncia mi pueblo su rebelión!" Cristianos, Dios me ordena desengañaros, y yo os desengaño por parte de Dios. Todos estáis en pecado mortal. Todos vivís y morís en estado de condenación. Y todos iréis directamente al infierno. Ya muchos están allá, y vosotros también estaréis con ellos si no cambiáis vuestra vida.

Y más, ¡Válgame Dios! ¿Todo un pueblo en pecado? ¿Todo un pueblo en el infierno? Quien se sorprende por esto, no sabe lo que son los cautiverios injustos...

¿Qué hizo Dios cuando los cautivos israelitas huían, y el mismo rey faraón salió con todo el poder de su reino para retornarlos a su cautiverio? ¿Qué aconteció? Que se abrió el Mar Rojo, para que pasaran los cautivos a pie seco. ¡Pues Dios sabe hacer milagros para liberar a los cautivos! No penséis que los hebreos merecían esto por sus virtudes, ya que eran peores que esos Tapuyas, y a los pocos días adorarían a un becerro, de tal modo que de 600.000 que salieron solo dos llegaron a la tierra prometida. Pero Dios es tan favorecedor de libertades que lo que desmerecieron por malos lo alcanzaron por haber sido injustamente cautivos. Pasados ellos al otro lado del Mar Rojo, entró el faraón por el mismo camino, que todavía estaba abierto, y el mar separado de un lado y otro como dos murallas se derramó sobre él y sobre su ejército, de modo que en las aguas todos se ahogaron...

Todo aquel que tiene la libertad ajena y pudiendo hacerlo no la restituye, ciertamente se condena. Luego, todos o casi todos os condenáis. Quizás diréis que aunque así fuese, lo que hubo fue descuido, que no sabíais, y que vuestra buena fe os salvará. Lo niego... A unos condena la certidumbre, a otros la duda, y otros la ignorancia. A los que tienen certeza, les condena no hacer restitución. A quienes tienen duda, les condena el no haberse ocupado del asunto. A quienes tienen ignorancia, les condena el no saber aquello que tienen obligación de haber sabido...

Todos los indios de este estado, o bien os sirven como esclavos, o bien moran en las aldeas de El Rei como libres, o bien viven en el interior en su libertad natural y aun mayor. A estos últimos se va a comprar o rescatar, como pretenden, dándole el piadoso nombre de rescate a una venta tan forzada y violenta que a veces se hace con la pistola ante el pecho. En cuanto a aquellos que os sirven, todos en esta tierra son heredados, tenidos y poseídos de mala fe. Para ellos sería mucho el perdonaros todo el servicio a que les habéis obligado o preseídos en el pasado. Pero aun así, estarían dispuestos a hacerlo. Con todo, si después de ser ellos manifiestamente libres, por el hecho de haberse criado en vuestra casa y con vuestros hijos, al menos los más domésticos quisieran serviros espontánea y voluntariamente y permanecer en vuestra casa, nadie les podrá apartar de vuestro servicio, siempre que ellos así lo deseen. ¿Qué será con aquellos que no quieran continuar en su estado de subyugación? Se les obligaría a ir a vivir a las aldeas del El Rei, donde también os servirán del modo que más adelante veremos. Al interior del país podréis ir dos veces al año, para verdaderamente rescatar a los que estuvieren puestos en cadenas, listos de ser comidos, y tal crueldad se les conmutará a cambio de un perpetuo cautiverio. También serán cautivos todos los que sin violencia fueran vendidos como esclavos de sus enemigos, tomados en guerra justa, lo cual determinarán el gobernador de todo el estado, el oidor general, el vicario de Maranhaõ en Pará, y los prelados de las cuatro religiones, a saber, los carmelitas, los franciscanos, los mercedarios y los jesuitas. Todos los que de ese modo fueren certificados como verdaderamente cautivos, se repartirán entre los pobladores al mismo precio que fueron comprados. ¿Y qué se hará de aquellos cuya condición no se debe a una guerra justa? Todos serán localizados en nuevas poblaciones, o repartidos entre las aldeas que ya hay. Como es el caso de otros pobladores de esas aldeas, os servirán seis meses del año y alternadamente, pasando los otros seis meses en sus labores y con sus familias. De esta forma, todos los indios de este estado servirán a los portugueses, ya sea como propia y completamente cautivos, los cuales son los esclavos, los cautivados en guerra justa, y los que libre y voluntariamente os quieren servir, como dijimos anteriormente. Os servirán como semi-cautivos, que son todos los de las aldeas tanto antiguas como nuevas, que me consta que para el bien y conservación del estado, aunque sean libres, se sujetarán a servirnos y ayudarnos la mitad de tiempo del resto de su vida...

Sepa el mundo, sepan los herejes y gentiles, que no se engañó Dios cuando hizo de los portugueses conquistadores y predicadores de su alto nombre. Sepa el mundo que todavía hay verdad, que todavía hay temor de Dios, que todavía hay alma, que todavía hay conciencia, y que no hay interés propio tan absoluto o dueño universal de todo como parecería. Sepa el mundo que todavía hay quien por amor de Dios y por su propia salvación se sobreponga a sus propios intereses. Lo que es más, señores, esto no es perder intereses, sino es multiplicarlos, acrecentarlos, hacerlos semejantes a la usura. Decidme, cristianos, si tenéis fe: los bienes del mundo, ¿quién los da? ¿Quién los reparte? Decidme, por Dios. Pues pregunto: ¿qué gestión llevará mejor a Dios a daros muchos bienes, servirle, u ofenderle? ¿Obedecer y guardar su ley, o quebrantar todas sus leyes?

Señor Jesús, esta es la actitud, esta es resolución, con que están hoy delante de ti estos tus fieles católicos. Nadie hay aquí que quiera otro interés más que servirte. Nadie hay aquí que busque otra conveniencia que amarte. Nadie hay que tenga otra ambición que quedar eternamente obediente y rendido a tus pies. A tus pies está nuestra hacienda, a tus pies están los intereses, a tus pies están nuestros esclavos, a tus pies están los hijos, a tus pies está la sangre, a tus pies está la vida, para que hagas de todo y de todos lo que más se conforme a tu santa ley. ¿No es así, cristianos? Así es, así lo digo, así lo digo y prometo a Dios en nombre de todos. Victoria, pues, por parte de Cristo, victoria, victoria contra la peor tentación del demonio. Muera el demonio, mueran sus tentaciones, muera el pecado, muera el infierno, muera la ambición, mueran los intereses. Y viva solo el servicio a Dios, viva la fe, viva la cristiandad, viva la conciencia, viva el alma, viva la ley de Dios y lo que ella ordena, viva Dios. Y vivamos todos en esta vida con mucha abundancia de bienes, principalmente los de la gracia, y en la venidera durante toda la eternidad con los bienes de la gloria.

LA FE VA TOMANDO FORMA

Introducción

La vida de los españoles en América se vio obligada a sufrir varias adaptaciones, debido a diversos factores. En primer lugar, aun después de la conquista, a los españoles se les hizo imposible entender el Nuevo Mundo, o imponer su cultura sobre las colonias de manera absoluta. En segundo lugar, la distancia entre las colonias y la metrópoli era tal que se le hacía difícil a la corona responder a las condiciones existentes en las colonias, lo cual les daba a estas últimas cierta libertad para responder a sus propias situaciones. En tercer lugar, hacia fines del siglo 16 y principios del 17 hubo una ola de inmigración –en parte voluntaria, y en parte forzada– que introdujo toda suerte de diferencias. Y en cuarto lugar, estos nuevos inmigrantes le fueron dando forma a su vida de tal modo que respondiera a la realidad del Nuevo Mundo.

Debido a estos factores, se les hizo imposible a los españoles establecer en las colonias una vida exactamente igual a la de España. Por otra parte, la verdad es que en la propia España no había tal cosa como una "vida española". Allí, como también en América Latina, había una vasta gama de actitudes, expectativas, creencias y prácticas religiosas. Pero quienes gobernaban en el Nuevo Mundo preferían hacerse la idea de que había un modo particular de ser español. Como era de esperarse, la realidad americana pronto les daría el mentís.

La colección de documentos que examinaremos en el presente capítulo muestra de manera particular cómo los españoles trataron de entender, de ajustarse, o de resistir a lo que encontraban en el hemisferio occidental. Desde un jesuita que procuraba entender el mundo de los indios y darlo a conocer, a una monja mexicana de herencia española que se rebelaba contra los límites que el mundo le imponía a causa de su sexo, pasando por una brasileña acusada de brujería ante la inquisición, encontraremos numerosas personas cuya vida tenía que ajustarse al mundo que le rodeaba, y que también le dieron forma a la vida religiosa cotidiana.

Tratar de entender las Indias fue tarea que frecuentemente emprendieron sacerdotes que buscaban el mejor modo de convertir a los indígenas. Nuestro primer documento, "El informe de un sacerdote", es una selección de la *Historia natural y moral de las Indias*, por el jesuita José de Acosta. Esta obra fue precisamente uno de esos intentos de entender la vida y la cultura de la población original de América. Sus superiores le ordenaron a Acosta que compilase información y observaciones acerca de los indígenas y de su historia. Pero le resultó imposible separar lo que decía del contexto mismo de la conquista, como se ve en la selección que sigue.

Esa intersección entre la realidad americana y el mundo español también se ve claramente en nuestro segundo documento, "Para llegar a santo". Se trata de un ejemplo de los esfuerzos de canonizar a Martín de Porres (o de Porras, como le llama el documento) –esfuerzos que luego fueron exitosos. Martín era un mulato nacido en Lima que de joven se unió a la orden de los dominicos como hermano laico. Allí se hizo conocer por su bondad, humildad y caridad. Los testimonios que aquí veremos muestran no sólo cómo le era posible a un católico devoto cruzar las barreras sociales y raciales durante el siglo 17 en Lima, sino también cómo la iglesia aun sin quererlo facilitaba este movimiento social.

Pero tales barreras en la América colonial no se limitaban a las clases sociales o las líneas raciales, sino que también incluían a las mujeres, quienes sufrían enormes restricciones en cuanto a las opciones que tenían por delante. Sor Juana Inés de la Cruz, autora del tercer documento, "Teología en la cocina", fue una mujer que luchó contra los límites que le imponía la sociedad, en particular los que mandaban que sus dotes intelectuales –que eran indudablemente prodigiosas– debían someterse a las virtudes "femeninas". Tales virtudes incluían rasgos como la piedad, la obediencia, la serenidad y la sujeción a los varones. Pero Sor Juana Inés repetidamente se topaba con varones que eran mucho menos despiertos que ella intelectualmente. Al leer esta fuente, veremos una vez más que la iglesia podía tornarse un modo de escapar, en cierta medida al menos, de los límites impuestos por la sociedad y sus costumbres.

Pero sí había un límite que la iglesia vigilaba mucho más que los que existían entre los géneros o entre las razas. Este era el límite entre el creyente devoto y el hereje o el apóstata. El cuarto documento, "La inquisición en acción", es parte de las actas de un auto de fe que tuvo lugar en Lima el 23 de enero de 1639. En breves palabras resume las acusaciones, lo que se descubrió y lo que por fin se decidió en el caso de la inquisición contra Manuel Bautista Pérez, a quien se acusaba de cripto-judaísmo –es decir de ser un judío quien aparentemente se había convertido al cristianismo para después regresar en secreto a su antigua fe.

La inquisición no se limitaba sólo a quienes abandonaban la fe cristiana. Se preocupaba también, y quizás más frecuentemente, de quienes aparentemente pervertían o contaminaban esa fe, a quienes se obligaba a someterse a la iglesia, aunque a veces con penas menos severas. Tal fue el caso de Guiomar d'Oliviera, en Brasil. Todo lo que ella buscaba era que su esposo le amara como lo había hecho antes. El remedio que buscó para su situación intolerable de un matrimonio carente de amor la llevó a otra situación también intolerable: un juicio ante el tribunal de la inquisición. El documento "Hechizo de amor" es su confesión de algunas de las prácticas de brujería de las que se la acusaba.

En conjunto, las fuentes que se incluyen en este capítulo muestran dos visiones diferentes de la práctica religiosa en las Américas. En la primera visión, la ortodoxia en cuanto al dogma y la obediencia a la iglesia son de primera importancia. En la segunda, algunos elementos de la fe (por ejemplo, palabras tomadas de algún rito de la iglesia) se usaban como instrumentos para lograr algún fin deseado sin preocuparse mucho por la ortodoxia. Estas fuentes también nos muestran modos en que la iglesia latinoamericana del siglo 17 participó en la creación de la compleja sociedad que vemos hoy en América Latina.

PRIMER DOCUMENTO
El informe de un sacerdote

Introducción

El libro *Historia natural y moral de las Indias* fue revolucionario cuando se publicó en 1590. La recopilación que el jesuita José de Acosta había hecho de sus observaciones y de lo que había aprendido durante los años que pasó en América –quince en Perú y uno en México– inmediatamente cautivó la atención del público europeo, de modo que en unos pocos años su obra había sido traducida del español a varias otras lenguas europeas así como al latín. Era un libro que parecía explicar la vida y la cultura de los indios en términos tanto de su historia natural (geografía, clima, etc.) como de su historia cultural (costumbres, usos, creencias, etc.). El libro advertía que el desconocimiento de los indios y su historia había dado lugar a esfuerzos de conversión no sólo fallidos sino también brutales. La verdadera conversión sólo podría tener lugar si se sabía cómo comunicar el evangelio a los "paganos" y "bárbaros" de modo que fuese pertinente para ellos. El libro de Acosta tuvo tal impacto que sus ideas y principios fueron aplicados por misioneros en otras regiones del mundo bastante apartadas de América.

Las selecciones que citamos proceden de dos capítulos diferentes del libro de Acosta. La primera es tomada del capítulo "Que es falsa la opinion de los que tienen á los Indios por hombres faltos de entendimiento". Al leer este texto, notamos que a Acosta le interesa mucho más que la mera conversión. Veremos sus razones para declarar que es necesario entender y ver a los indios como personas razonables e inteligentes. De allí deriva su actitud y la política que sugiere hacia la población aborigen de América.

La segunda selección es extraída del capítulo "De algunos milagros, que en las Indias ha obrado Dios en favor de la Fé, sin méritos de los que los obraron". Incluye informes en los que se muestra la intervención de Dios en apoyo a la conquista cuando todo parecía perdido. Aquí podemos ver cómo el mito de la Reconquista tuvo su impacto sobre la conquista americana. También podemos imaginar que los informes de tales intervenciones divinas aplacarían el sentimiento de culpa respecto a la conquista misma.

El propio Acosta declaró que había recibido fuerte influencia de los escritos de Vitoria –al igual que muchos otros jesuitas. Al leer lo que sigue, puede ser útil considerar en qué modo se ve aquí el impacto de Vitoria, y en qué puntos Acosta difiere de él. También conviene recordar lo que se ha dicho anteriormente de los "dos rostros" de la iglesia en América Latina, y cómo estos se manifiestan en la obra de Acosta.

Texto[1]

Libro sexto, capítulo primero

Que es falsa la opinion de los que tienen á los Indios por hombres faltos de entendimiento. Habiendo tratado lo que toca á la Religion que usaban los Indios, pretendo en este libro escribir de sus costumbres, policía y gobierno, para dos fines: el uno deshacer la falsa opinion, que comunmente se tiene de ellos, como de gente bruta y bestial, y sin entendimiento, ó tan corto, que apenas merece ese nombre: del cual engaño se sigue hacerles muchos y muy notables agravios, sierviéndose de ellos poco menos que de animales, y despreciando cualquier género de respeto que se les tenga... Esta tan perjudicial opinion no veo medio con que pueda mejor deshacerse, que con dar á entender el órden y modo de proceder que estos tenian cuando vivian en su ley, en la cual, aunque tenian muchas cosas de bárbaros y sin fundamento; pero habia tambien otras muchas dignas de admiracion, por las cuales se deja bien comprehender, que tienen natural capacidad para ser bien enseñados, y aun en

---

[1] José de Acosta, *Historia natural y moral de las Indias*, Casa de Juan de Leon, Sevilla, vol. 2, 1590; repr., Ramón Anglés, Madrid, 1894, pp. 141, 142, 143, 348-50.

gran parte hacen ventaja á muchas de nuestras Repúblicas... El otro fin que puede conseguirse con la noticia de las leyes, costumbres y policía de los Indios, es ayudarlos y regirlos por ellas mismas, pues en lo que no contradicen á la Ley de Cristo y de su santa Iglesia, deben ser gobernados conforme á sus fueros, que son como sus leyes municipales. Por cuya ignorancia se han cometido yerros de no poca importancia, no sabiendo los que juzgan, ni los que rigen, por donde han de juzgar y regir sus súbditos. Que demas de ser agravio y sinrazon que se les hace, es en gran daño por tenernos aborrecidos como á hombres que en todo, así en lo bueno como en lo malo, les somos y hemos siempre sido contrarios.

Libro séptimo, capítulo XXVII

... En la ciudad del Cuzco, cuando estuvieron cercados los Españoles cercados, y en tanto aprieto que sin ayuda del Cielo fuera imposible escapar, cuentan personas fidedignas y yo se lo oí, que echando los Indios fuego arrojadizo sobre el techo de la morada de los Españoles, que era donde es ahora la Iglesia mayor, siendo el techo de cierta paja, que allá llaman chicho, y siendo los hachos de tea muy grandes, jamás prendió, ni quemó cosa, porque una Señora que estaba en lo alto, apagaba el fuego luego, y esto visiblemente lo vieron los Indios, y lo dijeron muy admirados. Por relaciones de muchos y por historias que hay, se sabe de cierto, que en diversas batallas que los Españoles tuvieron, así en la Nueva-España como en el Perú, vieron los Indios contrarios en el aire un Caballero con la espada en la mano, en un caballo blanco, peleando por los Españoles, de donde ha sido y es tan grande la veneracion que en todas las Indias tienen al glorioso Apostol Santiago. Otras veces vieron en tales conflictos la imagen de nuestra Señora, de quien los Cristianos en aquellas partes han recibido incomparables beneficios. Y si estas obras de el Cielo se hubiesen de referir por extenso, como han pasado, sería relacion muy larga. Baste haber tocado esto, con ocasion de la merced que la Reina de gloria hizo á los nuestros, cuando iban tan apretados y perseguidos de los Mejicanos; lo cual todo se ha dicho para que se entienda, que ha tenido nuestro Señor cuidado de favorecer la Fe y Religion Cristiana, defendiendo á los que la tenian aunque ellos por ventura no mereciesen por sus obras semejantes regalos y favores del Cielo. Junto con esto es bien que no se condenen tan absolutamente todas las cosas de los primeros Conquistadores de las Indias, como algunos Letrados y Religiosos han hecho con buen celo sin duda, pero demasiado. Porque aunque por la mayor parte fueron hombres codiciosos, y ásperos, y muy ignorantes del modo de proceder, que se habia de tener entre infieles, que jamás habian ofendido á los Cristianos; pero tampoco se puede negar, que de parte de los infieles hubo muchas maldades contra Dios y contra los nuestros, que les obligaron á usar de rigor y castigo. Y lo que es mas, el Señor de todos, aunque los fieles fueron pecadores, quiso favorecer su causa y partido para bien de los mismos infieles que habian de convertirse despues por esa ocasion al Santo Evangelio. Porque los caminos de Dios son altos, y sus trazas maravillosas.

La más antigua biografía fue escrita por Bernardo de Medina, unos treinta años después de la muerte de Martín.

Segundo documento
Cómo llegar a santo

Introducción

Lograr que alguien sea canonizado requiere mucha paciencia. Pasaron más de trescientos años antes de que fray Martín de Porres pudiera llegar a ser el primer santo negro de América. En 1657, casi veinte años después de la muerte de Martín, la diócesis de Lima dio autorización para que se comenzara a recopilar evidencia a favor de su beatificación –es decir, el paso anterior a la canonización. Durante la década subsiguiente, se recopilaron testimonios de personas que habían conocido a Martín o que de alguna otra manera habían tenido una experiencia con él, quizás después de su muerte. Más de veinte años después, en 1678, comenzó un proceso apostólico conducido por Roma y en 1837 Martín fue beatificado y canonizado en 1962. Martín de Porres era hijo natural, aunque reconocido, de un español y de una africana libre. Era joven cuando comenzó a trabajar como siervo en la casa de los dominicos. Es muy posible que debido a leyes que prohibían que personas de raza mixta se unieran a órdenes religiosas, Martín nunca haya sido más que un hermano laico, aunque acerca de esto todavía hay debate. Pero la fama de su santidad, manifestada principalmente en su servicio a la orden y en su habilidad para sanar, se difundió rápidamente por toda la ciudad de Lima. Martín continuó trabajando con los pobres de la ciudad, creando orfanatos y escuelas para niños pobres. También se hizo famoso por su profunda humildad aun cuando otros miembros de su orden le trataban cruelmente. Su vida estrictamente austera sobrepasaba por mucho la práctica común de entonces. Se dedicó a curar a cuantos podía, incluso a los animales. Una de las historias más populares acerca de Martín es la de un refugio que creó para animales realengos, donde sanaba también a los enfermos. Cuando murió, en 1639, ya se le veneraba en todos los niveles de la sociedad limeña.

Los que siguen son tres de los muchos testimonios recopilados en 1670. El primero proviene de una mujer de cierto nivel dentro de la sociedad, pues se le da el título de "doña". El segundo es de un hermano dominico compañero de Martín. Y el tercero viene de un obrero local. Estas selecciones nos dejan entrever mucho de lo que se consideraba la santidad en la Lima del siglo 17. Es interesante notar qué aspectos de la vida de Martín consideraban los limeños como fundamento para su canonización. También cabe preguntarse por qué persistieron por tanto tiempo y durante generaciones. En tiempos de Martín, la raza ocupaba un lugar importante en la estructura social de Lima. Pero a pesar de ello Martín se las arregló para atravesar barreras de raza y de clase y sanar y servir tanto a ricos como a pobres. Es preciso recordar el papel de la iglesia en todo ese proceso. Los testimonios recopilados en el proceso de canonización son interesantes también por cuanto nos ayudan a ver aquellos elementos en la vida de Martín que llevaron a muchos dentro de la sociedad blanca a aceptarle mientras vivía, y a otros a buscar el reconocimiento oficial de su santidad después de su muerte. Esto nos dice mucho acerca de las intersecciones entre la raza y la religión. Pero hay que recordar que el caso de San Martín fue verdaderamente único. Su experiencia de aceptación, aun limitada, no era la experiencia de la mayoría de las personas de color en Lima en el siglo 17. Mucho más comunes aun para el propio Martín de Porres eran las experiencias de discriminación, tanto legal como de hecho, debido a diferencias raciales.

Texto[2]

Testimonio de doña Ursula de Medina, 1670

... dixo que lo que dellas sabe es que siendo esta testigo de edad de doce años, poco más o menos, se halló en el entierro del dicho venerable hermano fray Martín de Porras, yéndole acompañando con otras mujeres. Y cuando llegó al cementerio del convento, sintió un olor grandisimo, que no parecia de cosa de la tierra, y esta testigo, así que entró en la iglesia, miró a

---

[2] *Proceso de beatificación de fray Martín de Porres*, vol. 1, *Proceso diocesano, años 1660, 1664, 1671*, 1670; Secretariado Martín de Porres, Palencia, 1960, pp.141, 142-43, 145, 251–53.

todas partes, por ver si había alguna cosa que causase el dicho olor y no vió nada: por donde juzgó que salía del cuerpo del dicho siervo de Dios, lo cual sabe y no otra cosa y es la verdad, público y notorio, pública voz y fama, y es la verdad, so cargo del juramento que tiene fecho, en que, siéndole leído, se afirmó y ratificó y lo firmó de su nombre.

Testimonio de Fray Juan de la Torre, 1670

De la segunda y demás preguntas del interrogatorio que le fueron leídas, dixo que lo que sabe dellas es que por los años de seiscientos y veinte y nueve, antes que muriese el dicho siervo de Dios fray Martín de Porras, le conoció este testigo todo este dicho tiempo y experimentó en él una santidad grande, adornada de todo género de virtudes, porque en la continua oración de día y de noche era incansable, y tan penitente que todo año ayunaba, sin exceptuar más de los domingos, y todas las noches se daba tres disciplinas, para las cuales se desnudaba todo, y para que fuese más sensible esta penitencia, se daba a pausas los golpes.

Su vestir era humildísimo y muy pobre, pues no traía más de una túnica de jerga que le daba hasta las rodillas y sobre ella el hábito, sin más camisa que trujese a raíz de las carnes porque en lugar della estaba continuamente cercado y ceñido de ásperos cilicios. Y su cama era un ataúd con una estera por colchón, un pedazo de madera por cabecera; y con ser rigurosa, la usaba pocas veces, porque las más de las noches se dexaba llevar del poco rato de sueño en un poyo o banco a los pies de algún enfermo, cuando le veía fatigado o de riesgo. Y en la caridad fue tan grande que sin encarecimiento juzga este testigo que se le debía dar la primacía, y que le podrían llamar con justo título fray Martín de la Caridad, que no sólo la usó con todo género de gentes, compadeciéndose de sus necesidades y procurándolas socorrer con todo cuidado, solicitud y diligencia, que sentía mucho las miserias humanas, que media hora antes que expirase le dixeron que un negro estaba lleno de piojos, y así que lo supo se aflixió tanto que se dió muchos golpes en los pechos diciendo: "fray Martín, ¿dónde está tu caridad?", que tanto como esto sentía las necesidades de los

próximos, que aun estando muriéndose se lamentaba de ellas.
Y aun con los animales la tenía también muy grande, curán-
dolos y dándoles de comer, y en este particular le sucedieron
muchos casos graves.

Y así mismo este testigo dixo que oyó contar al P. Fray Miguel
de Mejorada del dicho Orden de Predicadores, ya difunto, estando el susodicho en el Convento de Lima, le sobrevino un accidente de que echaba sangre en abundancia por la boca, y que
yendo en busca del dicho siervo de Dios fray Martín de Porras a
la enfermería, para que le curase, y habiéndole buscado en ella
y tocado tres veces la campana con que se acostumbra a llamar
al enfermero y no pareciendo, le fue a buscar al Capítulo, donde
ordinariamente oraba, y antes de entrar en él habló el dicho
siervo de Dios desde dentro y dixo: "Vayase a la pila y desnudo
échese dentro y sanará de su mal", de que quedó admirado el
dicho P. Fray Miguel, que siendo de noche y no habiéndole
visto, supiese su necesidad y le diese remedio para ella. Echóse
en la pila el susodicho y sanó luego.

Testimonio de Joseph Pizarro, 1670

... dixo que lo que tiene que declarar de todas ellas es que,
estando trabajando este testigo en el dicho convento en su oficio
de ensamblador, una mañana como entre las ocho y las nueve
della, este testigo fue a la celda del dicho venerable hermano
fray Martín de Porras, como otras veces lo hacía a pedirle le
diese de almorzar, y llegado junto della le vió que salía con algunos medicamentos, que parecía iba a curar a algún enfermo,
y le vió este testigo entrar en la celda de uno en la enfermería
del dicho convento, donde era enfermero, y por no detenerle
a lo que iba lo dexó ir este testigo y se puso a aguardar en la
puerta de la dicha su celda, de la parte de afuera, por haberla
dexado abierta. Y estando así algún rato aguardándole, sin
divertirse en otra cosa, vió que el dicho venerable hermano
fray Martín de Porras salió de la dicha su celda, de la parte de
adentro, llamando a este testigo por su nombre, y habiéndole
visto se quedó espantado y maravillado de ver al dicho venerable hermano fray Martín de Porras, que hubiese entrado en la
dicha su celda, sin haberle visto este testigo entrar por la puerta

della, por estarle allí aguardando y le dió de almorzar y se fue este testigo. Y para saber y averiguar por dónde había entrado el dicho venerable hermano en la dicha su celda, la anduvo e inquirió todo alrededor de ella si había otra puerta por donde pudiese haber entrado y halló no había otra alguna más que la principal, en que este testigo estaba esperándole.

Y que contando este caso a muchas personas del dicho convento, le dixeron a este testigo que no era nuevo en el dicho venerable hermano aparecerse sin verle ni saber por dónde entraba, porque cada día se aparecía en el Noviciado de los novicios del dicho convento, estando cerradas las puertas del y a deshoras de la noche, al socorro de las necesidades y aflicciones dellos. Y que sabe que el dicho venerable hermano fue de grandísima caridad, la cual no solamente mostraba con los próximos, sino también con los animales brutos, pues en muchas ocasiones vió este testigo que, cuando venía de la calle, que traía a los perros que hallaba heridos o enfermos y los recogía en su celda, a los cuales curaba con tanta voluntad y amor como si fuesen racionales. Y estando buenos les decía que se fuesen y le obedecían.

TERCER DOCUMENTO

Teología en la cocina

Introducción

Hasta el día de hoy, entre todos los poetas mexicanos del período barroco, Sor Juana Inés de la Cruz es probablemente la más reconocida. Su obra manifiesta las tensiones en que vivió y que experimentó: entre la razón y la religión, entre el varón y la mujer, entre la obediencia y la rebelión. Desde niña se le conoció como dotada de una mente prodigiosa. Más tarde llegó a ser una gran poetisa e intelectual quien constante y firmemente se dedicó a la vida de la mente aun mientras estaba en el convento. Tales intereses se consideraban no apropiados para las mujeres, y es muy posible que esto la haya llevado a su mala opinión acerca de los hombres, como se ve en su famoso poema del cual dos estrofas dicen como sigue:

> Hombres necios que acusáis
> a la mujer sin razón,
> sin ver que sois la ocasión
> de lo mismo que culpáis, ...
>
> Con el favor y el desdén
> tenés condición igual:
> quejándoos si os tratan mal
> burlándoos si os quieren bien.[3]

El matrimonio no era una opción que Juana Inés pudiera considerar, sobre todo dada su actitud hacia los varones. Cuando tenía dieciséis años se había ya percatado de que su único modo de escapar de los confines del matrimonio era el convento, y allí pasó veintiocho años hasta que murió en 1695. Pero aun allí se sentía incómoda ante las limitaciones que se le imponían.

La selección que sigue es de su carta a "Sor Filotea". Pero en realidad la carta no iba dirigida a otra monja, como el título da a entender, sino que era una respuesta a otra carta que recibió del obispo de Puebla, Fernández de Santa Cruz. Este, junto a muchas de las compañeras y jefas de Sor Juana en el convento, la criticaba por su constante búsqueda de conocimientos –muchos de ellos de carácter científico, pero no todos. A la postre se le forzó a entregar la biblioteca que tanto amaba y que había acumulado durante su tiempo en el convento, así como sus instrumentos científicos. En la sección que sigue, veremos su defensa apasionada del estudio, y su explicación acerca de por qué se unió a la vida monástica, por qué se sentía obligada a estudiar, y cuáles habían sido las reacciones a lo que hacía.

Al leer su escrito, es necesario recordar que Sor Juana muestra lo que le era posible a una mujer en México en el siglo 17, pero también es importante tener en cuenta que Sor Juana Inés hubiera sido una mujer excepcional en cualquier época. No son muchas las personas que se dedicarían a considerar los principios físicos que dirigen el curso de una pelota con la

---

[3] Sor Juana Inés de la Cruz, *Poesías completas*, Ed. Botas, México, 1948, pp. 132, 133.

que juegan los niños, o a considerar los cambios químicos que tienen lugar cuando se hierve un huevo. Pero eso fue exactamente lo que Sor Juana hizo cuando la iglesia le prohibió continuar sus estudios. En todo esto vale la pena preguntarse si la iglesia le prohibió a Sor Juana un medio de escape, o si resultó ser una prisión tan estrecha como el matrimonio. También debemos considerar por qué sus superiores, tanto varones como mujeres, así como muchas de sus hermanas en el convento, la veían como una amenaza. Ciertamente, las decisiones y actividades de Sor Juana Inés eran un desafío para las normas sociales de su tiempo, a tal punto que parecía necesario refrenarla. Por otra parte, también hay que reconocer la actitud visionaria de Sor Juana Inés de la Cruz dentro de aquella sociedad que la circundaba y limitaba.

Texto[4]

Entréme religiosa, porque aunque conocía que tenía el estado cosas (de las accesorias hablo, no de las formales), muchas repugnantes a mi genio, con todo, para la total negación que tenía al matrimonio, era lo menos desproporcionado y lo más decente que podía elegir en materia de la seguridad que deseaba de mi salvación; a cuyo primer respeto (como al fin más importante) cedieron y sujetaron la cerviz todas las impertinencillas de mi genio, que eran de querer vivir sola; de no querer tener ocupación obligatoria que embarazase la libertad de mi estudio, ni rumor de comunidad que impidiese el sosegado silencio de mis libros. Esto me hizo vacilar algo en la determinación, hasta que alumbrándome personas doctas de que era tentación, la vencí con el favor divino, y tomé el estado que tan indignamente tengo. Pensé yo que huía de mí misma, pero ¡miserable de mí! trájeme a mí conmigo y traje mi mayor enemigo en esta inclinación, que no sé determinar si por prenda o castigo me dio el Cielo, pues de apagarse o embarazarse con tanto ejercicio que la religión tiene, reventaba como pólvora, y se verificaba en mí el *privatio est causa appetitus* [la falta es causa del apetito].

---

[4] Sor Juana Inés de la Cruz, "Respuesta de la poetisa a la muy ilustre Sor Filotea de la Cruz," *Antología del Ensayo: Sor Juana Inés de la Cruz*, consultado el 2 de febrero, 2012, http://www.ensayistas.org/antologia/XVII/sorjuana/sorjuana1.htm.

Volví (mal dije, pues nunca cesé); proseguí, digo, a la estudiosa tarea (que para mí era descanso en todos los ratos que sobraban a mi obligación) de leer y más leer, de estudiar y más estudiar, sin más maestro que los mismos libros. Ya se ve cuán duro es estudiar en aquellos caracteres sin alma, careciendo de la voz viva y explicación del maestro; pues todo este trabajo sufría yo muy gustosa por amor de las letras. ¡Oh, si hubiese sido por amor de Dios, que era lo acertado, cuánto hubiera merecido! Bien que yo procuraba elevarlo cuanto podía y dirigirlo a su servicio, porque el fin a que aspiraba era a estudiar Teología, pareciéndome menguada inhabilidad, siendo católica, no saber todo lo que en esta vida se puede alcanzar, por medios naturales, de los divinos misterios; y que siendo monja y no seglar, debía, por el estado eclesiástico, profesar letras; y más siendo hija de un San Jerómimo y de una Santa Paula, que era degenerar de tan doctos padres ser idiota la hija. Esto me proponía yo de mí misma y me parecía razón; si no es que era (y eso es lo más cierto) lisonjear y aplaudir a mi propia inclinación, proponiéndola como obligatorio su propio gusto.

...

Solía sucederme que, como entre otros beneficios, debo a Dios un natural tan blando y tan afable y las religiosas me aman mucho por él (sin reparar, como buenas, en mis faltas) y con esto gustan mucho de mi compañía, conociendo esto y movida del grande amor que las tengo, con mayor motivo que ellas a mí, gusto más de la suya; así, me solía ir los ratos que a unas y a otras nos sobraban, a consolarlas y recrearme con su conversación.

...

Yo confieso que me hallo muy distante de los términos de la sabiduría y que la he deseado seguir, aunque *a longe*. Pero todo ha sido acercarme más al fuego de la persecución, al crisol del tormento; y ha sido con tal extremo que han llegado a solicitar que se me prohiba el estudio.

Una vez lo consiguieron una prelada muy santa y muy cándida que creyó que el estudio era cosa de Inquisición y me mandó que no estudiase. Yo la obedecí (unos tres meses que duró el poder ella mandar) en cuanto a no tomar libro, que en cuanto a no estudiar absolutamente, como no cae debajo de mi potestad, no lo pude hacer, porque aunque no estudiaba en los libros, estudiaba en todas las cosas que Dios crió, sirviéndome ellas de letras, y de libro toda esta máquina universal. Nada veía sin reflejar: nada oía sin consideración, aun en las cosas más menudas y materiales; porque como no hay criatura, por baja que sea, en que no se conozca el *me fecit Deus* [Dios me hizo], no hay alguna que no pasme el entendimiento, si se considera como se debe.

...

Pues, ¿qué os pudiera contar, Señora, de los secretos naturales que he descubierto estando guisando? ... Si Aristóteles hubiera guisado, mucho más hubiera escrito.

...

Porque ¿qué inconveniente tiene que una mujer anciana, docta en letras y de santa conversación y costumbres, tuviese a su cargo la educación de las doncellas? Y no que éstas o se pierden por falta de doctrina o por querérsela aplicar por tan peligrosos medios cuales son los maestros hombres, que cuando no hubiera más riesgo que la indecencia de sentarse al lado de una mujer verecunda (que aun se sonrosea de que la mire a la cara su propio padre) un hombre tan extraño, a tratarla con casera familiaridad y a tratarla con magistral llaneza, el pudor del trato con los hombres y de su conversación basta para que no se permitiese. Y no hallo yo que este modo de enseñar de hombres a mujeres pueda ser sin peligro, si no es en el severo tribunal de un confesonario o en la distante docencia de los púlpitos o en el remoto conocimiento de los libros, pero no en el manoseo de la inmediación. Y todos conocen que esto es verdad; y con todo, se permite sólo por el defecto de no haber ancianas sabias; luego es grande daño el no haberlas. Esto debían considerar los que atados al *Mulieres in Ecclesia taceant* [las mujeres callen en la iglesia], blasfeman de que las mujeres sepan y enseñen.

CUARTO DOCUMENTO
La Inquisición en acción

Introducción

El 23 de enero de 1639 una gran procesión avanzaba por las calles de Lima. Cruces llevadas en alto iban delante de los penitentes, pues se trataba de un auto de fe. Tras ellas venía un gran número de sacerdotes, sacristanes y otros clérigos. Luego venían 72 penitentes: primero aquellos que habían sido declarados culpables de crímenes menores tales como la hechicería y la bigamia; luego los judaizantes con sus sambenitos; y por último quienes iban a ser "entregados al brazo secular" (es decir, ejecutados por el gobierno) por negarse a confesar sus crímenes y a reconciliarse con la iglesia. Este último grupo llevaba fuertes sogas atadas al cuello, vestía sambenitos con dragones, demonios y llamas, llevaba la cabeza cubierta con un sombrero cónico llamado coroza, e iba cargando cruces. Entre las once personas de este grupo iba Manuel Bautista Pérez. Se le había declarado culpable de ser cripto-judío no arrepentido –lo cual él constante y firmemente negó.

El contexto histórico del juicio y ejecución de Manuel Bautista es importante, pues nos provee una amplia perspectiva dentro de la cual colocar lo que le sucedió a él así como a otros. Las coronas de España y Portugal estuvieron unidas en una desde 1580 hasta 1640. Durante ese tiempo, se les permitía a los portugueses viajar libremente por todo el territorio español, de modo que muchos de ellos se establecieron en las colonias españolas de América. Entre estos portugueses había "cristianos nuevos", es decir, judíos conversos al cristianismo. Tanto en las colonias como en la metrópoli frecuentemente se sospechaba que estos nuevos cristianos no eran lo suficientemente fieles u ortodoxos. Los prejuicios hacia ellos eran tales que no se les permitía ocupar cargos públicos, ni unirse a órdenes religiosas, ni asistir a ciertas escuelas ni seguir ciertas profesiones. Posiblemente Manuel Bautista Pérez pensó haber escapado de tal opresión al irse a vivir a Lima como cristiano viejo. Pero entonces las circunstancias cambiaron. Los holandeses, quienes practicaban cierta tolerancia religiosa, habían ocupado la región de Pernambuco en Brasil, con lo cual se abrió la región para personas procedentes de Holanda. Un buen número de judíos cruzó el Atlántico y se estableció allí. Las autoridades españolas en Perú estaban seguras de que los nuevos cristianos en Perú conspiraban con los judíos en Pernambuco para derrocar a los españoles. Manuel Bautista Pérez se vio arrastrado por el torbellino de actividades frenéticas para desarraigar todo lo que pudiera parecer una amenaza por parte de judíos y portugueses.

La fuente que citamos a continuación es un resumen de los cargos contra Manuel Bautista Pérez. No está claro que hubiera verdaderas pruebas contra él. Al leer este documento, es bueno pensar en otras razones por las que el estado pudiera estar interesado en acusar y destruir a Manuel Bautista Pérez. Cabe preguntarse qué importancia tuvo el hecho de que el acusado tuviera ricas posesiones que serían confiscadas, así como el modo en que el mito de la reconquista parece asomar en todo el proceso.

Texto[5]

Manuel Bautista Perez, de todas partes Christiano nuevo, … vezino desta ciudad casado con D. Guiomar Enriquez prima suya, Christiana nueva, que traxò de Sevilla, y con hijos en esta ciudad, hombre de mucho credito, y tenido por el oraculo de la nacion hebrea, y a quien llamavan el Capitan grande, y de quien siempre se entendio era el principal en la observancia de la ley de Moyses. Tenianse en su casa las juntas en que se trataba de la dicha ley, a que presidia. Tenia muchos libros espirituales, trataba con Teologos descendientes de Portugueses de varias materias teologicas, daba su parecer, tenia en su persona la de su muger, hijos, y casa, gran ostentacion, el coche en que andava entonces, se vendiò por orden del Santo Oficio a 19 de

---

[5] Fernando de Montesinos, *Auto de fe celebrado en Lima a 23 de enero 1639: Al tribunal del Santo Oficio de la Inquisición de los reynos de Peru, Chile, Paraguay, y Tucuman*, Pedro Cabrera, Lima, 1639, n.p.

Febrero del año corriente, entre los bienes confiscados, en tres mil y ochocientos pesos corrientes, que hazen treynta mil y quatrocientos reales, de contado, tan rico, y costoso era dende de su principio. Fue estimado de Eclesiasticos, Religiosos, y seglares, dedicavanle actos literarios aun dentro de la misma Universidad Real con dedicatorias llenas de adulacion, y encomios, dandole los primeros assientos. En lo esterior parecia gran Christiano, cuydando de las fiestas del Santissimo Sacramento, oyendo Missa, y sermones, principalmente si se trataba en ellos alguna historia del testamento viejo. Confessaba, y comulgaba amenudo era congregante, criaba a sus hijos con ayos Sacerdotes (pero tan afecto a su nacion que quiso fuessen bautizados de mano de Portugues) finalmente hazia tales obras de buen Christiano, que deslumbravan aun a los muy atentos aver si podia aver engaño en acciones semejantes, mas no pudo al Santo Oficio de la Inquisicion, que le prendió por judio judaizante, a los 11 de Agosto año de 1635. En la prission grande consecresto de bienes siempre estuvo negativo y viendose convencido con mas de 30 testigos contestes, y que no tenia razones con que poder satifacer a la evidencia de su culpa en su misma carçel con un cuchillo de estuche intentò matarse, y se dió seis puñalades en el vientre, y por las ingles, dos, ó tres penetrantes. Escribiò papeles en cifra a su cuñado Sebastian Duarte a su carçel, persuadiendole revocarse sus confessiones, y estuviesse negativo, conque el dicho Sebastian, rebocò, se puso en el estado en que muriò. Siempre dió a entender en lo exterior que era catolico, siendo evidentissimo que era judio, llevando por opinion que solo con lo interior, cumplia con la observancia de su ley, fue relaxado a la justicia, y braço seglar, por negativo con confiscacion de bienes, dió muestras de su depravado animo, y de dissimulado judio en el osculo de Paz, que dió a su cuñado Sebastian Duarte, relaxado en el cadahalso, y de las demostraciones de ira que con los ojos hazia contra aquellos que de su casa, y familia avian confessado; y estavan alli con sambenito. Oyó su sentencia con mucha severidad y magestad, murio impenitente pidiendo al verdugo, hiziesse su oficio.

Quinto documento

Hechizo de amor

Introducción

El sacramento matrimonial parecía prometer una unión feliz, llena de amor, alegría e hijos. Pero no fue esto lo que sucedió en el caso de Guiomar d'Oliveira, en Brasil. Su matrimonio le causaba dolor y angustia. Por ello se volvió hacia una antigua amiga procedente de Lisboa, Antonia Fernandes. Desafortunadamente, la solución que Antonia le sugirió fue invocar al demonio y usar pociones. Guiomar siguió buena parte de sus consejos.

El texto que sigue fue tomado de la confesión de Guiomar ante la inquisición en 1591. Nos es imposible saber quiénes la acusaron, y posiblemente ella misma nunca lo supo. Lo más probable es que nunca se le haya confrontado con los testigos en su contra. Y aunque ciertamente ella debe haber escuchado la decisión del tribunal, hoy nos es imposible conocerla. Lo que tenemos es un resumen de sus palabras y su explicación acerca de por qué decidió seguir el camino que su amiga le sugería.

Durante el proceso de interrogación, era costumbre que escribanos produjeran un resumen de lo que acontecía. Tales documentos siguen ciertos patrones en los que se le hacen preguntas predeterminadas al acusado, y no son informes de lo que el acusado declaró palabra por palabra. Por ello nos plantean problemas particulares. En este caso, es bueno recordar que los resúmenes de las respuestas de Guiomar fueron redactados por un varón empleado por la inquisición. Aunque esto pueda distorsionar el cuadro, sin embargo nos ayuda a aprender mucho acerca del lugar que ocupaba la religión en la vida cotidiana.

En cuanto al resultado del juicio mismo, lo desconocemos. Pero sí sabemos que frecuentemente los castigos se mitigaban si el acusado confesaba sus crímenes y daba amplias muestras de arrepentimiento. Esto podía determinar la diferencia entre la muerte y la vida, entre un exilio permanente y otro por cierta cantidad de años. El castigo también podía combinar el exilio con actos públicos de arrepentimiento y la pérdida de privilegios. Pero en la mayoría de los casos, si el acusado resultaba culpable, por lo menos sufría confiscación de bienes, y llevaba sobre sí y su familia una mácula permanente.

El texto que sigue nos demuestra la desesperación de Guiomar, que la llevó a tomar el camino de la magia negra. La historiadora Carole Mycofski señala que frecuentemente durante el período colonial había quienes se volvían hacia la magia, particularmente la magia sobre cuestiones del amor, para alcanzar promesas que la iglesia parecía haber hecho en sus sacramentos. ¿Era eso lo que Guiomar estaba haciendo? En su confesión la acusada declara que se negó a seguir algunos de los consejos de su amiga Antonia. Es bueno preguntarse por qué, y considerar el papel de los demonios en las creencias de estas dos mujeres. Es de notarse también el poder que creían residía en los óleos santos o en las palabras de la consagración eucarística. Aquí vemos el entrejuego de las ideas populares sobre los demonios, el papel de la iglesia, y la práctica cotidiana de la religión.

Texto[6]

Confesión de Guiomar d'Oliveira, cristiana vieja en la gracia.
21 de agosto de 1591

Dice esta cristiana vieja natural de la ciudad de Lisboa e hija de Isabel Jorge y de su marido Christovão d'Oliveira, marinero en viajes de navíos a la India, y ambos difuntos a la edad aproximada de treinta y siete años, casada con Francisco Fernandes, cristiano viejo, zapatero y morador de esta ciudad y confesando dice que habrá unos cuatro años que llegó a esta tierra una mujer condenada por la inquisición llamada Antonia Fernandes, cristiana vieja... viuda de alrededor de cincuenta años a quien la confesante conoció en Lisboa hace unos quince años.

---

[6] Heitor Furtado de Mendoça, *Primeira visitação do Santo Officio as partes do Brasil: Confissões da Bahia, 1591-92,* Homenagen de Paulo Prado, São Paulo, 1922, pp. 76-79.

Y resultó entonces que hizo amistad con ella la confesante debido a que ya la conocía en Lisboa y que la confesante y su marido la recogieron y agasajaron dando en su casa cama y comida por muchas veces y desarrollando así una amistad y viendo la dicha Antonia Fernandes que la confesante estaba mal casada con su marido le declaró que ella hablaba con los demonios y les mandaba hacer lo que quería y ellos la obedecían, y que una vez les mandó a matar un hombre y lo hicieron. Esto era porque ella también hacía lo que ellos deseaban y que en Santarem les dio a los diablos un escrito en sangre de su propio dedo, en el cual se entregaba a ellos, y que ellos le enseñaban muchas cosas en cuanto a hechicerías para alcanzar lo que ella deseaba. Le dijo a la confesante que si ella quería le haría y enseñaría con hechizos para que resultase bien casada con su marido, y la confesante consintió a esto.

Entonces le enseñó que tomase tres avellanas o en lugar de avellanas tres semillas de pinos que en esta tierra hay que se usan para purgas, y que las vaciara con un alfiler y las llenara con cabellos de todo su cuerpo y uñas de sus pies y manos, y raspaduras de las suelas de sus pies y también con una uña del dedo meñique del pie de la misma Antonia Fernandes, y que así rellenados estos pinos los tragara, que después de pasados por debajo se los diese.

Y que todo esto la confesante hizo y dicha Antonia Fernandes le mandó lavar los dichos tres pinos después de ingeridos y pasados por ella, haciendo de ellos un polvo que Guiomar le añadió a un caldo de pollo...

Y también le dio la dicha Antonia Fernandes otros polvos no sabe de qué, y otros de hueso de muerto los cuales la confesante le dio a beber en vino a su marido Francisco Fernandes para que fuera su amigo y quedasen bien casados, y que todas estas cosas le dijo Antonia Fernandes enseñándole y declarándole que eran diabólicas y que los demonios se las habían enseñado.

Y también le dijo que había aprendido de los diablos que si le daba a beber al hombre su propia semiente esto le haría quererla mucho. Pero debía ser la semiente del hombre mismo de quien se pretendía el afecto después de tener ayuntamiento con carnal con ella y sacada del vaso de la mujer, y que esta simiente dada a beber al mismo que la expulsó le haría tomar por ella grande afecto, y que ella también hizo esto dandóselo a beber en vino a su marido.

Y por todas estas culpas de haber hecho tales hechicerías teniendo esperanzas de que la aprovecharan aunque eran diabólicas como se ha dicho, pide perdón y misericordia a esta mesa...

Antonia también le aconsejó a la confesante que tuviese conversación deshonesta con un clérigo de la catedral de esta ciudad, y que ella haría hechizos para que una vez siendo amantes lograra que el clérigo le entregase los óleos sagrados del bautismo porque ella los deseaba sobremanera para dárselos a los demonios y también ungir sus propios labios con ellos, de manera que cuando tuviera unión carnal con los hombres, les besara los labios a los laicos, y la coronilla a los clérigos y religiosos, pues haciendo esto lograría que nunca más pudieran apartarse ellos de ella. Mas la confesante no consintió en hacerlo.

Y también le enseñó que si una persona en medio de un acto carnal deshonesto pronunciaba en la boca de otra las palabras de la consagración que eran cinco, *hoc est enim corpus meum* [esto es mi cuerpo], esto acrecentaría el amor de la otra persona con toda seguridad. Pero la confesante no consintió.

Un auto de la fe incluía una procesión de penitentes acompañados por clérigos. Los primeros vestían sambenitos según sus supuestos crímenes. También había gradas para los espectadores.

REFORMA

Introducción

A fines del siglo 17, tanto España como toda Europa pasaban por un tiempo de turbulencia. La Guerra de Sucesión española involucró a todo el continente. Lo que estaba en juego sería quién dominaría en España y en todos sus territorios: las Indias, las Filipinas, los Países Bajos, Sicilia, Nápoles y otros. Quien lograra prevalecer controlaría buena parte de Europa y recibiría todo el poder y las riquezas procedentes de las Indias. Cuando la guerra terminó en 1713, algunos de esos territorios quedaron en manos de otros, pero España misma pasó a ser posesión de la dinastía de los Borbones. Sería esta dinastía la que tendría que enfrentarse a los grandes desafíos de la Europa del siglo 18. Posiblemente el reto intelectual más abarcador era el de la Ilustración, que a su vez tendría por resultado gobiernos constitucionales, nuevas actitudes hacia la iglesia y la ciencia y, en manos de las masas, una serie de revoluciones. Pero el impacto de la Ilustración en España fue menor que en otros países de Europa. En verdad España vino a ser una amalgama de absolutismo real con algunos elementos tomados de la Ilustración. Al tiempo que se acrecentaba el poder de la monarquía, la iglesia perdía el suyo, mientras se ponía más énfasis en la economía y en la búsqueda de soluciones prácticas para los problemas de la nación.

En conjunto, los Borbones de la segunda mitad del siglo 18 produjeron cambios profundos que se verían tanto en España como en sus colonias americanas. Como ejemplo de lo que ocurría en el siglo 18, nuestro primer documento, "El trono y la tiara", muestra cómo el patronato real se ajustó a los intereses de los Borbones mediante un acuerdo entre Roma y España en 1753. En este documento, Fernando VI afirmaba y confirmaba su patronato real sobre la iglesia tanto en España como en sus colonias. En términos prácticos esto quería decir que el rey nombraría todos los candidatos para cualesquiera beneficios eclesiásticos tanto en España como en sus colonias. Ciertamente, este documento le dio a la corona un fuerte control sobre la iglesia. En unos pocos años habría otro documento, esta vez procedente de Carlos III, quizás el más eficiente de los reyes borbónicos y el principal promotor de lo que se dio en llamar las "reformas borbónicas".

La monarquía ya no permitiría la existencia de rivales que pudieran reclamar la lealtad del pueblo, que tuvieran enormes riquezas, y cuya lealtad no se debiese al rey, sino al papa. En 1776, Carlos se deshizo de uno de eso rivales, la Compañía de Jesús. Nuestro segundo documento, "En secreto", es la orden que circuló por todas las posesiones españolas para la expulsión de los jesuitas. Por diversas razones, el rey consideraba que esa orden estaba plagada de revoltosos cuya lealtad a la corona era dudosa. Este documento muestra cómo la corona se preparó en secreto y les dio órdenes igualmente secretas a los gobiernos de cada localidad de modo que la expulsión de los jesuitas y la confiscación de sus bienes no produjesen demasiado conflicto o desorden.

Los Borbones no limitaron sus intensos intentos de controlar la iglesia a los nombramientos eclesiásticos y a la expulsión de los jesuitas, sino que también se inmiscuyeron en otros asuntos tales como el matrimonio. Nuestro tercer documento, "Control del matrimonio", es la real pragmática de 1776 mediante la cual el gobierno tomó control del matrimonio, determinando quién podía casarse con quién, y quién tenía el derecho y la responsabilidad de darles su visto bueno a tales uniones. Ya no era la iglesia, ni sus párrocos quienes tenían la última palabra. Ahora quedaba en manos de los padres o guardianes de los contrayentes. Frecuentemente las familias usaban los matrimonios como herramienta para establecer alianzas políticas y sociales, para conservar las riquezas patrimoniales y para acumular poder. Sin embargo, para muchos párrocos lo más importante era el deseo de los contrayentes de casarse. ¿Era lícito obligar a dos personas a casarse, o era el matrimonio decisión de quienes lo contraían? Evidentemente, Carlos III estaba convencido de que le convenía más que fuesen los padres y guardianes de los contrayentes quienes determinaran quién debía casarse, más bien que la iglesia.

Por otra parte, frecuentemente los conflictos entre la iglesia y el estado tenían lugar en contextos locales particulares. Nuestro cuarto documento, "¿Disciplina, o abuso?", es una carta escrita en 1780 por el fraile franciscano Junípero Serra al gobernador de Nueva España, Don Felipe de Neve. En ella podemos ver el desacuerdo entre ambos en cuanto al modo en que debía tratarse a los americanos nativos. Serra, quien dirigió expediciones para establecer misiones en lo que ahora es el estado norteamericano de California, insistía en la necesidad de continuar tratando severamente a los indios descarriados. Por su parte, Neve no pensaba que tales acciones pudieran tener resultados positivos o beneficiosos.

Nuestra última fuente en este capítulo, "Apuntes de un viajero", ha sido tomada de las observaciones de Henry Koster en el Brasil a principios del siglo 19. Aquí vemos algo acerca de la intersección entre la iglesia, los esclavos y sus amos, y cómo los amos utilizaban la religión y la iglesia para justificar la esclavitud precisamente cuando buena parte de Europa occidental se inclinaba hacia la abolición de tal institución. (Inglaterra prohibió la importación de esclavos a sus colonias en 1807, y logró suprimirla en poco más de un par de décadas. Otros países siguieron el mismo camino. Pero Brasil no eliminaría la esclavitud sino hasta 1888.)

La lectura en conjunto de todos estos documentos nos muestra cómo el campo de acción y el poder de la iglesia fueron disminuyendo. Es bueno notar que esto tuvo lugar tanto a nivel de todo el imperio español, como se ve en la expulsión de los jesuitas, como al nivel de instituciones tales como el matrimonio, la esclavitud y la vida en las misiones. Al mismo tiempo es necesario recordar que mientras el poderío de la iglesia se iba limitando en ciertos campos, en otros permanecía incólume. El siglo 18 fue entonces un tiempo de cambios y reformas para la iglesia.

Primer documento

El trono y la tiara

Introducción

A mediados del siglo 18, los Borbones ejercían gran poder sobre las diversas instituciones españolas, incluso la iglesia. El poder, la riqueza y la independencia de la iglesia se oponían a la tendencia de fortalecer el poder de la corona, de tal modo que el monarca fuese supremo en todo. Los esfuerzos por supeditar la iglesia comenzaron con el primero de los Borbones, Felipe V. Pero fue Fernando VI, casi cincuenta años más tarde, quien por fin logró alcanzar lo que se buscaba. Ya para 1753, la corona española había logrado negociar un nuevo concordato –después de varios otros– sobre el patronato real. En él se aclaraba y determinaba el derecho de proponer los nombres de individuos a ocupar cargos eclesiásticos. Aunque en teoría el derecho era solo de presentación o recomendación, de hecho el papa sólo escogería entre los nombres sugeridos por la corona española, de modo que en términos prácticos era el rey quien seleccionaba la jerarquía eclesiástica dentro de su reino.

Esta nueva versión del patronato real sobre la iglesia incluía el derecho del rey de determinar el curso de los nombramientos para todos los beneficios eclesiásticos, excepto cincuenta y dos, todos los cuales estaban en España misma. Ahora la corona reclamaba para sí el poder de nombrar a quienes ocuparían puestos eclesiásticos con mayor insistencia que en cualquier concordato anterior. España había logrado limitar el poder de Roma en las Indias, por lo menos en términos de la jerarquía eclesiástica.

Según se ve en los Archivos de Indias, en los registros de 1768, Carlos III y su consejo tenían el propósito de controlar la iglesia porque pensaban que una religión que apoyara los intereses del estado ayudaría a mantener la población en estado de subordinación, aceptando tal estado. Puesto que el clero era quien más influía sobre el pensamiento de las masas, le parecía al gobierno necesario asegurarse de que ese clero les enseñase a sus feligreses los principios de amor y obediencia a la corona.

Al leer este documento, podemos entrever los intereses que la corona quería salvaguardar, así como también los del clero y los de papa. También es interesante notar cuánto del documento se refiere a compensaciones económicas para el papa, lo cual es índice de lo que estaba en juego, así como del valor que Fernando le daba a lo que lograría a través de este nuevo concordato. Al mismo tiempo que este documento nos muestra cómo la iglesia iba perdiendo poder respecto a la corona, es también testimonio del poder que tenía la iglesia entre sus feligreses, al punto que la corona estaba dispuesta a invertir tantos recursos para asegurarse que el clero le fuera absolutamente fiel.

Texto[1]

No habiéndose controvertido a los reyes católicos de las Españas la pertenencia del Patronato regio, o sea derecho de nominar a los arzobispados, obispados, monasterios y beneficios consistoriales, escritos y tasados en los libros de Cámara, que vacan en los Reinos de las Españas: siendo su derecho apoyado a bulas, y privilegios apostólicos y a otros títulos alegados; y no habiéndose controvertido tampoco a los reyes católicos las nóminas a los arzobispados, obispados y beneficios, que vacan en los reinos de Granada y de las Indias, como ni a algunos otros beneficios, se declara que la Real Corona debe quedar en su pacífica posesión de nombrar en el caso de las vacantes, como ha hecho hasta aquí; y se conviene que los nominados para los arzobispados, obispados, monasterios y beneficios consistoriales

---

[1] Vaticano, "Concordato de 1753," *liacismo.org*, 5 noviembre, 2012, http://www.laicismo.org/detalle.php?pk=17709.

deban también en lo futuro continuar la expedición de sus respectivas bulas en Roma del mismo modo y forma hasta ahora practicado, sin innovación alguna.

...

Tercero. Que no sólo las parroquias y beneficios curados se confieran en lo futuro como se han conferido en lo pasado, por oposición y concurso cuando vaquen en los meses ordinarios, sino también cuando vaquen en los meses y casos de las reservas, bien que la presentación pertenezca al rey; debiéndose en todos estos casos presentar al ordinario aquél a quien el patrono creerá más digno entre los tres que los examinadores sinodales hayan tenido por idóneos, y aprobado ad curam animarum.

...

Séptimo. Que para el mismo fin de mantener ilesa la autoridad ordinaria de los obispos se conviene y se declara que, por la cesión y subrogación de los referidos derechos de nómina, presentación y patronato, no se entienda conferida al Rey Católico ni a sus sucesores alguna jurisdicción eclesiástica sobre las iglesias comprendidas en los expresados derechos, ni tampoco sobre las personas que presentará o nombrará para las dichas iglesias y beneficios, debiendo no menos éstas que las otras (en quienes la Santa Sede conferirá los 52 beneficios reservados) quedar sujetas a sus respectivos ordinarios, sin que puedan pretender exención de su jurisdicción, salva siempre la suprema autoridad que el Pontífice Romano, como Pastor de la Iglesia universal, tiene sobre todas las Iglesias y personas eclesiásticas, y salvas siempre las reales prerrogativas que competen a la Corona en consecuencia de la regia protección, especialmente sobre las Iglesias del Patronato regio.

Octavo. Habiendo Su Majestad Católica considerado que por razón del patronato y derechos cedidos a sí, y a sus sucesores, quedando la Dataría y Cancillería apostólica sin las utilidades de las expediciones y annatas, sería grave el incomodo del erario pontificio, se obliga a hacer consignar en Roma a título de recompensa por una sola vez, a disposición de Su Santidad, un capital de trescientos y diez mil escudos romanos, que a razón de un tres por ciento rendirá anualmente nueve mil y trecientos escudos de la misma moneda, suma en que se ha regulado el producto de todos los derechos arriba dichos.

Del mismo modo, la Majestad del Rey Católico, no menos por su heredada devoción hacia la Santa Sede que por el afecto particular con que mira la sagrada persona de Su Beatitud, se ha dispuesto a dar por una sola vez un socorro, que si no en el todo, a lo menos alivie en parte el erario pontificio de los gastos que está necesitado a hacer para la manutención de los expresados ministros, y de consecuencia se obliga a hacer consignar en Roma seiscientos mil escudos romanos, que al tres por ciento producen anualmente diez y ocho mil escudos de la misma moneda

...

Y Su Majestad, en obsequio a la Santa Sede, se obliga a hacer depositar en Roma por una sola vez a disposición de Su Santidad un capital de doscientos treinta y tres mil trescientos treinta y tres escudos romanos, que impuesto al tres por ciento, rinde anualmente siete mil escudos de la propia moneda. Y demás de esto, Su Majestad acuerda que se asignen en Madrid a disposición de Su Santidad sobre el producto de la cruzada cinco mil escudos anuales para la manutención y subsistencia de los nuncios apostólicos.

Segundo documento

En secreto

Introducción

Como hemos visto, los monarcas españoles, particularmente después de mediados del siglo 18, tenían gran interés por deshacerse de cualquiera que pudiera obstaculizar o limitar ese poder y autoridad, aun cuando se tratase de personajes dentro de la iglesia. Tal era la preocupación de Carlos III, especialmente cuando los motines que hubo en Madrid en 1776 le proveyeron excusa para deshacerse de los jesuitas, quienes eran objeto de una profunda antipatía por parte del Rey así como por parte de otros Borbones en el resto de Europa.

Los jesuitas le debían su obediencia al papa, y no al rey. Tenían riquezas enormes y, aunque en cierto modo injustamente, se les había involucrado en una rebelión de los guaraníes en Paraguay. Su situación dentro de los territorios españoles era por tanto precaria. De hecho, Carlos no fue el primer monarca europeo en expulsar a los jesuitas. Portugal lo había hecho en 1754, y Francia en 1762. Por tanto, era de esperarse que España hiciera lo mismo, y esto tuvo lugar en 1766.

En esa fecha hubo varios motines en Madrid que luego se expandieron a otras ciudades españolas. Lo más probable es que tales desórdenes se hayan debido a la difícil situación económica del país y al alza en el precio de los alimentos. Pero un informe preparado por consejeros del rey y que compartían su antipatía hacia los jesuitas al señalar las causas de los motines, culpó a los jesuitas. Esta era precisamente la excusa que el Rey necesitaba. Ya para febrero de 1767, Carlos había dictado el decreto que ordenaba la expulsión de los jesuitas de toda España así como de sus posesiones.

Al leer este documento, de inmediato nos llama la atención el secreto con que se procedió a ejecutar la orden de expulsión, lo cual nos lleva a pensar en los temores que la corona podría tener acerca de las repercusiones del decreto si se daba a conocer antes de su ejecución. Y ello a su vez nos recuerda la autoridad y el poder que los jesuitas tenían todavía entonces en el mundo español. Tal era la razón por la cual se hizo todo lo posible para que el público no se enterara del decreto de expulsión hasta tanto no fuera ya un hecho. El documento también muestra que eran los clérigos seculares quienes ahora manejarían las instituciones educativas que antes habían sido dirigidas por los jesuitas. (Clérigos seculares son aquellos que no pertenecen a una orden religiosa, como los clérigos regulares.) Cabe preguntarse por qué Carlos estaba dispuesto a confiar en el clero secular antes que en el regular. La expulsión de los jesuitas, colocando el poder sobre los clérigos seculares, quienes estaban más directamente supeditados a la corona, venía a ser un modo más de controlar a la iglesia toda. Por último, también debemos preguntarnos qué motivos implícitos u ocultos inspiraron tanto el decreto mismo como el secreto con que se les hizo llegar a los representantes de la corona.

Texto[2]

Instrucción de lo que deberán ejecutar los Comisionados para la Estrañamiento y ocupación de bienes y haciendas de los Jesuitas en estos Reynos de España e Islas adjacentes, en conformidad de lo resuelto por S. M.

I. Abierta esta instrucción cerrada y secreta en la víspera del día asignado para su cumplimiento, el *Executor* se enterará bien de ella con reflexión de sus capítulos; y disimuladamente echará mano de la tropa presente o inmediata o en su defecto se reforzará de otros auxilios de su satisfacción procediendo con presencia de ánimo, frescura y precaución, tomando desde antes del día las avenidas del Colegio o Colegios. Para lo qual él mismo, por el día antecedente, procurará enterarse en persona de su situación interior y exterior. Porque este conocimiento práctico le facilitará el modo de impedir que nadie entre y salga sin su conocimiento y noticia.

II. No revelará sus fines a persona alguna hasta que por la mañana temprano, antes de abrirse las puertas del Colegio a la hora regular, se anticipe con algún pretexto, distribuyendo las órdenes para que su tropa o auxilio tome por el lado de adentro las avenidas, porque no dará lugar a que abran las puertas del templo, pues éste debe quedar cerrado todo el día y los siguientes mientras los *Jesuitas* se mantengan dentro del Colegio.

III. La primera diligencia será que se junte la comunidad, sin exceptuar ni al hermano cocinero, requiriendo para ello antes al superior en nombre de S. M. haciéndose al toque de la campana interior privada de que se valen para los actos de comunidad.

---

[2] "Instrucción de lo que deberán ejecutar los Comisionados para la Estrañamiento y ocupación de bienes y haciendas de los Jesuitas en estos Reynos de España e Islas adjacentes, en conformidad de lo resuelto por S.M.," *Documentos para el estudio de la Historia de la Iglesia en América Latina*, 23 de abril, 2008, http://webs.advance.com.ar/pfernando/DocsIglLA/Expulsion_jesuitas_intro.html.

Y en esta forma, presenciándolo el escribano actuante con testigos seculares abonados, leerá el *Real Decreto* de estrañamiento y ocupación de temporalidades, expresando en la diligencia los nombres y clases de todos los *Jesuitas* concurrentes.

IV. Les impondrá que se mantengan en su Sala Capitular y se actuará de quales sean moradores de la Casa o transeúntes que hubiere y Colegios a que pertenezcan, tomando noticia de los nombres y destinos de los seculares de servidumbre que habiten dentro de ello o concurran solamente entre día, para no dejar salir los unos, ni entrar los otros en el Colegio sin gravíssima causa.

VII. Consecutivamente proseguirá el secuestro con particular vigilancia; y habiendo pedido de antemano las llaves con precaución, ocupará todos los caudales y demás efectos de importancia que allí haya por qualquiera título de Renta o depósito.

XI. Dentro de veinte y quatro horas, contadas desde la intimación del estrañamiento o quanto mas antes se han de encaminar en derechura desde cada Colegio los *jesuitas* a los depósitos interinos o casas que irán señaladas buscándose el carruaje necesario en el pueblo o sus inmediaciones.

XX. Cada una de las Casas interiores ha de quedar bajo de un especial comisionado que particularmente deputaré, para entender a los religiosos hasta su salida del Reyno por mar y mantenerlos entretanto sin comunicación externa por escrito o de palabra, la qual se entenderá privada desde el momento en que empiecen las primeras diligencias. Y así se les intimará desde luego por el Executor respectivo de cada Colegio. Pues la menor transgresión en esta parte que no es creíble, se escarmentará exemplarísimamente.

...

XXIV. Puede haber viejos de edad muy crecida ó enfermos que no sea posible remover en el momento. Y respecto a ellos, sin admitir fraude ni colusión, se esperará hasta tiempo más benigno o a que su enfermedad se decida.

XXVIII. En los pueblos que hubiese casas de Seminarios de educación, se proveerá en el mismo instante a substituir los Directores y Maestros *Jesuitas* con Eclesiásticos seculares que no sean de su doctrina, entretanto que con mas conocimiento se providencie su régimen y se procurará que por dichos Substitutos se continúen las Escuelas de los Seminaristas, y en quanto a los maestros seglares, no se hará novedad con ellos en sus respectivas enseñanzas.

TERCER DOCUMENTO
Control matrimonial

Introducción

Frecuentemente, en toda sociedad los padres no concuerdan con las decisiones matrimoniales de sus hijos. Pero esto es particularmente cierto cuando el matrimonio viene a ser en buena parte un instrumento para fines políticos, dinásticos, sociales o económicos. Naturalmente, tales consideraciones son más características de las altas clases sociales que de aquellas familias cuya principal preocupación es meramente subsistir. Pero en todo caso la elección del cónyuge tiene siempre repercusiones importantes para la sociedad como un todo. Por lo menos, así es como Carlos III de España veía las cosas. En 1776 proclamó una real pragmática (es decir, un decreto) que requería que toda persona menor de veinticinco años tuviera el consentimiento de sus padres antes de contraer matrimonio. El resultado de esta pragmática fue que ahora los padres tenían el derecho de veto en cuanto a la pareja de sus hijos. Tal derecho se podía ejercer sobre la base de desigualdad entre los presuntos contrayentes. Esto no quiere decir que antes de la pragmática los padres y guardianes no ejercieran fuerte control y poder sobre sus hijos, pero ahora tenían la posibilidad de acudir a la ley si un hijo o hija actuaba contra sus deseos. Antes de la pragmática, un párroco cualquiera podía celebrar un matrimonio siempre que ambas partes estuvieran de acuerdo, y podía también negarse a celebrarlo contra la voluntad de uno de los cónyuges. En cualquiera de esos casos, lo único que tenía que considerar eran los deseos del novio y la novia. Pero si había un conflicto entre los padres y sus hijos, era la corte eclesiástica la que debía adjudicar sobre el caso. Ahora, después de la pragmática, los deseos de los hijos se volvían secundarios ante los de sus padres, y estos últimos usaban sus nuevos poderes con toda libertad.

Al usar esta nueva ley, los padres frecuentemente se apartaban de la interpretación más estricta de lo que esa ley entendía por "desigualdad", que en realidad se limitaba a diferencias raciales: matrimonios entre blancos y negros o entre indios y blancos (aunque no entre blancos e indios). Más bien, los padres usaban el principio de la desigualdad para referirse a toda aquella persona que considerasen moral o socialmente inferior. Los tribunales seculares, que ahora quedaron a cargo de casos en que los hijos pleiteaban contra los padres en cuanto a cuestiones de derechos, y que les requerían a los padres que declararan las razones para sus objeciones, por lo general apoyaban las peticiones de los padres, aceptando definiciones amplias de la "desigualdad". Lo que es más, a medida que las clasificaciones y límites raciales y sociales se fueron solidificando durante el siglo 18, la ley también evolucionó. Para principios del siglo 19, no era ya necesario que los padres declararan por qué objetaban un matrimonio. La única función que le quedaba ahora a la iglesia era la de celebrar el matrimonio mismo.

En el primer documento que hemos leído en este capítulo vimos cómo los Borbones de España buscaban aumentar su control sobre la iglesia, asegurándose de que Roma no interfiriera en los asuntos del estado. Al leer este documento, vemos las mismas tendencias, pero ahora en el campo de las decisiones matrimoniales. Para entender por qué la corona tenía tal interés en asegurarse de que eran los padres quienes tomaban decisiones respecto a los matrimonios, hay que recordar que la regulación de tales decisiones es una forma de control social. En todo esto vemos cómo la corona iba imponiéndose sobre las estructuras sociales. Este documento nos permite entrever los puntos de tensión entre la iglesia y el estado, así como los esfuerzos por parte del estado de limitar la influencia de la iglesia sobre la sociedad en general.

Texto[3]

Con presencia de las Consultas que me han hecho mis consejos de Castilla é Indias sobre la Pragmática de matrimonios de veinte y tres de Marzo de mil setecientos setenta y seis, órdenes y resoluciones posteriores, y varios informes que he tenido á bien tomar, mando que ni los hijos de familia, menores de veinte y cinco años, ni las hijas menores de veinte y tres á qualquiera clase de el Estado que pertenezcan, puedan contraer matrimonio sin licencia de sus padres, quien en caso de resistir el que sus hijos ó hijas intentaren, no estaría obligado á dar la razon, ni explicar la causa de su resistencia ó disenso: los hijos que hayan cumplido veinte y cinco años, y las hijas que hayan cumplido veinte y tres, podrán casarse á su arbitrio sin necesidad de pedir ni obtener consejo ni consentimiento de su padre: en defecto de éste tendrá la misma autoridad la madre; pero en este caso los hijos y las hijas adquirirán la libertad de casarse á su arbitrio un año antes; esto es, los varones á los veinte y quatro, y las hembras á los veinte y dos, todos cumplidos: á falta de padre y madre tendrá la misma autoridad el abuelo paterno y el materno á falta de éste; pero los menores adquirirán la libertad de casarse á su arbitrio dos años antes que los que tengan padre; esto es, los varones á los veinte y tres, y las hembras á los veinte y uno, todos cumplidos: á falta de los padres y abuelos paterno y materno, sucederán los tutores en la autoridad de resistir los matrimonios de los menores, y á falta de los tutores el Juez del domicilio, todos con obligacion de explicar la causa; pero en este caso adquirirán la libertad de casarse á su arbitrio, los varones á los veinte y dos años, y las hembras á los veinte todos cumplidos: para los matrimonios de las personas que deben pedirme licencia, ó solicitarla de la Cámara, Gobernador del Consejo, ó sus respectivos Gefes, es necesario que los menores, segun las edades señaladas, obtengan éstas despues de las de sus padres, abuelos ó tutores,

---

[3] "Real Decreto–Pragmática de Matrimonio de 23 Marzo 1776," Don Santos Sanchez, *Suplemento á la coleccion de pragmáticas, cédulas, provisiones, circulares, y otras providencias publicado en el actual Reynado del Señor Don Carlos IV*, Imprenta de Marin, Madrid, 1804, pp. 237-240.

solicitándola con la expresion de la causa que éstos han tenido para prestarla; y la misma licencia deberán obtener los que sean mayores de dichas edades, haciendo expresion quando la soliciten de las circunstancias de la persona con quien intenten enlazarse; aunque los padres, madres, abuelos y tutores no tengan que dar razon á los menores de las edades ... de las causas que hayan tenido para negarse á consentir en los matrimonios que intentasen, si fueren de la clase que deben solicitar mi Real permiso, podrán los interesados recurrir á Mí, así comó a la Cámara, Gobernador del Consejo y Gefes respectivos los que tengan esta obligacion, para que por medio de los informes que tuviere Yo á bien tomar, ó la Cámara, Gobernador del Consejo, ó Gefes, creyesen convenientes en sus casos se conceda ó niegue el permiso o habilitacion correspondiente, para que estos matrimonios puedan tener ó no efecto ... los Vicarios Eclesiásticos que autorizaren matrimonio para el que no estuvieren habilitados los contrayentes, segun los requisitos que ván expresados, serán expatriados, y ocupadas todas sus temporalidades, y en la misma pena de expatriacion y en la de confiscacion de bienes incurrirán los contrayentes: en ningun Tribunal Eclesiástico ni Secular de mis dominios se admitirán demandas de esponsales, sino que sean celebrados por personas habilitadas para contraer por sí mismas segun los expresados requisitos, y prometidos por escritura pública ... todos los matrimonios que á la publicacion de esta mi Real determinacion no estuvieren contraidos, se arreglarán á ella sin glosas, interpretaciones ni comentarios ... En Aranjuez á diez de Abril de mil ochocientos y tres ... publicarse en Madrid y en las demás Ciudades, Villas y Lugares de estos mis Reynos, en la forma acostumbrada: y encargo á los M.RR. Arzobispos, RR. Obispos y demás Prelados Eclesiásticos que exercen jurisdiccion ordinaria en sus respectivas Diócesis y territorios, y á sus Oficiales, Provisores, Vicarios, Promotores Fiscales, Curas Párrocos, ó sus Tenientes ... y demás personas á quienes pertenezca lo contenido en esta mi Pragmática, la observen y executen como en ella se contiene, sin permitir con ningun pretexto que se contravenga en manera alguna á quanto en ella se ordena, que así es mi voluntad.

Yo el Rey

Imagen en la iglesia de San Sebastián, Álvaro Obregón, México. La gente acudía al Jesús sufriente para que intercediera por sus males de amor. Los corazones representan o bien peticiones o bien gratitud.

Cuarto documento

¿Disciplina o abuso?

Introducción

La tensión entre el estado y las órdenes religiosas no terminó con la expulsión de los jesuitas. De hecho, han continuado, unas veces más que otras, hasta el presente. En este cuarto documento tenemos otro ejemplo de las tensiones que surgieron durante el período colonial entre las órdenes religiosas y algunos gobernantes. En este caso, se trata de las diferencias entre Don Felipe de Neve, gobernador de Las Californias (Alta California, que hoy es el estado de California en los Estados Unidos, y Baja California, que es parte de México) y Fray Junípero Serra, fraile franciscano enviado a establecer misiones en Alta California. Originalmente esa tarea había estado a cargo de los jesuitas, pero cuando estos fueron expulsados de sus territorios Carlos III determinó que serían los franciscanos quienes penetrarían las tierras hacia el noroeste de sus posesiones americanas.

En 1769, Serra, varios otros frailes y un grupo de exploradores celebraron misa en San Diego. Para fines de ese año, habían llegado a la Bahía de San Francisco. A la postre, habría veintiún misiones permanentes en Alta California. Tras el establecimiento de tales misiones llegaban los colonos españoles, quienes venían a poblar una región donde había posiblemente unos 300.000 americanos nativos.

No ha de sorprendernos el hecho de que la confluencia de estos tres grupos creó tensión no sólo entre ellos, sino también con los oficiales españoles, muchos de ellos bastante lejanos de la región. La carta que tenemos ante nosotros es una de una larga serie de comunicaciones entre Neve y Serra, y trata particularmente sobre el autogobierno de los indígenas. Esa correspondencia muestra que Neve confiaba más que Serra en la habilidad de los habitantes originales de la región para administrar sus propios asuntos. En particular, el gobernador confiaba en el derecho de los indios de elegir a sus propios líderes, conocidos como "alcaldes". Serra no estaba de acuerdo. En esta carta, Serra da a entender que el gobernador ha cambiado de opinión y que ahora sí cree que los indios son incapaces de tener sus propias elecciones y sus propios oficiales.

Al leer esta carta, entrevemos algunas de las razones por las que el gobierno buscaba limitar la intromisión de los frailes en las funciones y derechos de los oficiales elegidos por la comunidad indígena. Por otra parte, vemos también el modo en que Serra pretendía justificar lo que hacía, y esto a su vez nos da indicios de su actitud hacia los indios. Al leer esta carta, podemos compararla con lo que vimos en el capítulo uno, en el documento "Una tragedia en dibujos". Cabe también preguntarse por qué Serra se preocupaba tanto por la posibilidad de que los indios abandonaran la misión y se fueran a las montañas, y el impacto tanto religioso como económico que tales deserciones podrían tener sobre la obra de los frailes. Además vemos que el propósito de Neve parece haber sido limitar también otros campos de autoridad de los frailes. Esta carta nos dice mucho acerca del modo en que Serra se defendía contra los intentos por parte del gobernador de introducirse en el manejo de las misiones, y del modo paralelo en que el gobernador buscaba limitar el poder de los frailes.

Actualmente hay en el capitolio norteamericano en la ciudad de Washington, en el salón con representantes distinguidos de cada estado, una estatua de Junípero Serra en representación de California. Ese estado le escogió por haber participado en la fundación de varias ciudades hoy importantes, así como por haber introducido nuevos productos agrícolas a la región. Pero después de esa selección ha habido amplio debate acerca de su justicia. Esta carta nos ayuda a entender las razones que animan a cada uno de los dos bandos en ese debate.

Texto[4]

Junípero Serra

Señor Coronel y Governador Don Phelipe de Neve.

Muy señor mío:

Vista con toda atención, y aprecio la de Vuestra Señoría que con fecha de día cinco recibí en la tarde del mismo día, asegurando primero como sinceramente lo hago, que en todo lo que yo no conciba adverso a las medras, (principalmente espirituales) de estas misiones de mi cargo, dezeo grandemente, y he dezeado siempre complacer a Vuestra Señoría.

Al principal asumpto de la dicha, digo:

Primeramente, que ahora, y no antes, quedo entendido, en que Vuestra Señoría reconoce la ineptitud de estos pobres nuevos christianos, para hazer los oficiales que acaban, por sí mismos, las elecciones de los que les han de suceder en los oficios de govierno …

Supongo que los buenos dezeos de Vuestra Señoría, serían los que le darían aquellas esperanzas, y supuesto, que las hemos visto frustradas, me parecía consiguiente, que como se nos fía por entero el acierto de las elecciones, se nos fiase también la

---

[4] Antonine Tibesar, ed. y trad, *Writings of Junípero Serra*, vol. 3, Academy of American Franciscan History, Washington DC, 1956, pp. 406, 408, 410, 412, 414. Cita autorizada.

educación, corrección, y dirección de los electos, que quizás serían mejores los nuevos que los antiguos.

...

Baltazar en el tiempo de su alcaldía desde que conoció sus privilegios, y exempción del castigo de los padres, hizo lo que quizo, tuvo un hijo en una cuñada suya, dió de palos a un indio californio, porque cumplió un orden del padre, como referí entonces a Vuestra Señoría, a más de sus omisiones en encargos de su officio, y ahora lo ve, o conoce todo el pueblo en las circunstancias en que se halla de desertor, amancebado, embiando recados a la gente de acá, y comunicando presencialmente con los que salen a licencia, y diligenciando augmentar en el monte su quadrilla con nuevas deserciones de los naturales de esta misión.

Estando pues las cosas en este estado, qué hay que dudar, que si con los nuevos electos queremos reformar algo de lo mucho que lo necesita el porte de esta gente, hoy uno porque lo castigaron, o regañaron, mañana otro porque tuvo miedo, otro día otro porque tiene allá amigos, se vayan poco a poco, desfilando por allá y sea, como lo dezía, augmentar enemigos? Y como parece ser assí lo dicho, me lo parece también que essos cuydados se quitavan de en medio con la previa aprehensión, y castigo de sola aquella quadrilla.

...

Hónranos Vuestras Señoría en la citada (Dios se lo pague) a los religiosos de estas misiones, añadiendo, "Que con las elecciones o nombramiento de nueva República quedará en esta parte cumplida la mente de Su Magestad y que baxo nuestra dirección, logrará con el tiempo en estos naturales, vasallos útiles a la religión, y estado."

Assí lo dezeamos (señor) y lo esperamos, no de nuestra habilidad, y afanes, sino de la ayuda, y gracia de Dios, a cuya Magestad sea toda la gloria de que se vió assí verificado en las anteriores missiones de la Sierra Gorda que se sirvió Su Magestad (Dios le guarde) de encomendar a nuestro Colegio Apostólico de San Fernando. Súpolo bien el Reyno, y súpolo la Corte. Y de los religiosos que allá trabajaron no pocos años, hay hoy en el día siete empleados en estas nuevas converciones. Pero los que estuvimos allá sabemos, que a la hora que se huían unos indios, y un religioso quería ir por ellos (que uno, y otro era frequente) jamás huvo quien se lo dificultase, ni faltó quien lo escoltase con ser allá los soldados puros milicianos sin salario.

Y por lo que toca a la corrección de los indios, ahunque procurávamos bastante la distinción de los governadores, alcaldes, y fiscales, con todo, quando nos parecía merecerlo, llevavan el castigo de azotes, o zepo según era la calidad del delito; y assí andavan bien cuydadosos en el cumplimiento de sus respectivos empleos; y la solisitud que en todas partes, de lo que he andado del Reyno, he observado de los tales oficiales respecto de las órdenes de sus doctrineros o párrocos, me persuade que en todas partes deve observarse lo mismo; sobre que en cierta ocasión en Acayucán, pueblo muy grande del obispado de Oaxaca, fuí testigo de vista de como se hizo assí con el indio governador en la puerta de la iglesia.

Eran el cura, y vicario principal, y otros 4 vicarios más, todos clérigos, y tales quales pudieran dezearse para todos los curatos del Reyno, y yo allá con dos compañeros predicando misión, y con estar a la vista el alcalde mayor de cuya mano es regular que huviese recivido la vara, no huvo asomo de diferencia en el particular, y no dudo que en muchas partes suceda lo mismo.

El castigar con azotes los padres espirituales a los indios sus hijos parece tan antiguo como la conquista de estos reynos, y tan general, que no parece discreparon de tal estilo los santos pues que sobre assí lo hizieron los primeros, que tan conocidamente lo eran.

En la vida de San Francisco Solano solemnemente canonizado se lee que, con tener el santo particular don de Dios de amansar con su presencia y dulces palabras la ferocidad de los más bárbaros, con todo cerca del régimen de su misión en la Provincia de Tucumán del Perú, se dice en su historia, que quando no hazían lo que les tenía mandado, les mandava castigar por los fiscales.

Y siendo los alcaldes también hijos, y estando como tales al cargo de los padres, y no menos necesitados de su educación, corrección, y crianza, no sé que ley, ni razón pueda haver que los haga exemptos.

Y en verdad que quando el insigne Fernando Cortés se dexó, o por mejor dezir se hizo azotar por los padres delante de los indios, no lo haría para dar exemplo a solos los que no tuviessen vara, sino a todos, pues por condecorados que fueran qualesquiera indios, nunca pudieran serlo tanto, como el que veyan assí humillado.

Por éstas y otras razones, se me ha hecho siempre estraño el que repute Vuestra Señoría por desayre proprio el que se mandasen dar acá azotes por los padres compañeros a un indio de esta missión de poco tiempo christiano porque es alcalde, y numere Vuestra Señoría la práctica de ello entre otras malas mañas que pegaron los Padres de San Fernando a los Reverendos Padres Dominicos en la antigua California. Se governarían sin duda los nuestros por lo que sabían de antes, y en ello, sin duda consistió todo.

Y no dudo que en el castigo de que hablamos habrá havido sus desórdenes, y excesos de parte de algunos padres y que todos estamos expuestos a algo de ello; pero esto milita igualmente respecto de los hijos que no son alcaldes; y respeto de unos, y otros, puede fundar mucho la confianza que de nosotros se haze, la consideración de que a ninguno hallamos acá (quando venimos) christiano, y que a todos les hemos reengendrado en Christo, y que hemos venido, y estamos aquí todos, sólo para su bien, y salvación, y creo que se conoce que les amamos.

QUINTO DOCUMENTO
Apuntes de un viajero

Introducción

Como muchas otras personas pudientes en la Europa del siglo 19, el inglés Henry Koster viajó a tierras lejanas. En 1809, cuando tenía dieciséis años de edad, partió hacia Brasil, donde su padre tenía intereses económicos, y donde permaneció hasta 1815. Sus observaciones y cuidadosos comentarios, tanto de la flora y fauna como de la sociedad y la cultura, le sirvieron de material para su diario de viajes, publicado tras su regreso a Inglaterra. En aquellos tiempos, tales diarios tenían gran popularidad debido a la curiosidad del público en general y a su interés en la aventura.

En la selección que sigue del diario de Koster vemos sus observaciones acerca de la relación entre la esclavitud y el catolicismo. Al leerlo, es bueno recordar que al igual que en el caso de lo que los aztecas le contaron acerca de su historia de la creación a fray Bernardino de Sahagún (capítulo uno, "Antiguas creencias"), la información que recibimos aquí ha sido filtrada por un europeo quien también le ha dado forma para presentársela a un público europeo. Es necesario tener en cuenta que esto puede haber afectado lo que Koster escribió. ¿Qué pudo haber pasado por alto, o interpretado erróneamente? Además, al mismo tiempo que tratamos de leer entre líneas, no olvidemos que también nuestra perspectiva actual matiza lo que entendemos.

Como en otros casos, esta fuente debe hoy leerse desde dos perspectivas para obtener los resultados más amplios. En primer lugar, es necesario recordar tanto al autor como a su audiencia. Pero al mismo tiempo tenemos que leerla analizándola desde nuestra propia perspectiva, y teniendo también en mente cómo ésta pueda afectar lo que leemos. Todo esto nos ayudará a ver y entender cómo se podía reconciliar la religión con la esclavitud, así como el lugar del cristianismo en la vida de los esclavos mismos. ¿Qué querrá decir Koster al referirse a la iglesia en Brasil como "impura", y qué razones puede haber tenido para tal apelativo? Koster también habla acerca del bautismo, lo cual nos lleva a pensar en el modo en que éste se empleaba para definir lo humano. Combinar el bautismo con un sello quemado sobre el pecho nos dice mucho acerca del modo en que se esperaba que la fe se relacionara con la sujeción, y particularmente la sujeción a España. Puede ser valioso comparar esto con algunas lecturas anteriores en las que vemos la relación entre la fe y la sujeción, particularmente el *Requerimiento* (capítulo dos, "Cómo se justifica lo injustificable").

Koster también habla del modo en que los esclavos se apropiaron del cristianismo, principalmente mediante sus confraternidades religiosas. ¿Qué señales de sincretismo se ven? ¿Habrá alguna relación entre esto y lo que vimos antes respecto a la historia de la Virgen de Guadalupe? Cabe también preguntarse sobre las ventajas que las confraternidades les daban a los esclavos, y el lugar que tenían en sus vidas.

Naturalmente, quien más se beneficiaba del nexo entre la iglesia y la esclavitud era el dueño de los esclavos. Este documento nos lleva a considerar cómo los dueños podían utilizar la iglesia y sus enseñanzas para fortalecer su posición y privilegio. También hay que recordar que la iglesia misma era ama de esclavos. No es necesario señalar que todo eso nos lleva a la gran pregunta de cómo es posible haber reconciliado la fe con la esclavitud.

Texto[5]

Los esclavos de Brasil siguen la religión de sus amos, y a pesar del estado impuro en que existe la iglesia cristiana en ese país, sin embargo los resultados benéficos de la religión cristiana son tales que estos, sus hijos adoptivos, mejoran sobremanera debido a esa religión. El esclavo que asiste con observancia estricta a las ceremonias religiosas invariablemente resulta ser un buen siervo. A los africanos que se importa de Angola se les bautiza en masa antes de dejar sus propias tierras, y al llegar a Brasil han de aprender las doctrinas de la iglesia y las obligaciones de la religión a que han entrado. Estos esclavos llevan el sello de la corona real sobre el pecho, lo cual señala que han recibido la ceremonia del bautismo, y al mismo tiempo que se ha pagado el impuesto sobre ellos...

A los esclavos no se les pregunta si quieren o no ser bautizados. Su entrada a la iglesia católica se da por sentada. Lo

---

[5] Henry Koster, *Travels in Brazil*, vol. 2, Longman, Hurst, Rees, Orme, and Brown, London, 1817, pp. 237-238, 240-241, 243-244, 262-263, 264-266.

que es más, no se les considera miembros de la sociedad sino animales brutos, hasta que puedan lícitamente asistir a la misa, confesar sus pecados y recibir el sacramento.

Los esclavos, al igual que las personas libres, tienen sus confraternidades religiosas. Muy frecuentemente la ambición de un esclavo es que se le admita a una de esas confraternidades, y llegar a ser uno de sus oficiales y dirigentes. A veces hasta parte del dinero que el esclavo industrioso ha reunido con el fin de comprar su libertad se saca al descubierto para decorar a un santo, de modo que el donante pueda cobrar importancia dentro de la sociedad a que pertenece. Los negros tienen una invocación de la Virgen (casi me atrevo a decir, una virgen) que es particularmente suya. Nuestra Señora del Rosario a veces hasta se pinta con manos y rostro negros. Es así que se lleva a los esclavos a centrar su atención sobre un objeto en el que pronto se interesan, pero que no puede producirles daño, ni tampoco pueden ellos emplear para dañar a sus amos. Así se les aparta del pensamiento acerca de las costumbres de su propia tierra, y se les guía y canaliza de una manera completamente diferente y desconectada con lo que se practica acá. La elección de un Rey del Congo ... por los individuos que vienen de esa parte de Africa podría fortalecer las costumbres de su tierra nativa, pero los Reyes del Congo brasileños adoran a Nuestra Señora del Rosario, y se visiten como blancos. Es verdad que ellos y sus súbditos danzan a la usanza de su país, pero a esos festivales se admiten también negros de otros países, negros criollos, y mulatos, todos los cuales bailan de la misma manera. Esos bailes se han vuelto las danzas nacionales de Brasil tanto como los son de África...

Los esclavos de Brasil se casan regularmente según las normas de la iglesia católica. Se publican las amonestaciones de igual manera que para las personas libres. Y he visto muchas parejas felices (hasta el punto en que se puede ser feliz siendo esclavo) rodeadas de numerosas familias de hijos. Los amos alientan los matrimonios entre sus esclavos, puesto que es de estas relaciones lícitas que pueden esperar aumentar el número de sus esclavos criollos. Un esclavo no puede casarse sin el consentimiento del amo, puesto que el vicario no publicará las amonestaciones sin tal consentimiento. De igual manera se les permite a los esclavos casarse con personas libres. Si es la mujer quien vive en esclavitud, los hijos también serán esclavos. Pero si le esclavo es el varón, y ella es libre, sus hijos también lo serán. No se le permite a un esclavo casarse hasta tanto aprenda las oraciones necesarias, entienda el carácter de la confesión, y pueda recibir el sacramento...

Las haciendas azucareras que pertenecen a los monjes benedictinos y a los frailes carmelitas se distinguen porque es en ellas que el trabajo tiene lugar prestándole mayor atención al sistema establecido, y con mayor consideración del bienestar del esclavo. Puedo hablar con más detalles acerca de las propiedades de los monjes benedictinos, porque mi residencia en Jaguaribe me proveyó oportunidades diarias para escuchar acerca de cómo se manejaba una de ellas...

Todos los esclavos de la hacienda San Bento en Jaguaribe, unos cien de ellos, son criollos. Algunos de los negros mayores les enseñan cuidadosamente las oraciones a los niños. Todos, tanto varones como mujeres, quienes pueden asistir le cantan el himno a la Virgen a las siete de la tarde, hora en que se requiere que cada cual esté en su casa.

... Casi todas las labores que se esperan de los esclavos se miden en términos de su rendimiento, de modo que normalmente la tarea se completa para las tres de la tarde, lo cual les da oportunidad a los más industriosos de trabajar cada día en sus propias parcelas. También, aparte de los domingos y días festivos, a los esclavos se les da cada sábado para trabajar buscando su propia subsistencia. Los más diligentes sin falla logran comprar su libertad. Los monjes nunca interfieren en las parcelas de los esclavos y cuando uno de ellos muere u obtiene su libertad, se le permite dejarle su parcela a cualquiera de sus compañeros a quien quiera favorecer de ese modo. A los esclavos ancianos cuidadosamente se les da comida y alimento.

... Es bien sabido que la conducta de los miembros más jóvenes de las comunidades de clérigos regulares deja mucho que desear. Los votos de celibato no se siguen estrictamente. Esto disminuye el respeto que estos hombres tendrían de otro modo en sus propias haciendas, y aumenta la licencia de las mujeres... Los monjes les permiten a sus esclavas casarse con hombres libres, pero a los esclavos varones no se les permite casarse con mujeres libres. Se aducen muchas razones para justificar tal reglamento. Una de ellas es que no se quiere que un esclavo resulte inútil en lo que se refiere a aumentar la población esclava en la hacienda. Tampoco quieren los monjes que una familia libre viva entre sus esclavos (por razones obvias). Puesto que tal sería el caso si un hombre se casa con una mujer libre, los monjes ponen menos reparos en el caso en que quien es libre es el varón, puesto que durante todo el día estará apartado de los demás, o tendrá empleo en la comunidad, de modo que dependerá de ella, y solamente viene a dormir a una de las chozas. Además, tal varón libre contribuye al aumento de la población esclava.

LA IGLESIA EN EL TORBELLINO

Introducción

Como hemos visto en el último capítulo, durante el siglo 18 la iglesia en América Latina sufrió grandes cambios a medida que un estado cada vez más poderoso limitaba su autoridad e independencia. Pero la iglesia continuó siendo instrumento del estado. Durante el siglo 19 y principios del 20 veremos a la iglesia teniendo que enfrentarse además a otros problemas.

A principios del siglo 19 muchas de las antiguas colonias españolas en América lograron su independencia. Como sucede frecuentemente, algunas instituciones que habían florecido durante el período colonial se volvieron ahora objeto de ira y represión en las naciones recientemente independizadas. En algunas de nuestras lecturas en este capítulo veremos a la iglesia tratando de reafirmar su poder y de salvaguardar su lugar en la sociedad. Tal es el caso de la encíclica del papa Pío VII y de los reglamentos acerca de la esclavitud en Cuba. Pero en otros documentos veremos a la iglesia a la defensiva. Muchos de los nuevos gobiernos latinoamericanos se volvieron contra la iglesia y los sistemas coloniales que ella representaba. Ciertamente, el apoyo que la iglesia continuó brindándoles a los antiguos órdenes sociales y patrones culturales, aún después de la independencia, le originaron conflictos con muchos de los movimientos liberales del siglo 19. Este liberalismo incluía temas tales como un gobierno constitucional, la garantía de las libertades fundamentales, y una política económica de *laissez-faire*. En teoría al menos, todos eran iguales ante la ley, y esto se oponía a los antiguos fueros de los cuales habían disfrutado por siglos la iglesia y otros sectores sociales. Tales fueros les permitían a ciertos grupos sujetarse únicamente a sus propias leyes y ser juzgados por sus propios tribunales, más bien que por los del país. Esto quería decir que quienes gozaban de ellos, particularmente el clero, se encontraban fuera de la jurisdicción de las leyes promulgadas por el estado.

Durante todo el siglo 19 y las primeras décadas del 20, la Iglesia Católica en América Latina tuvo que buscar nuevos modos de hacer sentir su presencia en la sociedad al mismo tiempo que, paradójicamente, continuaba representando los sistemas y las autoridades tradicionales. Los nuevos gobiernos independientes eran conscientes de que la iglesia podía ser un instrumento efectivo de sus propias políticas, como lo había sido antes bajo las autoridades coloniales. Al reclamar para sí lo que llamaron el "patronato nacional", los nuevos estados afirmaban su propia versión del patronato real de la cual había gozado la corona durante el período colonial. Según ellos, tal patronato les correspondía ahora como herederos del imperio español creado por Carlos III.

El primer documento, "Obedezcan y sean buenos", es la encíclica *Esti longissimo terrarum*, promulgada por el papa Pío VII en 1816. Fue un esfuerzo por inspirar a los católicos en toda América Latina a permanecer leales a la corona española en medio de las guerras de independencia. No cabe duda de que el papa temía que la independencia le acarrearía nuevas pérdidas a la iglesia. Nuestro segundo documento, "La ira de El Supremo", es parte de una carta de José Gaspar Rodríguez de Francia, caudillo de Paraguay entre 1816 y 1840, al obispo Don Fray Pedro García de Panes. El tercer documento, "Un código de esclavos", fue promulgado en 1844 para los dueños de esclavos en Cuba, y nos muestra que en Cuba la iglesia era todavía un instrumento poderoso en manos de las clases sociales dominantes.

El cuarto documento, "Fe y salud", es una colección de testimonios a favor del curandero Miguel Perdomo Neira. Allí vemos que no es siempre cierto que fuera solamente la élite antigua la que apoyaba los patrones tradicionales. En este caso eran las masas quienes apoyaban la continuación de algunas de las costumbres coloniales, particularmente en lo que se refería a la medicina y la salud, lo cual nos hace ver que las explicaciones y clasificaciones fáciles rara vez nos muestran un cuadro completo.

El quinto documento, "Otro credo", y la sexta, "Un último intento", son de México. Aunque la iglesia tuvo dificultades en otros países, en ninguno tanto como en México, donde se vio envuelta en grandes conflictos a partir de la independencia y hasta bien entrado el siglo 20. Unas veces la iglesia apoyaba al gobierno. En otras ocasiones era objeto de opresión. Estos dos documentos muestran el desprecio con que las fuerzas más radicales en la política del país veían a la iglesia, y también los esfuerzos de la iglesia por conservar al menos una apariencia de autoridad.

Al leer esta fuente, es bueno recordar que aún después de la independencia la iglesia frecuentemente recibió el apoyo de quienes antes habían estado en el poder. Esto puede verse en varios de los documentos que siguen. También podemos discernir allí algunos de los instrumentos que la iglesia empleó para apuntalar su poder, así como los que la sociedad secular empleó en dirección contraria.

El apoyo de la iglesia a las clases pudientes continuó hasta bien avanzado el siglo 20. Lo que vemos en estos documentos en conjunto es que en medio de la compleja realidad de aquellos días la iglesia siguió teniendo cierto poder, aunque no ya para sus propios fines sino más bien como instrumento en manos de los poderosos.

PRIMER DOCUMENTO
Obedezcan y sean buenos

Introducción

El papa Pío VII tenía que tomar alguna medida. El Rey de España necesitaba su apoyo en las guerras de independencia que tenían lugar en sus colonias americanas. Si el papa condenaba a los rebeldes, ciertamente muchos católicos leales buscarían suprimir las rebeliones. Al menos, eso pensaba el papa. En 1816, promulgó una encíclica en la que instaba a los obispos y arzobispos de América Latina a inspirar en los creyentes la lealtad a España.

Lo cierto es que el papa no tenía muchas alternativas. Si no afirmaba su alianza con la causa de la corona, el resultado sería un cisma con España. Pero a pesar de todos sus intentos de encontrar alguna alternativa ventajosa para la iglesia, a la postre Pío VII tuvo que reconocer que sus esfuerzos habían resultado fallidos. Muchos de quienes buscaban la independencia y pelearon por ella eran buenos católicos. En algunos casos, los líderes en la causa contra España fueron sacerdotes, y símbolos de la religión, tales como la Virgen de Guadalupe en el caso de México, se usaron para romper los lazos con el Viejo Mundo.

La encíclica no sólo muestra lo que el papa buscaba, sino también el modo en que entendía el papel de la iglesia en el proceso de la independencia latinoamericana. Al leerla vemos no solamente la postura del papa en cuanto a la relación entre la fe y la política, sino también algunas de las causas que a la postre le provocarían a la iglesia grandes problemas en las nuevas naciones. Este documento también se presta para comparar la relación que existía entonces entre la corona española y el papado con la que existió antes de las reformas de los Borbones.

Texto[1]

A los Venerables [Hermanos]
Arzobispos y Obispos y a los queridos hijos del Clero de la América sujeta al Rey Católico de Las Españas.
Pío VII, Papa

Venerables hermanos o hijos queridos, salud y nuestra Apostólica Bendición. Aunque inmensos espacios de tierra y

---

[1] Vaticano, "Esti longissimo terrarum," *Núcleo de la Lealtad*, 12 de octubre, 2007, http://nucleodela lealtad.blogspot.com/2007/10/enciclica-legitimista.html.

de mares nos separan, bien conocida Nos es vuestra piedad y vuestro celo en la práctica y predicación de la Santísima Religión que profesamos.

Y como sea uno de sus hermosos y principales preceptos el que prescribe la sumisión a las Autoridades superiores, no dudamos que en las conmociones de esos países, que tan amargas han sido para Nuestro Corazón, no habréis cesado de inspirar a vuestra grey el justo y firme odio con que debe mirarlas.

Sin embargo, por cuanto hacemos en este mundo las veces del que es Dios de paz, y que al nacer para redimir al género humano de la tiranía de los demonios quiso anunciarla a los hombres por medio de Sus ángeles, hemos creído propio de la Apostólicas funciones que, aunque sin merecerlo, Nos competen, el excitaros más con esta carta a no perdonar esfuerzo para desarraigar y destruir completamente la funesta cizaña de alborotos y sediciones que el hombre enemigo sembró en esos países.

Fácilmente lograréis tan santo objeto si cada uno de vosotros demuestra a sus ovejas con todo el celo que pueda los terribles y gravísimos prejuicios [sic] de la rebelión, si presenta las ilustres y singulares virtudes de Nuestro carísimo Hijo en Jesucristo, Fernando, Vuestro Rey Católico, para quien nada hay más precioso que la Religión y la felicidad de sus súbditos; y finalmente, si se les pone a la vista los sublimes e inmortales ejemplos que han dado a la Europa los españoles que despreciaron vidas y bienes para demostrar su invencible adhesión a la fe y su lealtad hacia el Soberano.

Procurad, pues, Venerables Hermanos o Hijos queridos, corresponder gustosos a Nuestras paternales exhortaciones y deseos, recomendando con el mayor ahínco la fidelidad y obediencia debidas a vuestro Monarca; haced el mayor servicio a los pueblos que están a vuestro cuidado; acrecentad el afecto que vuestro Soberano y Nos os profesamos; y vuestros afanes y trabajos lograrán por último en el cielo la recompensa prometida por aquél que llama bienaventurados e hijos de Dios a los pacíficos.

Entre tanto, Venerables Hermanos e Hijos queridos, asegurándoos el éxito más completo en tan ilustre fructuoso empeño, os damos con el mayor amor Nuestra Apostólica Bendición.

Dado en Roma en Santa María la Mayor, con el sello del Pescador; el día treinta de enero de mil ochocientos diez y seis, de Nuestro Pontificado el décimosexto.

Segundo documento

La ira de El Supremo

Introducción

No cabe duda de que el Doctor José Gaspar Rodríguez de Francia era un personaje fuera de lo común. Su control de mano dura sobre Paraguay por casi un cuarto de siglo resultó en cambios dramáticos en el país –cambios que, al menos desde la perspectiva de la Iglesia Católica Romana, eran devastadores.

Francia se hizo partícipe de las ideas de la Ilustración, pero sobre todo de la antipatía de ese movimiento con respecto a la religión. Cuando Rodríguez llegó a ser el primer caudillo del país tras la independencia, ya aborrecía los lazos de la iglesia con la antigua élite colonial y sus esfuerzos por conservar el orden tradicional. Desde bien temprano su régimen mostró que sentía una enemistad particular hacia la iglesia, y sobre todo hacia las órdenes religiosas. Su primera acción contra la iglesia fue negarle al clero el derecho de participar en la política como era costumbre, según hemos visto en varios documentos anteriores. También exigió que los miembros de órdenes religiosas juraran su fidelidad al estado, y que tales órdenes estuvieran debajo del gobierno de clérigos nacidos en Paraguay. Después declaró que las órdenes religiosas no tenían otro propósito que proteger la vida fácil de los frailes, eximiéndoles de las leyes del país. Para 1824, había confiscado las tierras pertenecientes a las órdenes religiosas, decretado la secularización de sus miembros, y tomado el control de sus finanzas.

Por otra parte, las acciones de Francia no iban dirigidas solamente contra la iglesia. Cuando se declaró dictador vitalicio en 1816 y tomó el nombre de "El Supremo", Francia hizo todo lo posible por aislar a su país del resto del mundo. Aunque promovía el comercio y desarrollo internos, evitaba todo contacto con el extranjero. Estableció una policía secreta que vigilaba a sus supuestos enemigos, e hizo ejecutar a quienes le parecían poco leales. Pero todas estas acciones no crearon gran oposición pública porque sus ataques iban dirigidos principalmente contra quienes habían controlado el país y sus recursos antes de la independencia. Los pobres y los campesinos no tenían por qué protestar.

La carta que sigue, escrita en 1816, es por tanto reflejo de la política de Francia al principio de su dictadura. Sin embargo, ya vemos allí algo de su relación con el obispo. También vale la pena comparar las acciones de Francia con las anteriores de Carlos III en sus esfuerzos por controlar la iglesia y utilizarla para sus propios fines.

Texto[2]

A fin de que las Comunidades Religiosas tengan un regimen constante en lo venidero, y de este modo puedan proveher oportunamente en las urgencias de sus Casas, Conventos, Oficios y govierno Economico sin los obstaculos, dificultades, y disenciones que han ocurrido en el estado presente: hé tomado con esta fecha la resolucion del tenor siguiente.

Exigiendo las presentes circunstancias, y el estado mismo dela Republica que las Comunidades religiosas existentes en el Territorio de ella sean exentas de toda interferencia, ó exercicio de jurisdiccion delos prelados, ó Autoridades estrañas de otros Países: prohivo, y en caso necesario extingo y anulo todo uso de autoridad, ó Supremacia delas mencionadas autoridades, Juezes, ó Prelados residentes en otras Provincias, ó goviernos sobre los Conventos de Regulares de esta Republica, sus Comunidades, Yndividuos, Bienes de qualquiera clase, Herman-

---

[2] Richard Alan White, "Colección José Doroteo Bareiro, Archivo Nacional de Asunción, Paraguay, Sección de Dr. José Gaspar de Francia, vol.2," *Issuu.com*, abril de 2011, pp. 129-131, issuu.com/corelmania/docs/dr._jose_gaspar_de_francia_-_volumen_2__1813-1817_

dades, ó Cofradias anexas, ó dependientes de ellas. En esta virtud las expresadas Coumunidades religiosas quedan libres y absueltas de toda obediencia, y enteramente independientes dela autoridad delos Provinciales, Capitulos, y Visitadores generales de otros Estados, Provincias, ó Goviernos, prohiviendoseles que recivan de ellos, Titulos, Nombramientos de Oficios, Cartas facultativas, Dimisorias, ó Letras Patentes de graduacion, habitacion, govierno, disciplina, ó de otra qualquiera policia religiosa. Por consequencia se governarán en lo succesivo con esta independencia, observando sus respectivas reglas é Ynstitutos baxo la direccion, y autoridad del Yllmo Obispo de esta Diocesis asi en lo espiritual como en todo lo temporal, y economico con las prevenciones siguientes.

Las Comunidades de cada Orden se congregarán en sus respectivos Conventos de esta Ciudad cada tres años para elegir sus Prelados Locales, y proveher todos los demas Oficios, ó Empleos de cada Casa, ó Convento previos los examenes, ó pruebas de suficiencia é idoneidad acostumbrados, y tendran Voto todos los Religiosos de orden Sacro habilitados para oir confesiones, cuya asistencia sea posible, y compatible con las atenciones de dichas Casas; pero Los Electos, ó nombrados para dichos cargos no podrán exercerlos mientras no obtengan la aprobacion de este Govierno.

Será Presidente en estos Capitulos el Religioso de merito é idoneidad dela respectiva orden, que nombrará el Yllmo Obispo; y quando se hayan de convocar, se obtendrá con anticipacion el permiso de este Govierno, para que juzgando lo conveniente, se determine el Magistrado, ú otra Persona caracterizada que deba asistir en calidad de Comisario dela autoridad Suprema para mantener el buen orden.

En estos Capitulos podrán tambien hacer se las declaraciones, ó Concesiones de graduacion, ó juvilaciones, y delos privilegios acostumbrados en cada Orden: y tendrán efecto con la confirmacion del Yllmo Obispo.

Quando fuese preciso proveher Oficios en el tiempo intermedio delos Capitulos Trienales, que se establecen, podrá con noticia del Yllmo Obispo, y con las formalidades correspondientes determinar, y verificarse por el Discretorio, ó Padres de Consejo del Convento mayor que lo tenga presididos del Prelado Local respectivo, y con su acuerdo baxo la misma calidad de obtener la aprobacion del Govierno. Podrán tambien en la misma conformidad conceder y declarar las graduaciones, y juvilaciones que convengan, bastando para su cumplimiento, y efecto la aprobacion del Yllmo Obispo.

Será admitida generalmente la asociacion, ó incorporacion delos religiosos que vengan de otras Provincias, ó Goviernos en las Conventualidades de las ordenes existentes en Territorio dela Republica precedida igualmente la anuencia de este Govierno.

Las Tomas de Habitos, y las profesiones consiguientes podrán provherse asi por los Capitulos Trienales, como tambien por los Prelados delos Conventos, principales de acuerdo con los mismos Padres Discretos, ó de Consejo; pero para la recepcion de ordenes menores, y mayores se referirán los Religiosos pretendientes al Yllmo Obispo quien habiendolos por idoneos, y en estado, previos los Ynformes, que estimase conveniente, les conferirá dichos ordenes sin exigirse requisito.

El presente Decreto se observará entretanto se delibere sobre la creacion, y subrrogacion de un Comisario, ó Preposito general de Regulares en la Republica. Si en su execucion ocurriesen qualesquier dudas, ó dificultades, me reservo explicar, ó resolverlas con declaraciones ulteriores; y para su inteligencia, y observancia comuniquese á dicho Yllmo Obispo, y á todos los Prelados, y Comunidades delos Conventos dela Republica.

Cuyo tenor transcrivo á V.S.Y. esperando que en quanto esté de su parte propenderá á que tenga el efecto que corresponde. Dios guie á V.S.Y.

Asuncion Julio 2 de 1815
José Gaspar de Francia
Al Yllmo y Romano Señor Obispo Don Fr. Pedro Garcia de Panés.

Tercer documento
Un código de esclavos

Introducción

Mientras el resto de América Latina alcanzaba su independencia en el siglo 19, la lealtad de Cuba hacia España vino a ser tal que se le dio el nombre de "La Isla siempre fiel". No sería sino en 1902 que Cuba por fin ganaría su independencia. Esto se debió a varias razones. Algunos historiadores señalan que la población de la isla creció rápidamente hacia fines del siglo 18 y principios del 19. Al aumentar esa población, llegó el momento en que las personas de origen africano eran más que los blancos. La minoría blanca veía la presencia de tropas españolas como fuente de seguridad. A medida que otras regiones de América Latina se independizaron, muchos de los españoles y criollos de las nuevas naciones que permanecían leales a la corona española emigraron hacia Cuba. También fue aumentando la presencia militar española en la isla, y los vínculos entre los militares y las élites sociales. Todo esto, unido al temor de que sucediera en Cuba lo que sucedía en otros países, llevó a un estado de aparente tranquilidad que no existía en otros lugares. Como parte de todo este cuadro, las autoridades en Cuba apoyaban las estructuras sociales y culturales tradicionales que servían de sostén a la sociedad colonial. Una de ellas era la iglesia. Como habrá resultado claro sobre la base de los documentos anteriores, la iglesia se encontraba presente en prácticamente todo aspecto de la vida colonial.

Ciertamente el documento de Koster en el capítulo anterior ("Apuntes de un viajero") y la historia de San Martín de Porres ("Cómo llegar a santo") en el capítulo tres nos muestran que la iglesia tenía un papel importante en las relaciones raciales, normalmente como fuerza supresiva. El documento que citamos a continuación, el Reglamento de Esclavos de 1844, probablemente fue una respuesta al desasosiego crónico que reinaba en la isla respecto a la esclavitud. Como el historiador Robert Paquette señala, el interés de los amos por aumentar sus ga-

nancias les llevó a prestarles menos atención a las prácticas institucionales que ayudaban a hacer a los esclavos más dóciles.
Una de esas prácticas era el adoctrinamiento religioso. En lugar
del adoctrinamiento, los amos y capataces utilizaron el castigo
físico como modo de obligar a los esclavos a hacer su voluntad.
En 1842 el capitán general Gerónimo Valdés, el representante
del gobierno español de mayor rango en la isla, buscaba modos
de refrenar los movimientos rebeldes que aparecían cada vez
con mayor frecuencia. Su solución fue un nuevo código respecto a la esclavitud que limitaba el castigo físico y en su lugar
fomentaba otros medios de control.

Al leer este documento, vemos algo del papel del amo en
la vida espiritual de los esclavos. Es notable que los primeros
cinco artículos del código se refieren a prácticas religiosas.
También vemos aquí el intento de obligar a los amos a lograr
un equilibrio entre el trabajo y la formación espiritual. Entre
líneas podemos leer mucho acerca de las prioridades de aquella
sociedad y del papel de la iglesia en la vida tanto de los esclavos
como de los amos.

Texto[3]

Reglamento de esclavos

Artículo 1

Todo dueño de esclavos deberá instruirlos en los principios
de la Religion Católica Apostólica Romana para que puedan ser
bautizados si ya no lo estuvieren, y en caso de necesidad, les
auxiliará con el agua de socorro, por ser constante que cualquiera puede hacerlo en tales circunstancias.

Artículo 2

La instruccion á que se refiere el artículo anterior deberá
darse por las noches despues de concluido el trabajo, y acto

---

[3] Gerónimo Valdés, "Reglamiento de esclavos," en *Bando de gobernacion y policia
de la Isla de Cuba,* Imprenta del Gobierno y Capitania General, Havana, 1842,
pp. 59-60, 63, 64.

continuo se les hará rezar el rosario ó algunas otras oraciones devotas.

Artículo 3

En los domingos y fiestas de ámbos preceptos, despues de llenar las prácticas religiosas, podrán los dueños ó encargados de las fincas emplear la dotacion de ellas por espacio de dos horas en asear las casas y oficinas; pero no mas tiempo, ni ocuparlos en las labores de la hacienda á ménos que sea en las épocas de recoleccion, ó en otras atenciones que no admitan espera, pues en estos casos trabajarán como en los dias de labor.

Artículo 4

Cuidarán bajo su responsabilidad que á los esclavos ya bautizados que tengan las edades necesarias para ello, se les administren los sacramentos cuando lo tiene dispuesto la Santa Madre Iglesia, ó sea necesario.

Artículo 5

Pondrán el mayor esmero y diligencia posible en hacerles comprender la obediencia que deben á las autoridades constituidas, la obligacion de reverenciar á los sacerdotes, de respetar á las personas blancas, de comportarse bien con las gentes de color, y de vivir en buena armonía con sus compañeros.

...

Artículo 23

Permitirán los amos que sus esclavos se diviertan y recreen honestamente los dias festivos despues de haber cumplido con las prácticas religiosas; pero sin salir de la finca, ni juntarse con los de otras, y haciéndolo en lugar abierto y á la vista de los mismos amos, mayordomos ó capataces, hasta ponerse el sol ó toque de oraciones y no mas.

...

Artículo 29

Los dueños de esclavos deberán evitar los tratos ilícitos de ámbos sexos fomentando los matrimonios: no impedirán el que se casen con los de otros dueños, y proporcionarán á los casados la reunion bajo un mismo techo.

Artículo 30

Para conseguir esta reunion y que los cónyuges cumplan el fin de matrimonio, seguirá la muger al marido comprándola el dueño de este por el precio en que se conviniere con el de aquella, y sinó á justa tasacion por peritos de ámbas partes y un tercero en caso de discordia y si el amo del marido no se allanare á hacer la compra, tendrá accion el amo de la muger para comprar al marido. En el evento de que ni uno no otro dueño se hallare en disposicion de hacer la compra que le incumba, se venderá el matrimonio esclavo reunido á un tercero.

CUARTO DOCUMENTO

Fe y salud

Introducción

Por largo tiempo la búsqueda de salud mediante la fe y la curandería han sido marca de la piedad popular. Aun cuando frecuentemente la iglesia las vea con sospecha, tales prácticas muchas veces manifiestan ideas profundamente arraigadas acerca de la relación entre el pecado y la enfermedad, y de la cura de los enfermos como un acto de caridad. En el siglo 19, el arte de sanar se vio envuelto en las luchas entre liberales y conservadores, de modo que las curas tradicionales parecían oponerse a las científicas. En Colombia tenemos un claro ejemplo de los conflictos que esto creó.

El curandero Miguel Perdomo Neira fue causa de un alboroto en Bogotá en 1872. Aquella no fue la primera oportunidad en que Perdomo se volvió centro de debates y conflictos. En 1867, en Quito, Perdomo fue arrestado bajo acusación de practicar medicina sin licencia. El resultado fue que sus seguidores se lanzaron a marchar por las calles, a publicar testimonios en su apoyo y a exigir que se hiciese justicia con este hombre que sanaba a los pobres. A fines de ese año Perdomo salió de la ciudad apresuradamente, con lo cual terminaron sus dificultades allí.

Cuando Perdomo llegó a Colombia en 1872, su fama ya se había difundido. Como muestra el historiador David Sowell, sus prácticas chocaban con los "médicos profesionales, estudiantes de medicina, y ciertos miembros de la comunidad política oficial", pero también le hicieron ganar el apoyo de "amplios segmentos de la población de la ciudad". Perdomo afirmaba que sus operaciones no causaban dolor ni hemorragia. Usaba métodos tradicionales para tratar las enfermedades, de modo que incluía yerbas y otras plantas medicinales, y además no cobraba por sus servicios. Nunca pretendió sanar mediante la fe, ni tampoco que sus curas fueran milagrosas. Pero, como se ve en los testimonios que siguen, muchos de sus pacientes venían a él en busca de esperanza y salud precisamente porque veían en él una combinación de fe religiosa y medicina tradicional.

Aunque no en Bogotá, Perdomo siguió viviendo en Colombia hasta 1874, cuando regresó a Ecuador. Allí vivió hasta su muerte el 24 de diciembre de ese año, aparentemente de viruelas o fiebre amarilla contraída mientras trataba a un paciente. Después de su muerte, sus devotos continuaron reverenciándole como una especie de Cristo, y llegaron al punto de decir que su tumba se había abierto y que alguien le había visto camino a Quito.

Los textos que siguen se dividen en tres partes, cada una de ellas tomada de una publicación diferente en la que se discutió la obra y credibilidad de Perdomo Neira.

En estos informes vemos cómo algunos de los testigos veían a Perdomo como curandero. Al mismo tiempo, muchos de sus pacientes eran clérigos. Este documento nos ayuda entonces a reflexionar sobre la relación entre la religiosidad popular y la iglesia. Por otra parte, es de notar que aunque parecen haber sido principalmente los pobres quienes defendieron con más ahínco a Perdomo, entre sus pacientes se contaban también personas más pudientes. Además, al leer estos documentos vemos que Perdomo se consideraba a sí mismo políticamente conservador, y que veía a sus opositores como liberales.

Textos[4]

Parte A

... El Señor Gabriel Jiménez i esponiendo el juramento en toda forma de derecho dijo: que no tiene razones para dar las justas gracias al Señor Miguel Perdomo en pago de haberlo dejado sano i bueno de un mal tan crítico i de tan malos resultados; porque a esta causa ha tenido que quedar sin su único capital, gastando en mas de veinte años plata en tantos médicos del país, i ninguno de ellos le ha podido sanar radicalmente del mal de orina que tanto ha sufrido. Todas las medicinas no han sido mas que paliativos, miéntras que hoy en el dia se encuentra en su total robustez bien sano, i con seguridad de no empeorar mediante Dios i las grandiosas tomas con que le ha sanado el Señor Miguel Perdomo Neira; i al efecto, con grandes reconocimientos de gratitud, da el presente documento i lo firmó juntos con el Señor Juez de que certifica, en Quito a 15 de noviembre de 1867 [firmado] Gabriel Jiménez y Nicanor Chiriboga, Juez central

Antonio Muñoz, Juez parroquial de Chillogallo, certifico con el juramento de derecho: que habiendo sufrido el espacio de mas de seis años una grave i penosa enfermedad complicada de pulmonía, irritacion al hígado, dolor vehemente del estómago, que me hacia sufrir indesiblemente, tuve necesidad de ocurrir a varios facultativos de la capital para que me curasen, i en efecto habiéndome hecho todas las aplicaciones que me recetaron, no conseguí mejoria alguna; i hallándome ya postrado en cama, i aun deshauciado de los facultativos que me asistieron, sabedor que el Señor Miguel Perdomo, por felicidad habia llegado a la capital, hice ocurrir a su favor, quien se prestó bondadosa i jenerosamente a visitarme en esta parroquia, i encontrándome postrado en el lecho del dolor i sin esperanza de vida, despues

---

[4] J. Mora, *Un ultraje inmerecido,* Oficina Tipográfica de F. Bermeo, Quito, 1867, pp. 3, 4.

de examinarme prolijamente i sin hacerme pregunta alguna, dijo: que tenia una gran complicacion de los males arriba expresados, i ademas, observó que tenia una ocupacion en los vasos interiores; i sin embargo de esto, ofreció curarme i ponerme sano, como en efecto, a los diez dias de haberme hecho las aplicaciones que me suministró, me puso sano i bueno, en estado de que a los quince dias ya pude montar a caballo i ejercer todas las demas funciones de mi ministerio i de la agricultura que profeso, hallándome a la presente sano i bueno, gracias al referido Señor Perdomo; i como un deber de eterna gratitud que profesa mi corazon a mi bondadoso benefactor, confiero el presente en esta parroquia de Santiago de Chillagallo a 8 de noviembre de 1867. [firmado] Antonio Muñoz, juez parroquial.

...

De igual modo pareció presente el ciudadano José Hurtado, vecino de esta capital i con el juramento prevenido en toda forma legal dijo: que teniendo gratitud para con el Señor Miguel Perdomo Neira le era lícito otorgarle el presente certificado en pago del favor con que lo ha mirado el Señor Perdomo dándole la salud, curándolo de un ataque fuerte en los nervios i que sus resultados fueron mantenerse en la cama sin movimiento sufriendo de las piernas sin poder dar un paso, porque las sentía encojidas en tal extremo que cuando lo tocaban para voltearlo en la cama, de un lado a otro, le hacian gritar exremadamente; en este estado se valió de llamar a un facultativo de esta capital i otro empírico muy diestro, i que ni el uno ni el otro, le dieron siquiera algun alivio, por el contrario confiesa el paciente que lo dejaron en peores dolencias, i que a pocos dias haciendo esfuerzos con muletos, ocurrió al amparo del Señor Perdomo que lo examinó, con seis unturas que se ha flotado, i se encuentra sano andando sin muletos con sus propios piés, i para pagar esta bondad al Señor Perdomo, lo firma el presente documento juntos con el juez que certifica, en Quito a 2 de noviembre de 1867.

A ruego del declarante por no saber escribir i como testigo [firmado] Benigno Navarro, Santiago Herrería, Teniente parroquial.

Baldomira Estupiñan; tambien vecina de esta capital, en la misma forma anterior pareció i dijo: que de improviso cayó en la cama con un dolor violento de estómago complicado con un dolor a la espalda de una punzada que le atravesaba interiormente, que conocía la paciente i los circunstantes que se moria, como en efecto la miraron difunta i ocurrieron por confesor i facultativos del país, i en el acto fué examinada; procuraron aliviarla, i no fué posible confesarla, ni mejorarla del accidente. Inmediatamente por una insinuacion de la moribunda se ocurrió al ausilio del Señor Miguel Perdomo Neira a las diez de la noche, i que el expresado Señor Perdomo, mandó una toma a esas horas con la madre, la Señora Ramona Estupiñan, la presentó a la enferma i despues de tomarla siguió mejorando, hablando i dando gracias al Cielo. Alarmadas las jentes que la rodeaban se habian expresado diciendo: *esta es una resurreccion de milagro*. Al siguiente dia mandó otra toma el Señor Perdomo, la tomó, i declara la paciente que en el dia se halla completamente sana i buena, robusta como ántes, i en pago de su agradecimiento otorga el presente i lo firma juntos con el Señor juez de que certifica en Quito a 1° de noviembre de 1867. Otro si mas. –Espone la declarante que el facultativo que la vistó fué el mas superior de este lugar i que recetó que le corran ventosas sajadas i le saquen diez i ocho onzas de sangre, i que si no la desangran infaliblemente moriría; la paciente no consintió las ventosas i se sanó con la toma del Señor Perdomo, aquien le da las correspondientes gracias.–a ruego de la declarante por no saber leer ni escribir i como testigos.–[firmado} Manuel Soberon. Santiago Herrería, Teniente parroquial.

Parte B[5]

Desde el anochecer del 25 tenemos aquí al señor Perdomo, quien despues de algunas semanas de mansion en Guaduas y Villeta, se trasladó casi inesperadamente á esta aldea, estableciendo en ella, como si dijéramos, su cuartel general de la sabana.

---

[5] *El Tradiconista*, 7 de mayo, 1872.

La noticia se extendió inmediatamente á los pueblos comarcanos, y desde el amanecer del dia siguiente se veia venir por todos los caminos que aquí se cruzan, una multitud de curiosos y enfermos en improvisadas ambulancias unos en mezquinas cabalgaduras otros, y en decentes carruajes ó briosos corceles los demas; todo lo cual se ha sostenido hasta ahora no solo sin menguar, sino con notables creces.

La escena que con este motivo se presenta al curioso espectador, no deja tambien de ser curiosa. El marco de la plaza, las calles inmediatas, el patio y aposentos de la casa que ocupaba el señor Perdomo están inundadas de gente. La agitacion y movimiento que se nota con el ingreso de tantos forasteros; las muchas acémilas amarradas donde esto es posible; las damas que por doquiera ostentan sus galas; los campesinos endomingados, los grupos de ginetes y los de mendigos y gentes baldadas de toda especie, forman gran contraste con el sosiego ordinario de este pueblo, y como ya se ha indicado, ofrecen un espectáculo harto singular que se reanima todas las mañanas con los alegres repiques a cinco ó seis misas seguidas.

Entre tanto el señor Perdomo está incesantemente ocupado en visitar á los enfermos que no pueden acercársele, ó en oir consultas, distribuir medicinas y ejecutar operaciones en su casa, casí siempre invadida durante las horas útiles del dia, por trescientas ó cuatrocientas personas...

Seria esta una ocasion oportuna para abrir juicio sobre las aptitudes y deficiencias del señor Perdomo; peso no seremos nosotros, simples cronistas, los que nos metamos en semejantes honduras. Solamente diremos que siendo evidente la destreza del señor Perdomo como cirujano, y no pudiendo negársele gran criterio natural ó tino intuitivo en el ejercicio de la medicina, seria muy de desearse que los distinguidos miembros de la profesion que residen en Bogotá lo acogiesen con benevolencia, como á un compatriota que, aunque de humilde origen y sin estudios académicos, ha sabido adquirirse una estimable reputacion por medios que nada tienen de reprochables.

La Ilustracion 4 junio 1872[6]

[M]e dirijo hoi al pueblo de Colombia para apelar a él i darle una queja. Me dirijo al pueblo, al verdadero pueblo, a la multitud laboriosa í paciente que forma la parte esencial de la Nacion; a las masas desvalidas í desheredadas, pero que así desvalidas llevan sinembargo sobre sí la carga de la vida de todos, i el peso de los esfuerzo i sacrificios que se necesitan para sosten la existencia de la Nacion. Me dirijo al pueblo entero de Colombia donde soi mui conocido, para darle quejas del modo como he sido recibido i tratado en la capital de la República, que es nuestra patria.

...

Antes de llegar a Bogotá ya yo sabia que algunos de los profesores de medicina de la culta ciudad estaban prevenidos en contra mia, i sabia que unos pocos de ellos habian asegurado que yo no me atreveria a entrar a la capital de Colombia, í ejercer mi práctica en una ciudad donde estaban ellos! ¡ellos, los sabios, los profesores de la enseñanza oficial, i los maestros de la juventud, rodeados de sus numerosos discípulos! Ya yo sabia esta prevencion, i por lo mismo me interesaba mas ir a Bogotá, para hacerles ver a esos señores, que delante de ellos era yo capaz de hacer lo que hice i estoi haciendo delante de centenares de miles de individuos racionales que, sin duda, valen mas que unos pocos doctores por mas eminentes que estos sean. Apenas llegué a Bogotá, el pueblo como en todas partes me favoreció con su fe en mí i con su benevolencia sincera e injénua. La parte pobre i enferma estuvo toda ella en mi favor, i ademas estuvo toda la parte sana de la clase media entre nosotros, los artesanos de la capital sín distincion de colores políticos i los habitantes acomodados de los campos inmediatos. En la parte alta, en la clase elevada i culta de la sociedad, tenia tambien yo el favor de muchas personas respetables, i la simpatía de las principales casas i familias de Bogotá. Pero tenia en contra la incredulidad

---

[6] Miguel Perdomo Neira, *"Al público i a la conciencia humana en su calmada luz natural," La Ilustración,* 4 de junio, 1872.

científica i la emulacion de algunos doctores, i la disposicion burlesca i prevencion animosa de los estudiantes; i sobre todo, tenia contra mí la ojeriza i recelo de las autoridades, e que animadas del espíritu de partido, estaban prevenidas contra mi, porque sabian que yo soi conservador.

...

Pues bien: yo, en nombre de Dios i en testimonio de la verdad, afirmo en mi conciencia pura i tranquila ante ese Señor de toda luz i de todo verdad, i afirmo en presencia de los hombres que tengo sustancias que me hacen capaz de practicar los operaciones mas serias de la cirujia, sin producir hemorrajia, ni dolor, ni inflamacion, ni supuracion; sin producir hemorrajia, aunque rasgue i divida los gruesos vasos arieriales i venosos, aunque separe en pedazos distintos, esas vasos, cortándolos en todo su calibre; sin producir dolor aunque hiera las partes mas sensibles del sistema nervioso; i sin producir inflamacion ni acarrear supuracion, aunque dilacere los tejidos mas irritables i mas delicados del organismo. Sí; tengo preparaciones, mias propias, sacadas de las virtudes i propiedades de ciertas plantas que son un tesoro en el reino vejetal, que me dan el poder de operar quirúrjicamente, con hemostáticos, anestéticos i antiflojísticos, superiores a los que posee actualmente la ciencia europea, que es mas que la ciencia de los señores médicos incrédulos de mi patria; i excito a todos estos i los reto formalmente, a que delante de testigos imparciales i con las solemnidades del caso ...

...

Esas son las verdades, esos son los documentos i los testimonios i los hechos positivos que yo llevaré a la Europa sabia, para que ella, por medio de los químicos de los médicos i de los naturalistas verdaderamente competentes, haga el exámen científico de esas plantas, i analizándolas averigüe químicamente i descubra cuáles son los principios activos de esas admirables sustancias que tienen esas portentosas propiedades; para que la Europa, representante actual del espiritu científico, las presente a la ciencia i las de en patrimonio a la humanidad, que de derecho es el verdadero dueño de toda verdad científica, de todo descubrimiento en las ciencias i artes, i de todo progreso en la familia humana.

...

No hai remedio: o Miguel Perdomo Neira es un charlatan, embaucador i ladron público, es un fallero infame, o es un hombre que merece el respeto i la especial consideracion de los otros hombres. El es, o un malechor público, o un benefactor de la humanidad. No hai medio entre estos dos estremos, porque lo que hace Perdomo es demasiado grave í esencial por su naturaleza misma. Si es un impostor, estafador del pueblo í lento envenenador de la salud pública, él es un criminal, i probándose que es tal, debe castigársele inmediatamente, rechársele del seno de la sociedad í lejos de los hombres. Pero si no es eso, sino un hombre sincero í veraz, amante de la humanidad i servidor del pueblo, el espíritu i la conciencia nacional estaran infaliblemente en favor de ese hombre, i entonces la accion i la opinion unanime de todos, deben protejer a ese hombre i escudarlo contra las malas pasiones; i los doctores i sabios i los maestros de la juventud i los apóstoles de la verdad i profesores de la ciencia, i las autoridades mas que nadie, las autoridades que representan el órden í el derecho humano, la majestad i la alta dignidad de toda asociacion de seres racionales i morales, las autoridades en vez de perseguirlo i de ultrajarlo, como lo hicieron en Bogotá, deben, con los doctores, respetar en él algo mas de lo que se respeta en un hombre.

Desde tiempos precolombinos, la gente acudía a la fe en busca de salud.
Estas ofrendas votivas están a la venta a la entrada de un santuario mexicano.

Quinto documento

Otro credo

Introducción

Los primeros años del siglo 20 no resultaron ser más apacibles que el siglo anterior. En un país tras otro hubo guerras entre conservadores y liberales. Los conservadores procuraban retener lo más posible de las estructuras coloniales de las que se habían beneficiado, incluso la preeminencia de la iglesia. Los liberales buscaban la abolición de los privilegios y la supresión de los patrones tradicionales que los habían sostenido. México es un buen ejemplo de las tensiones que había en la región, y de lo que podía resultar de ellas. Para 1910, ya la revolución mexicana andaba a todo tren, y duraría otra década más.

El breve documento que sigue es una parodia del Credo de los Apóstoles, que se recita frecuentemente tanto entre católicos romanos como entre muchos protestantes. Ese credo dice:

Creo en Dios padre todopoderoso, creador del cielo y la tierra.

Y en Jesucristo, su único Hijo, Señor nuestro, quien fue concebido por el Espíritu Santo, nació de la Virgen María, padeció bajo el poder de Poncio Pilato, fue crucificado, muerto y sepultado, descendió a los infiernos, y al tercer día se levantó de entre los muertos, subió a los cielos y está sentado a la diestra del Padre, de donde vendrá a juzgar a los vivos y los muertos.

Creo en el Espíritu Santo, la santa iglesia católica, la comunión de los santos, el perdón de los pecados, la resurrección del cuerpo y la vida perdurable. Amén

El hecho mismo de haber tomado el Credo de los Apóstoles y hacer de él una especie de parodia nos habla acerca del poder de la liturgia, y del modo en que los rebeldes veían la nueva sociedad que estaban tratando de crear. No es de sorprender el hecho de que este credo resultara ofensivo para los cristianos, ni que algunos de ellos reaccionaran violentamente contra las fuerzas y políticas que se resumían en el credo mismo. Nótese además que la parodia no incluye el descenso a los infiernos. Algunas iglesias, particularmente las de tradición wesleyana, tampoco lo incluyen. ¿Qué nos dice esto acerca del origen de la parodia revolucionaria?

Texto[7]

Creo en una patria libre y poderosa, cuna de un pueblo noble y eminente, y en Juárez, su gran Hijo, Señor nuestro que fue concebido de la Virgen de América, padeció bajo el poder del Clero Romano, fue excomulgado, muerto y sepultado; al segundo día resucitó de entre los muertos, subió al cielo y está sentado a la diestra del Sublime derecho, y desde allí vendrá a juzgar a fanáticos y a ricos; creo en el Libre Pensamiento, la

---

[7] *Credo de los liberales*, citado en Jean-Pierre Bastian, *Los disidentes: Sociedades protestantes y revolución en México, 1872–1911*, Fondo de Cultura Económica, México, D. F., 1989, p. 266.

Santa Paz Universal, la comunión de los héroes, el baldón de los traidores, la redención del pueblo, la dicha de los pobres. Amén.

Sexto documento

Un último intento

Introducción

El sábado 21 de agosto de 1926 tuvo lugar en el palacio de Chapultepec en la ciudad de México una entrevista sin precedentes. El presidente Plutarco Elías Calles y los obispos de Tabasco y Michoacán, Pascual Díaz y Leopoldo Ruiz y Flores respectivamente, se sentaron a discutir la creciente tensión religiosa en el país. En ese mismo año, el gobierno había publicado una serie de reglamentaciones cuyo propósito era asegurarse el complimiento del artículo 130 de la constitución mexicana. Entre otras cosas, esta porción anticlerical de la constitución le negaba a la iglesia reconocimiento legal dentro del país, limitaba el número de sacerdotes, exigiendo también que todos fueran mexicanos, requería que todos los sacerdotes se inscribieran con el gobierno, le prohibía al clero participar en el gobierno o criticarlo, y limitaba los actos de adoración a los edificios dedicados a ella. El presidente Calles estaba decidido a hacer obedecer este aspecto anticlerical de la constitución. En respuesta a las acciones de Calles, el arzobispo de la ciudad de México, José Mora y del Río, proclamó un interdicho en julio de 1926 y les ordenó a sus sacerdotes declararse en una huelga que duró tres años. De todo esto surgió la rebelión llamada de los "cristeros", en la que después murieron más de treinta mil cristeros y cincuenta y siete mil soldados federales. Pero antes de llegar a tal extremo, hubo algunos esfuerzos de conciliación, como se ve en el presente documento.

En agosto esos esfuerzos llevaron a la famosa *Entrevista de la última oportunidad*. En ella, los obispos afirmaron su deseo de buscar la paz y su insistencia en que los buenos católicos debían ser sumisos. Pero también insistieron en que esto no podía llevar a la violación o limitación de sus prácticas religiosas o de las actividades de la iglesia. Calles no estaba dispuesto a ceder, y reafirmó que no se apartaría del camino que la constitución le señalaba.

Al leer este documento, debemos colocarnos alternadamente en la perspectiva de cada una de las dos partes. Debemos preguntarnos cómo fue que el Presidente entendió lo que los obispos decían, y cómo ellos le interpretaron a él. También vemos aquí las presuposiciones de cada una de las dos partes, y cómo hicieron imposible la solución del problema. Lo que aquí vemos es ejemplo de lo que acontecía también, aunque en menor grado, en casi todas las nuevas naciones.

Texto[8]

OBISPO DE TABASCO

Mucho agradecemos a usted Sr. Presidente, que se haya dignado recibirnos; para nosotros esta entrevista tiene una gran trascendencia, porque esperamos de ella magníficos resultados; muchos deseos teníamos de hablar con toda libertad con usted. Queremos que se borre de su ánimo ese prejuicio que tiene de que los Obispos hemos tratado de obstruccionar la labor del Gobierno. Primero voy a contarle brevemente algo que debe saber: cuando tuvimos las primeras juntas fue una persona interesada en que nosotros ocurriéramos ante la Embajada Americana para pedirle su influencia a fin de que interviniera en la solución de la cuestión religiosa en México, y en el acta que como Secretario de la Mitra levanté, aparece que todos los obispos a una voz interrumpieron la palabra del Secretario que estaba leyendo el documento que contenía tal proposición para rechazarlo enérgicamente, pues nosotros no queremos la intervención de extraños sino entendernos directamente con nuestros gobernantes.

   ...

---

[8] Jean Meyer, "La entrevista de la última oportunidad," *Revista Relaciones* 31, no. 8 (verano 1987): 111, 112, 113, 116–17, 118–19, 121, 135.

Señor Presidente

Ojalá que las palabras de ustedes se traduzcan después en hechos, porque los hechos son los que hablan mejor. Pero debo decirles que nosotros estamos perfectamente enterados, pues mi Gobierno tiene amplias fuentes de información en todas partes, de cuáles han sido las actividades de los elementos católicos en el extranjero y sabemos bien cuáles son los medios directos e indirectos que han estado usando para tratar de conseguir el apoyo de gobiernos extranjeros para que hagan presión sobre el Gobierno de México; y no solamente tenemos informes de las actividades de los elementos católicos de aquí, sino que también estamos enterados de las gestiones que ha hecho el mismo papa en tal sentido. El Gobierno de México, por ningún motivo faltará al cumplimiento de las leyes y esas presiones que están buscando en nada nos importan; nosotros estamos resueltos a mantener la dignidad nacional a costa de lo que venga. Con respecto a la actitud del clero dentro del país, es bien sabido que ha estado incitando a la rebelión; entre ese clero están los sacerdotes de Saguayo, y con toda sinceridad les digo que si esos sacerdotes llegan a ser aprehendidos por las fuerzas federales serán fusilados porque son responsables de haber instado [sic] a la rebelión causando derramamiento de sangre. Ellos son los directamente culpables de los acontecimientos acaecidos en Saguayo, en que perdieron la vida varios hombres. Y como ellos, en muchas otras partes de la República los sacerdotes católicos han estado haciendo labor subversiva de uno o de otro modo, ya sea en hojas sueltas, por medio de los periódicos o en sus sermones. Si ustedes examinan con espíritu sereno todos esos actos, verán que efectivamente se ha estado incitando a la rebelión y a la desobediencia de nuestras instituciones y nuestras leyes, cosa que nosotros no vamos a permitir sean como fueren las circunstancias que se presenten. Con respecto a la cuestión del registro de sacerdotes, quiero aclararles que no solamente obedece a cuestiones de estadística; obedece fundamentalmente al hecho de que en la Constitución de la República se establece que los templos son bienes de la Nación, y mientras esa Constitución no diga lo contrario los templos seguirán siendo de la propiedad de la Nación, ¿qué menos puede exigir el representante legítimo del pueblo, como lo es el Gobierno, que saber quiénes son los que están administrando sus bienes? La cuestión de dogma o de doctrina no le interesa al Gobierno. Los católicos, dentro de sus templos y sin falta a los preceptos legales pueden hacer lo que les parezca; pero tratándose de la Ley, mientras yo esté el [sic] frente del Poder Ejecutivo de la Nación haré que se cumpla. El único camino que existe para que todas estas dificultades terminen es que el clero se someta a esa Ley, y si ésta es contraria a sus intereses, pueden buscar la manera de reformarla siguiendo el camino que la misma Ley señala para tal fin. Este es el programa que me he trazado y nadie podrá hacer que me salga de él.

...

Obispo de Michoacán

Tendremos que sujetarnos para no incurrir en las penas y para no privar a los fieles del derecho que tienen a los cultos.

Señor Presidente

¿En qué se les ha impedido el culto?

Obispo de Michoacán

Desde el momento en que tenemos que sujetarnos a una ley a pesar de que nuestras conciencias nos lo prohiben.

Señor Presidente

Irremisiblemente tienen que sujetarse.

Obispo de Michoacán

Contra los dictados de nuestra conciencia.

Señor Presidente

Sobre los dictados de la conciencia está la ley.

Obispo de Tabasco

Yo entiendo por conciencia lo que nos dictan nuestros sentimientos y entiendo por ley un ordenamiento de la razón. Por consiguiente cuando mi conciencia me dice que una ley está contra la razón, tengo el derecho de seguir el dictado de mi conciencia y no sujetarme a esa ley porque no estando en la razón no puede ser ley. Naturalmente esto que con toda franqueza expreso aquí no voy a decirlo a las masas ignorantes porque sería mal interpretado, pero aquí tenemos la necesidad de hablar con toda claridad, porque de otra manera no tendría ningún objeto esta entrevista.

Señor Presidente

Leyes son las que están consignadas en los Códigos y tienen que ser respetadas, tienen que ser obedecidas.

Obispo de Tabasco

El conflicto vino como ha venido porque se nos había negado el derecho de hacer gestiones para que la Ley fuera reformada; pero ahora que usted nos dice que esa misma Ley señala un camino para llegar a tal fin... Vamos, pues, a cumplir con esa Ley y a hacer uso del derecho que usted nos reconoce, pero ¿cómo?, con la ayuda de usted, señor, porque sin ella nos sería imposible; si no trabajamos coordinadamente nos alejaríamos más y más y entonces los resultados serían nefastos...

Señor Presidente

Pero no soy yo quien va a resolver el asunto; es de la competencia de las Cámaras, y con toda sinceridad les digo que yo estoy perfectamente de acuerdo con lo que marca esa Ley que ustedes tratan de reformar, puesto que satisface mis convicciones políticas y filosóficas.

Obispo de Tabasco

Muy bien señor, yo respeto a usted; un hombre de convicciones tan firmes infunde respeto: un hombre con las características de usted merece ser admirado. Lo felicito y sigo adelante. Las Cámaras en su totalidad están formadas por elementos adictos a la política de usted; no hay quien pueda defender lo que nosotros presentemos a las Cámaras, porque como digo antes están integradas por elementos que son enteramente adversos a nuestra manera de pensar; y aquí es donde necesitamos de la ayuda de usted; le presentaremos nuestros puntos de vista, usted los estudiará...

SEÑOR PRESIDENTE

Ya les dije que no es asunto de la competencia del Ejecutivo sino de las Cámaras...

Les voy a hablar con toda franqueza, el clero en México no ha evolucionado; la mentalidad de nuestros sacerdotes es muy baja: no se han dado cuenta del movimiento de evolución que se está operando, y no solamente no han entrado en ese movimiento, sino que tratan de obstruccionarlo y naturalmente que tienen que ser arrollados. Esa es la verdad. Ustedes están perdiendo terreno a grandes pasos entre sus fieles, porque en el movimiento obrero que se está desarrollando los sacerdotes católicos se han puesto abiertamente del lado de los opresores del trabajador...

OBISPO DE TABASCO

... Usted puede señor Presidente, señalarnos un camino para salir a la orilla; darnos una tabla en que salvarnos.

SEÑOR PRESIDENTE

Ya les he señalado ese camino, que no es otro que el cumplimiento exacto de la Ley.

OBISPO DE TABASCO

Y allí está precisamente la dificultad.

La presencia protestante

Introducción

El fin del período colonial trajo consigo varios cambios que iban mucho más allá de la independencia. El monopolio comercial que España y Portugal habían salvaguardado con tanto celo llegó a su fin. Lo mismo sucedió con el control de la inmigración, que hasta entonces se permitía sólo procedente de la Península Ibérica, con pocas excepciones. La mayoría de los nuevos gobiernos, en su interés por promover el comercio y el desarrollo económico, favorecían también la llegada de nuevas ideas así como nuevos inmigrantes. Los elementos más conservadores se oponían a tales políticas, normalmente con el apoyo de la jerarquía católica romana, que lamentaba la pérdida de su antiguo monopolio no sólo en cuestiones de religión, sino también en cuanto a la educación, las publicaciones y cualquier otro ámbito de debate intelectual.

En sus esfuerzos por contrarrestar tal oposición, muchos de los nuevos gobiernos apoyaban la introducción del protestantismo, al que veían como expresión de la modernidad precisamente en un tiempo en que el catolicismo romano abrazaba un conservadurismo radicalmente anti-moderno. Aunque muchos de los líderes de tales gobiernos todavía se consideraban católicos, seguían políticas que confligían con la jerarquía católica, en la esperanza de que el protestantismo ayudara a modernizar la nación, y en algunos casos hasta esperando que ayudara a modernizar también a la Iglesia Católica.

Nuestro primer documento, "La visita del presidente", es una carta de quien se considera el primer misionero protestante en América Latina. James Thomson, generalmente conocido entre los protestantes latinoamericanos como Diego Thomson, viajó ampliamente por toda la región. Antes de visitar Perú, había estado en Argentina, Uruguay y Chile. Más tarde iría a México y a Colombia, donde fundó una Sociedad Bíblica Colombiana encabezada por un sacerdote católico romano. Aunque Puerto Rico y Cuba eran colonias españolas, y por lo tanto no se le daban allí las mismas libertades, Thomson se las arregló para visitar ambas islas y distribuir Biblias. En todos estos esfuerzos actuaba como representante de la Sociedad Misionera Británica Extranjera, y su tarea era promover el interés por la Biblia y distribuirla. Pero su punto de entrada era un nuevo método educativo, llamado lancasteriano. En aquellos tiempos ese método se veía como un gran adelanto por encima del énfasis anterior en la memorización y la repetición. En él, los estudiantes más avanzados enseñaban a otros, y el principal libro de texto era la Biblia. Esto era un anatema para la mayoría de la jerarquía católica, que sostenía que la Biblia debía ser interpretada y enseñada siguiendo los dictámenes de la iglesia. Pero aquellos, fueran católicos o no, que pensaban que había llegado el momento de abrir sus países al intercambio de ideas nuevas, veían ese método como una brisa refrescante.

El segundo documento, "Vendedores ambulantes", es una selección del informe del reverendo H.P. Hamilton acerca del trabajo que realizaba en México como representante de la Sociedad Bíblica Americana. Esta organización había sido fundada en 1816, y se interesaba inicialmente sobre todo en la India y el Cercano Oriente. Pero en 1826 empezó a distribuir Biblias en México. Nuestro documento data de 1827, cuando ya la Sociedad Bíblica Americana había trabajado en México por más de sesenta años. Y sin embargo, todavía vemos en él la novedad que la Biblia parece haber sido para muchos mexicanos.

El tercer documento, "Misión y raza", procede de la pluma de Robert E. Speer (1867-1947), misionero presbiteriano cuya experiencia tuvo lugar mayormente en el Oriente, pero quien llegó a ser Secretario de la Misión Presbiteriana en 1891 –puesto que ocupó hasta su jubilación en 1937. Aunque llegó a visitar América Latina en 1909, su conocimiento de la región era mayormente de segunda mano. Por lo tanto su escrito muestra las opiniones de quienes, aunque se interesaban en la empresa misionera, no eran buenos conocedores de América Latina.

También el cuarto documento, "Una perspectiva femenina", proviene de una pluma norteamericana. En este caso se trata de la Señora E. M. Bauman, quien vivió varios años en Buenos Aires como esposa de pastor. Se dirige a la Conferencia sobre las Misiones en América Latina que tuvo lugar en Nueva York en 1913, y su propósito es comunicarles a los presentes sus experiencias con el pueblo, la sociedad y la cultura de Buenos Aires. Es un ejemplo de cómo una persona norteamericana con bastante experiencia en la región veía e interpretaba la cultura y las condiciones de América Latina.

Las próximas dos fuentes reflejan los debates en torno a la relación entre la política y la fe que tuvieron lugar dentro del protestantismo latinoamericano en el siglo 20. El quinto documento ha sido tomada de un documento publicado por Iglesia y Sociedad en América Latina –ISAL–, organización cuyo propósito era involucrar a los creyentes en la lucha en pro de un cambio radical en el orden económico y social latinoamericano. La sexta es parte de un libro del renombrado teólogo José Míguez Bonino sobre el tema de la relación entre la fe y la política. Al tiempo que hay marcadas diferencias entre estos dos documentos, los dos en conjunto nos ayudan a comprender por qué y cómo el debate acerca de la fe y la política vino a ocupar un lugar central en el protestantismo latinoamericano.

Por último, el séptimo documento, "La fe y el temor de una poetisa", es un poema de Julia Esquivel Velázquez, presbiteriana guatemalteca que sufrió treinta años de dictaduras brutales y represión violenta. El poema lo escribió en Suiza en 1986, cuando se vio obligada a partir hacia el exilio tras repetidas amenazas de muerte y un intento fallido de secuestro.

PRIMER DOCUMENTO

La visita del presidente

Introducción

Perú llevaba apenas un año de independencia. Su primer presidente y héroe nacional, que había dirigido los ejércitos que libertaron a Lima de los españoles, era el general argentino José de San Martín, quien hasta el día de hoy sigue siendo uno de los grandes héroes de la gesta independista sudamericana. Las cartas de recomendación a que se refiere Thomson incluían una recomendación de Bernardo O'Higgins, líder de la independencia chilena, quien había peleado contra los españoles junto a San Martín. En Chile, O'Higgins había reconocido el valor de la obra de Thomson dándole el título de ciudadano honorario –reconocimiento que antes había recibido en Argentina. Al leer esta carta, es bueno tener en mente quién era la persona que visitaba a Thomson y lo que su apoyo podría significar. El Marqués de Trujillo, a quien Thomson también conoció y a quien llama "primer ministro", era la mano derecha de San Martín. Su verdadero título era "Diputado Supremo", lo cual significaba que sus funciones eran las de un vicepresidente. Más tarde llegaría a ser presidente de Perú. Thomson estaba recibiendo la bienvenida y el apoyo de las personas más poderosas y respetadas en el nuevo país.

Al leer la carta que sigue hay que recordar que se trataba de la infancia de las nuevas repúblicas, y que era un tiempo en que había conflictos constantes entre liberales y conservadores. El documento nos dice también mucho acerca de cómo veía Thomson la relación entre las autoridades civiles y las eclesiásticas. Entre líneas, es posible ver algo de los intereses de San Martín al mostrar tanto favor hacia la obra de Thomson, así como del modo que el propio Thomson veía a la Iglesia Católica y su influjo sobre el país. También vale la pena considerar cuáles serían las reacciones de la jerarquía católica a todos estos acontecimientos y actitudes que Thomson describe, y más específicamente al decreto sobre la reforma de la educación. Bien podemos imaginar la reacción de los frailes en el convento de Santo Tomás y de muchos otros que habían estado a cargo de la educación durante mucho tiempo.

El interés por la educación de las niñas nos lleva a considerar el contraste entre liberales y conservadores. También vemos aquí el tema de la inmigración, y podemos preguntarnos por qué el gobierno estaría dispuesto a fomentarla, y de qué manera los intereses de Thomson coincidirían o no con los del gobierno. También, entre líneas, podemos ver un poco cómo entendía Thomson la cultura y la sociedad latinoamericanas.

Esta carta es uno de muchos informes que Thomson envió a quienes le apoyaban en Gran Bretaña. Al leerla es preciso tener en cuenta su propósito que, al menos en parte, consiste en fomentar ese apoyo.

Texto[1]

Lima, 11 de julio, 1822

El día en que llegué a la ciudad, fui a visitar a San Martín, y le entregué las cartas de presentación que había traído de Chile. Abrió una de ellas y al darse cuenta de su contenido dijo: "¡Señor Thomson, me alegro muchísimo de verle!" Se levantó y me dio un fuerte abrazo. Me dijo que, aunque no se extremaría en sus loas, sí me aseguraba que estaba muy satisfecho con mi llegada, y que por su parte haría todo lo que pudiera para poder llevar a cabo el propósito que me había traído al Perú. Al día siguiente cuando estaba sentado en mi cámara un carruaje se detuvo a la puerta, y el muchacho que me servía entró corriendo y gritando: "¡San Martín! ¡San Martín!" Enseguida entró San Martín en la habitación, acompañado de uno de sus ministros. Le invité a pasar a otra habitación de la casa que me parecía más adecuada para recibirle, pero él me dijo que estaba bien en mi recámara, y se sentó en la primera silla que encontró. Conversamos acerca de nuestras escuelas y de otros temas semejantes por algún tiempo. Al despedirse me dijo que

[1] James Thomson, *Letters on the Moral and Religious State of South America*, James Nesbit, London, 1927, pp. 34 - 37, 41 - 43.

deseaba que le visitara la mañana siguiente, y que me presentaría al Marqués de Trujillo, quien al presente tiene el título de
Diputado Supremo o Regente. Así lo hice la mañana siguiente,
y me llevó consigo a presentarme al Marqués y cada uno de los
ministros.

He recibido mucho apoyo de todos los ministros del gobierno. El día 6 de los corrientes se expidió una orden respecto
a nuestras escuelas, y ese mismo día se publicó en la Gaceta de
Lima. Mañana escribiré al Señor Miller, y le daré una traducción
de esa orden o decreto, de la cual naturalmente le enviaré copia
a usted. Ese decreto expropia uno de los conventos para que se
dedique a nuestras escuelas, y el mismo está ya en nuestra posesión. Creo que el número de conventos aquí menguará según
se multiplican nuestras escuelas. No hay equilibrio ni competencia acá entre los poderes civil y eclesiástico. El primero
manda sobre el segundo. Lo fácil que fue tomar posesión de
este convento es prueba de ello. La orden para que los frailes
partieran se dio el sábado, el lunes empezaron a mudarse, y el
martes nos entregaron las llaves.

De todo lo que he visto en el poco tiempo que llevo aquí, no
me cabe duda de los grandes beneficios que este país recibirá
por razón del nuevo estado de cosas. San Martín y su primer
ministro (así como los demás) parecen estar verdaderamente
deseosos de que los tiempos presentes se caractericen por
mejorías —mejorías sólidas. Desean fomentar la inmigración,
y mejorar la condición del país en todos sus puntos. Ya le he
mencionado lo que le dije al gobierno de Chile cuando estaba
a punto de partir de allí, acerca de la importancia de traer artesanos y agricultores. Le mostré una copia de este mismo material a San Martín, quien lo leyó cuidadosamente y al terminar
declaró: "¡Excelente!" Entonces me declaró su propia opinión
sobre el tema, y propuso un plan para alcanzar sus propósitos.
Era un plan de mayor promesa que el mío. Debo ahora exponer
ese plan en orden, para presentárselo a él, de modo que pueda
recibir su sanción y se lleve a efecto. Por lo tanto considero que
este asunto, en lo que se refiere al Perú, ha comenzado muy
bien. Probablemente más adelante le mandaré los detalles de

este plan. En el entretanto, para que pueda usted ver que en todas estas cuestiones no estoy perdiendo de vista mi propósito fundamental, le ofrezco una oración de la presentación que hice en Chile. Allí se dice: "los hombres más útiles para Sudamérica serán hombres verdaderamente religiosos y de firme moral." Al leer esta oración, el ministro chileno dijo: "Esto es muy cierto." Y San Martín se expresó de manera semejante cuando le dije lo mismo.

¡Qué inmenso campo es Sudamérica, y cuán blanco está para la siega! Se lo he dicho repetidamente a usted, y me complazco en repetirlo. Estoy convencido de que, desde que el mundo comenzó, nunca ha habido un campo tan abierto para el ejercicio de la benevolencia en todas sus dimensiones. El científico, el moralista, el cristiano, todos tienen aquí amplio campo para emplear sus talentos. Dios, quien ha abierto tal puerta, ciertamente proveerá obreros...

"El Diputado Supremo, con la recomendación del Consejo Privado, decreta:

"1. Se establecerá una escuela central o principal siguiendo el sistema lancasteriano y bajo de la dirección del Señor Thomson.

"2. El convento o colegio de Santo Tomás será expropiado por ese propósito. Los frailes que al presente residen allí han de mudarse al convento mayor de Santo Domingo, dejando solo quienes sean necesarios para el servicio en la iglesia aledaña.

"3. En esta institución se enseñarán los elementos fundamentales de la educación, así como las lenguas modernas. Los maestros que se necesitarán para este propósito serán nombrados según los arreglos que señalará el plan para el Instituto Nacional de Perú.

"4. Al término de seis meses, toda las escuelas públicas que no se conduzcan siguiendo el sistema de instrucción mutua se clausurarán.

"5. Todos los maestros de las escuelas públicas asistirán junto con dos de sus estudiantes más avanzados a la escuela central, para allí ser instruidos sobre el nuevo sistema. En ese estudio seguirán el método prescrito por el director de la institución.

"6. Tan pronto como el director de la escuela central haya instruido suficiente número de maestros, estos serán empleados, con salarios suficientes, en el establecimiento de escuelas públicas siguiendo los mismos principios tanto en la ciudad capital como en cada provincia de la nación.

"7. En el primer examen público que tendrá lugar en la escuela central, aquellos maestros que hayan mostrado más provecho al aprender el sistema, y que más hayan progresado en cuanto a su capacidad para dirigir escuelas siguiendo ese sistema, recibirán una medalla de oro, que el Ministro de Estado proveerá.

"8. Para la preservación y extensión del nuevo sistema, se le pide y se comisiona a la Sociedad Patriótica de Lima, y para que tome las medidas necesarias. También se espera de ellos que le den a conocer al gobierno aquellas cosas en las que su cooperación pueda requerirse, para que este importante propósito pueda conseguirse efectivamente.

"9. A fin de que las ventajas de este sistema de educación se puedan extender al sexo femenino, al que el gobierno español siempre ha tratado con una negligencia culpable, se recomienda particularmente que la Sociedad Patriótica tome en consideración los mejores medios para establecer una escuela central para instrucción de niñas.

"10. El salario del director, y los demás gastos necesarios para el establecimiento de esta institución, serán cubiertos por el gobierno. El Ministro de Estado queda autorizado para dictar las órdenes necesarias para el puntual cumplimiento de este decreto.

"Dado en el palacio gubernamental en Lima, el 6 de julio 1822".
Firmado "Trujillo"
"Por orden de su Excelencia, firmado también
"B. Monteagudo."

Según vayamos llevando a cabo nuestras operaciones, le mantendré informado acerca de sus resultados.

SEGUNDO DOCUMENTO

Vendedores ambulantes

Introducción

Poco después de la fundación de la Sociedad Bíblica Americana, casi toda América Latina se había librado del régimen colonial. Por ello, aunque al principio la Sociedad Bíblica se había interesado principalmente en tierras lejanas allende los mares, pronto se vio involucrada en la distribución de Biblias en América Latina, donde el catolicismo romano no tenía ya el monopolio. Pero esto no quiere decir que no hubiera oposición al trabajo de la Sociedad Bíblica. Aunque las leyes y constituciones de la mayoría de las nuevas repúblicas garantizaban la libertad de expresión y de pensamiento, todavía había muchos que creían que el protestantismo era una herejía cuya contaminación era necesaria que los nuevos países evitaran. Entre tales personas se contaba el clero católico, así como buena parte del laicado que estaba más profundamente involucrado en la vida del catolicismo, y que por lo general pertenecía a los partidos conservadores más bien que a los liberales.

La Iglesia Católica en sí se encontraba en una posición difícil. Ciertamente afirmaba y enseñaba que la Biblia era la palabra de Dios, pero no se ocupaba de hacerla llegar a las manos de los fieles. Aunque había Biblias disponibles en español, eran tan caras que solamente las personas pudientes podían tenerlas. Lo que es más, desde el siglo 16 la Iglesia Católica había decidido que la Biblia debía leerse siempre a la luz de la tradición y del magisterio de la iglesia, y había visto con suspicacia a cualquier creyente individual que desease leer la Biblia por su propia cuenta.

Ahora la Sociedad Bíblica Americana (así como la Sociedad Bíblica Británica y Extranjera) estaba distribuyendo Biblias a un costo bastante reducido, de modo que muchas más personas podían obtenerlas. Los gobiernos fomentaban la alfabetización, y esto a su vez despertaba el deseo por parte del pueblo de leer todo cuanto estuviera a la mano. Esto era particularmente cierto de la Biblia, de la cual tanto se les había dicho, pero que nunca habían visto.

Este contexto explica buena parte de la oposición que tuvieron que enfrentar los representantes de la Sociedad Bíblica Americana. Al leer este informe, nótese el papel del clero. Nótese también cómo el clero empleaba ese poder para persuadir a los terratenientes a prohibir la distribución de la Biblia en sus tierras. Y no olvidemos el papel y el poder de las masas aparentemente incitadas por el clero para prevenir la distribución de la Biblia.

Al leer este informe, hay varias preguntas que podemos hacernos: ¿Por qué pensaría el clero que la Biblia era "mala"? ¿Qué medios empleaba el clero para prevenir la distribución de la Biblia? Cuando vemos las tensiones entre las amonestaciones del clero y el deseo de muchas personas laicas de obtener Biblias, ¿qué nos dice esto acerca de la autoridad real del clero? ¿Cómo se manifiesta en este texto la actitud del señor Hamilton y de sus representantes ante el catolicismo romano? ¿Cómo se comparan tales actitudes con las del liderato católico? ¿Cómo entendían su trabajo los representantes de la Sociedad Bíblica? ¿Qué actitud adoptaban ante las devociones tradicionales, tales como la devoción al Señor de Chalma? ¿Qué querrá decir el señor Hamilton al referirse a "países bíblicos"? Nótese que, aunque México no parece ser parte de tal categoría, Hamilton sí lo llama "un país cristiano". ¿Cómo justificaría la Sociedad Bíblica Americana su trabajo en un país ya cristiano?

El texto que leeremos es un informe acerca de acontecimientos que tuvieron lugar unos setenta años después de que la Sociedad Bíblica Americana comenzara a distribuir Biblias en México. ¿Cómo se explica que después de tantos años hubiera todavía el deseo ardiente de obtener Biblias, así como una fuerte oposición al trabajo de la Sociedad Bíblica? ¿Qué relación habría entre las clases sociales en América Latina y la disponibilidad de la Biblia para ellas?

Texto[2]

Bien podrá parecerles imposible a quienes viven en países bíblicos que unas pocas personas dedicadas al solo objeto de promover la aceptación inteligente de la Biblia por parte de los habitantes de un país cristiano como México encuentren una hostilidad religiosa intencional, la enemistad amarga del clero, y la persistente oposición por parte de sus seguidores. Y también resulta increíble el que, al mismo tiempo, cada año haya miliares que reciban y lean el libro sagrado contra los deseos de Roma.

La política del Papa sigue siendo la misma. A los pobres se les prohíbe la Biblia. Las declaraciones públicas que recientemente se han hecho en cartas en latín procedentes de Roma recomendando la lectura de las Escrituras no se dirigen en realidad a las masas, ni las alcanzan.

La narración de las experiencias de algunos de nuestros colportores muestra cómo esta barrera entre el pueblo y la Biblia se extiende y se defiende, al mismo tiempo que aquí y allá cae por tierra. Mucho más se les dice a estos vendedores ambulantes que a los ministros o escritores profesionales. En los incidentes de su labor diaria se unen las dificultades y los triunfos de la palabra impresa que ofrecen.

El 20 de febrero, Hipólito Aguilar colocó su pequeño kiosko para la venta de Biblias frente a la cueva de Chalmita, que se encuentra en un bello barranco a unas diez leguas al noreste de Cuernavaca. Según la tradición, el crucifijo del Señor de Chalma –superado en el corazón de los mexicanos solamente por la Virgen de Guadalupe– fue colocado por los ángeles en una noche de mayo de 1539 sobre el altar mismo que antes había ocupado el ídolo azteca Ostotochitle, Señor de las Cuevas, que esa misma mañana apareció hecho pedazos en el suelo rocoso de la caverna. Aguilar estaba en peligro, no por

---

[2] *Eighty-First Annual Report of the American Bible Society, Presented May 13, 1897*, American Bible Society, Nueva York, 1897, pp. 93-95, 96-97. Usado con permiso.

la multitud de peregrinos, quienes ávidamente escuchaban el mensaje y compraban evangelios, sino por lo que esa multitud pudiera volverse ante una palabra del sacerdote, quien envió mensajeros a examinar los libros y declararlos "malos y prohibidos". Atemorizado ante tantos millares que pudieran volverse contra él, estaba recogiendo sus libros para partir cuando el recaudador de impuestos vino y le urgió a que se mantuviese firme en su puesto, y le prometió protegerle hasta el anochecer. De ese modo pudo vender, en las puertas mismas del Santo de Chalma, veintenas de evangelios y Biblias que fueron entonces llevados a pueblos distantes, incluso a puertos del Pacífico.

Hace unos días, me fue entregada una imagen del Señor de Chalma con señales de mucho uso a través del tiempo, y al dorso de la cual estaba escrito: "Mi madre adoró esta imagen con la mayor veneración por muchos años. Tenía el marco más precioso y el mejor altar de todos nuestros santos. Pero en enero pasado compró una Santa Biblia, y en sus últimos momentos, en lugar de referirse a esta imagen, nos recomendó que leyésemos las Sagradas Escrituras, mediante las cuales había llegado a conocer al verdadero Salvador en el último año de su vida." Quien escribió esto y su hermana viven a unas cien millas de la cueva de Chalma, y la Biblia fue vendida por Cortés cuando iba camino a Lagos.

El Señor Hernández explica por qué no pudo vender más Biblias al decir en una carta de octubre 2: "Hace dos meses llevé mis libros a un pequeño mercado cerca de la hacienda Omialca. El cura vino y preguntó si yo tenía autoridad para vender esos libros. Le dije que sí, pero que esa autoridad no me venía de la iglesia. Abrió uno de ellos y lo estaba leyendo cuando sonó la campana llamando a misa. Entonces dejó caer la cubierta del libro y dijo, como si alguna fuerza superior se lo hubiera mandado: 'Estos son libros malvados y hasta prohibidos.' Después vino el dueño de la hacienda y me mandó que me llevara mis libros, diciendo de tal manera que no parecía estar de acuerdo que 'el cura dice que son falsos'. Entonces un hombre que cobra las rentas por los espacios ocupados por los vendedores en el mercado vino y trató de obligarme a ir imponiéndome una cuota doble. Luego los mercaderes cercanos empezaron a hacerles señas a quienes se detenían ante mis libros, haciéndoles saber que algo malo había en ellos. Por fin, hacia el anochecer, unos borrachos empezaron a gritarles a quienes escuchaban al evangelio. El sacerdote estaba involucrado en toda esta oposición, de modo que abandoné la plaza para volver al método de ir de casa en casa."

Moreno escribe desde el mismo estado, con fecha de julio 31: "En Tianquistengo, un lugar fanático, pero donde yo había vendido seis Biblias, un romanista muy obstinado, quien vendía libros a precios exorbitantes, vino a decirme: 'El cura dice que sus libros son muy malos'. Pero, mirándolos con más detenimiento, siguió diciendo: 'Noto que son muy nuevos. ¿Qué precio tienen los libros nuevos sobre religiones nuevas, como este, por ejemplo?' Al decir esto, tomó en sus manos una Biblia grande. Siguiendo el camino que él había tomado, le dije: 'Bien puede valer diez dólares para quien está cansado de los ídolos. Vea lo que dice en ellos', y abrí la Biblia en Éxodo 20 y Hechos 6 y también en las palabras de Pablo en Corintios acerca de la idolatría. Me escuchó con una sorpresa creciente, pero siendo buen comerciante me ofreció tres dólares por el libro. Puesto que tal era su verdadero precio, vino a ser poseedor de una Biblia. Leyó su nuevo libro, pues unos días más tarde, cuando sus amigos le acusaron de haber comprado 'un libro condenado', él declaró firmemente: 'no, este es el libro que descondena'."

A veces la oposición abre camino. Orocio escribe el 22 de julio: "La noche antes de yo salir de Pozos, el cura envió tres hombres para que me llevaran ante él. Al principio me negué por temor a posibles malos designios, pero porque uno de los tres me había pedido devolverme una Biblia que le había vendido, a la postre consentí a condición de que todos ellos estuvieran presentes durante mi conversación con el sacerdote. El cura me regañó severamente, pero yo le contesté sólo con preguntas sencillas, lo cual nos llevó a la discusión acerca de qué es lo que constituye una verdadera Biblia. Cuando por fin admitió que bien puede ser la palabra de Dios y siempre que el lector pueda entenderla, no importa en qué idioma o cuál sea el nombre del traductor. Vi que me había ganado a los oyentes, aunque el cura no les prestó gran atención, diciendo todavía que 'sin notas y sin la autorización de la iglesia la Biblia es un libro prohibido'.

"El señor que me había pedido que tomara la Biblia devuelta decidió quedarse con ella, y el hijo de uno de los otros, cuya Biblia el sacerdote ya había quemado, vino a encontrarse conmigo en el camino la mañana siguiente y compró otra.

"En este pueblo dos de mis amigos fueron acusados por sus esposas ante el sacerdote del pecado de poseer y leer Biblias. Puesto que se negaban a entregárselas al sacerdote, las esposas recibieron la comisión de quemarlas. Uno de los esposos las sorprendió en el acto, rescató los libros y me los trajo con poco daño. Compraron nuevas Biblias y me pidieron que les diera las que habían sido quemadas a personas que fuesen demasiado pobres para comprarlas."

Cortez cuenta que en Puebla vino uno al kiosko donde él estaba ofreciendo la Biblia en el mercado, y mostró interés en leer el Nuevo Testamento. Con la excusa de ir a buscar el dinero, dejó su capa, y fue a llevar el libro al sacerdote, con quien se encontró en el camino. El sacerdote declaró que el libro era "falso", y se aprestaba a destruirlo cuando el hombre le dijo: "Pero no está pago. Dejé mi capa como garantía". Entonces el sacerdote le dio dinero para pagar por el libro. Pero al descubrir que la moneda era de plomo, Cortez la rechazó. El sacerdote vino entonces diciendo: "Pero sus libros son falsos". "Muy bien", dijo el colportor, "Vayamos ante el juez y dirimamos la cuestión de una vez". Pero el sacerdote decidió pagarle con buen dinero y hacer trizas el libro ante la multitud que se había reunido. El viento se fue llevando las hojas, y muchas fueron recogidas y leídas. Esto fue el 14 de junio. En diciembre, Cortez le ofreció sus libros a una mujer sentada junto a su máquina de coser frente a una ventana en la misma ciudad. Ella le dijo que solamente quería un libro, y que no pensaba que él lo tendría. Era un libro religioso, que trataba a cerca de "las diez vírgenes". Él le mostró un Nuevo Testamento abierto adonde se encuentra esa parábola, y ella lo compró de inmediato. Él no podía sino preguntarle por qué era que estaba buscando ese libro. Ella le contestó, sacando una sola hoja de su libro de oraciones: "Mi muchacho encontró esto en la plaza hace algún tiempo, y sólo tiene parte de la historia. He estado buscando el libro completo." La hoja suelta era del mismo tamaño del Testamento que había sido hecho trizas en el mercado en junio...

El Señor Fernández escribe: "El doce de diciembre llegué al rancho Quemado, uno de los más pobres del estado de Chiapas, entre Chicuasen y Copainala, y al bajar de mi caballo, me sorprendí al ver sentado a la sombra de un árbol a un anciano de unos ochenta años que leía una pequeña Biblia de referencia, llena de pequeños marcadores hechos de papel doblado para el uso del lector. Le saludé como un extraño, preguntando qué libro leía. Me contestó y muy seriamente: "Este es el libro de Dios". "¿Cómo es que Dios tiene un libro?", le pregunté. "Sí, señor", me contestó, "este es su libro, *la Santa Biblia*", y sin quitar el dedo del lugar donde había estado leyendo, me mostró el título al dorso de la cubierta, y entonces lo abrió, invitándome a escuchar lo que Jesús decía. Estaba leyendo el Evangelio de Marcos, y me dijo insistentemente que estaba convencido de que quien quisiera ser salvo debía conseguir uno de estos pequeños libros. Continuando, me dijo: "Uno de mis hijos lo trajo de Tuxtla, hace cinco años. Ha cambiado mi vida, y todos lo leemos en la familia. Hace seis meses mi esposa murió, y ella sabía de memoria muchos pasajes del Evangelio." Se detuvo por un momento, y mi acompañante le dijo quién era yo, cuando se levantó y me abrazó lleno de gozo. Nunca había aprendido a orar en voz alta, pero allí oramos, y tras explicarle mejor el uso de las referencias, le dejé una Biblia de letra mayor para el uso del culto familiar. Entonces seguí mi camino regocijándome de que una de mis pequeñas Biblias hubiera encontrado terreno tan fértil."

Tercer documento
Raza y misión

Introducción

Aunque la mayor parte de la experiencia de Robert Speer como misionero no fue en América Latina, fue jefe de la American Presbyterian Mission, que era una de las sociedades misioneras más activas en la región. Por ello su escrito, aunque no refleja amplia experiencia directa, sí muestra mucho de lo que habría oído de quienes tuvieronn tales experiencias, y serviría para formar las opiniones y actitudes de nuevos misioneros enviados a América Latina por la American Presbyterian Mission, así como por otras agencias semejantes.

Al leer este documento, debemos notar la actitud de Speer hacia la cultura latinoamericana. Aquí vemos lo que él consideraba eran las causas de lo que llama el "atraso" latinoamericano. Vemos también su juicio sobre la influencia de la sangre indígena y africana en América Latina. Al escribir sobre la inmigración como deseable, ¿a qué clase de inmigración se refiere? ¿Cómo compararía Speer la inmigración a América Latina con la que estaba teniendo lugar a los Estados Unidos? Nótese cómo compara a los latinoamericanos con la "raza teutónica", y las ideas de superioridad étnica y racial que aquí aparecen. Nótese también cómo cita a Charles Darwin a fin de apoyar la empresa misionera protestante en América Latina. ¿Cómo se relaciona esto con todo el resto de su argumento?

¿Qué indicios vemos aquí de una afinidad general entre el protestantismo y el liberalismo por una parte, y el catolicismo y el conservadurismo por otra? ¿Cómo se relaciona todo esto con la libertad de culto? ¿Qué conexión hay entre la libertad y la inmigración?

Nótese la actitud negativa de Speer hacia "Roma" y cómo relaciona al catolicismo romano con el "atraso" de América Latina. ¿Serviría esto para apoyar su argumento, o lo debilitaría? ¿Por qué sería que le prestaba tanta atención a la inmigración más bien que al trabajo misionero tradicional? ¿Qué relaciones vemos aquí entre la empresa misionera y la superioridad étnica y cultural?

Por varias décadas antes de que Speer escribiera estas líneas, y durante varias décadas después, las misiones presbiterianas se esforzaron por establecer escuelas misioneras en América Latina –escuelas frecuentemente conocidas como el *Colegio americano*. ¿Qué conexión habrá entre esta política y el modo en que Speer entendía los problemas de América Latina?

Puesto que Speer mismo nunca vivió en América Latina, la mayor parte de lo que dice es reflejo de los informes que recibió de otros, particularmente de misioneros presbiterianos en la región. ¿Qué nos dice acerca de cómo entendían su trabajo esos misioneros e informaban sobre él?

Speer escribió el texto que sigue para una audiencia norteamericana. Imaginémosle hablando en Buenos Aires o en Caracas a una audiencia de habla hispana. ¿Habría dicho lo mismo? ¿Qué reacción podría esperarse de un latinoamericano contemporáneo de Speer que leyera estas líneas? ¿Nos ayuda esto a entender por qué se decía tan frecuentemente que el protestantismo estaba indisolublemente unido a otras culturas y por tanto siempre continuaría siendo una presencia extranjera en América Latina?

Texto[3]

Inmigración. Esta expansión del comercio y de la prosperidad en Sudamérica guarda proporción directa con la introducción de la energía, las capacidades y el carácter que vienen de fuera. El progreso sudamericano no es autóctono. Es importado. Los países que no han recibido inmigración están casi tan estancados ahora como estuvieron por generaciones. Los países del norte y del oeste, es decir, desde Venezuela hasta Bolivia, son países atrasados. No hay ferrocarriles, ni bancos, ni grandes intereses comerciales en todas esas repúblicas que no dependen de algún

---

[3] Robert E. Speer, *South American Problems*, Student Volunteer Movement for Foreign Missions, New York, 1912, pp. 70-74, 128-129.

modo de la habilidad y el carácter traídos del extranjero. Aun en Chile en toda gran empresa comercial se emplean la integridad y el espíritu de empresa traídos del extranjero. Hasta en los navíos de la Compañía Sudamericana de Vapores, una corporación chilena, todos los capitanes y oficiales principales son extranjeros. Y es la escasez de este elemento extranjero en todos estos países lo que explica su atraso. No ha habido inmigración digna de mención sino a cuatro repúblicas, y ya hemos descrito esas cuatro como naciones avanzadas, diferentes del resto... La Argentina, que es la maravilla sudamericana en cuanto a la riqueza y el desarrollo, es prominentemente extranjera. Aun el elemento español ha sido casi completamente superado por el italiano, y la sangre italiana ha sido buena. Argentina se está volviendo una nueva Italia, mientras el capital británico y alemán, y con ese capital los hombres que lo supervisan, han ido fluyendo hacia el país como agua... Es la nueva sangre y el carácter que vienen de fuera lo que explica el progreso que está teniendo lugar en Sudamérica. Hasta en Chile, aun cuando parezcan chilenos, los hombres que dirigen la nación llevan apellidos que muestran su ancestro británico o alemán. Entre nosotros es ahora la sangre nativa la que domina y mejora la sangre importada. En Sudamérica es la sangre importada la que domina y mejora a la nativa. La clase gobernante es europea más bien que americana. Naturalmente, bajo esa clase gobernante se encuentra la gran masa del pueblo con mayor medida de sangre nativa, sin educación y sin despertar.

Causas del atraso sudamericano. Es esta fuerte dosis de sangre indígena, y también de sangre negra en el Brasil, junto a las condiciones desfavorables del clima sudamericano, lo que ha de culparse por el atraso de Sudamérica.

Pero hay que cuidar de no darle demasiada importancia al clima... Un pueblo diferente hubiera buscado un resultado muy diferente. Como dijo Charles Darwin en su "el viaje de un naturalista en el Beagle", capítulo xix, tras su visita memorable a Sudamérica en 1832-35, contrastando a Australia aun en 1836 con Sudamérica: "Por fin anclamos en Sydney Cove. Encontramos la pequeña cuenca ocupada por muchos grandes

barcos y rodeada de almacenes. Al anochecer anduve por todo
el pueblo y volví lleno de admiración ante toda la escena. Es
un testimonio magnífico del poder de la nación británica. Aquí,
en tierra menos prometedora, unas pocas veintenas de años han
producido mucho más que lo que igual número de siglos han
producido en Sudamérica."

El problema fundamental en Sudamérica es ético. Las gentes
en Sudamérica tienen sus cualidades nobles tan reales y visibles
como cualquier otro pueblo. Y hay entre ellos, como entre todos
los pueblos, toda clase de carácter. En términos generales, son
personas cálidas, corteses, amables, generosas con los niños,
respetuosas de la religión, patrióticas hasta lo profundo del
alma. Pero les faltan el tono, el vigor, el fundo moral, la veracidad firme, el propósito indomable, la energía, la apertura, la
integridad de los pueblos teutónicos...

La cuestión de la libertad religiosa surgió también con relación
a la inmigración. Particularmente Brasil y Argentina deseaban
recibir inmigrantes del norte europeo, y estos pronto llegaron.
Pero con ellos llegó también la imposibilidad de las condiciones
bajo las cuales ahora tendrían que vivir. Los jóvenes deseaban
casarse. Pero no podían hacerlo porque no había matrimonio
civil. El único matrimonio legal era el de la iglesia romana. Los
niños nacían. Si nacían fuera del matrimonio romano se les
consideraba ilegítimos. No se podían bautizar. No había otro
bautismo que el romano. Sin ser bautizados no se les permitía
tampoco heredar propiedades. Y los ancianos morían. No había
cementerios en los cuales se les pudiera prestar un último descanso. La iglesia romana completamente controlaba los campo-
santos y admitía a ellos sólo a los difuntos católicos romanos.
Las mentes más avanzadas de Sudamérica vieron de inmediato
la imposibilidad de la situación. Como escribió Alberdi, uno de
los principales publicistas argentinos: "La América española,
reducida al catolicismo, con exclusión de todo otro culto, representa un convento de monjes solitario y silencioso. El dilema es
fatal –seremos católicos y subpoblados, o poblados y prósperos
y al mismo tiempo tolerantes en cuestiones de religión. Invitar
a la raza anglosajona y a los pueblos de Alemania, Suecia, y

Suiza, y entonces negarles el ejercicio de su culto es ofrecerles una falsa hospitalidad y mostrar un liberalismo falso. Excluir a los cultos disidentes de Sudamérica es excluir a los ingleses, los alemanes, los irlandeses y los norteamericanos, que no son católicos, es decir, aquellos habitantes que el continente más necesita. Traerles sin su culto es traerles sin el poder que les hace ser quienes son, y obligarles a vivir sin religión y a hacerse ateos".

Lo que es más, bajo instituciones libres los hombres empezaron a pensar libremente. Aprendieron más del mundo y comparando las cosas llegaron a entender mejor el verdadero carácter y la verdadera corrupción de la iglesia. Se percataron también de que sus instituciones estaban destinadas a desaparecer a menos que se les asegurara no sólo contra el poderío de España y Portugal, sino también contra un enemigo mucho más sutil y poderoso, Roma misma.

CUARTO DOCUMENTO

Una perspectiva femenina

Introducción

La Conferencia de Misiones en América Latina, que tuvo lugar los días 12 y 13 de marzo de 1913, había sido planificada muy cuidadosamente. Uno de los líderes de esa planificación, y el principal orador en la conferencia, fue Robert Speer, el autor del documento "Raza y misión". A la conferencia asistieron representantes de toda una gama de denominaciones protestantes en los Estados Unidos –bautistas, presbiterianos, metodistas, luteranos, congregacionalistas, y muchos otros– así como organizaciones como la Sociedad Bíblica Americana, la YMCA y la YWCA. Su propósito era intercambiar informes y fomentar la colaboración entre los varios cuerpos dedicados a la obra misionera.

Entre otros temas, la conferencia discutió asuntos relacionados con "la obra femenina". Según se informó entonces, había en América Latina 392 misioneras protestantes procedentes de los Estados Unidos. 241 de ellas estaban casadas, y se entendía que su tarea era apoyar la obra de sus esposos. De las 151 solteras, todas excepto 9 se dedicaban a la labor educativa, mayormente como maestras.

La señora Bauman fue una de tres mujeres invitadas a hablar sobre la labor misionera femenina en América Latina. Otra era una misionera que se dedicaba a la educación en Valparaíso. La tercera era una ejecutiva de la Junta de Misiones de la Iglesia Metodista Episcopal. La señora Bauman era esposa de un pastor en Buenos Aires. Mientras las otras dos mujeres centraron su atención en el papel y el trabajo de las misioneras, la señora Bauman se ocupó principalmente de las condiciones en que vivían las mujeres en América Latina. Según ella, puesto que no era ni maestra ni pastora, podía observar a las mujeres y conocerlas de una manera que se les hubiera hecho muy difícil a los pastores y maestros. Al leer este documento debemos tener en cuenta tanto las condiciones de las mujeres latinoamericanas como el modo en que la señora Bauman interpretaba tales condiciones y cómo proponía remediarlas. También podemos preguntarnos hasta qué punto sería cierto que, como ella decía, por ser esposa de pastor podía ver cosas que otras no veían.

Teniendo siempre en cuenta esas consideraciones, podemos ver cómo entendía los problemas de las sirvientas y otras mujeres de clase social baja. También podemos ver aquí cómo veía a las mujeres más pudientes y más educadas, y qué falta de carácter veía en ellas. Y podemos comparar lo que dice ella con el modo en que Speer explicaba las razones del "retraso" de América Latina. ¿Habrá alguna diferencia entre ambos? ¿Qué diría la señora Bauman acerca de si los católicos eran cristianos o no? ¿Qué les faltaba? ¿Cómo se proponía mejorar la condición de las mujeres en América Latina? ¿En qué difieren o se asemejan sus propuestas a las de Speer? (En todo esto, recordemos que probablemente el propio Speer la estaba escuchando en la conferencia.)

Texto[4]

Me alegro de tener esta oportunidad de presentar ante ustedes, un grupo de personas particularmente interesadas en América Latina, las necesidades de las mujeres en tierras católicas romanas, tal como las he podido estudiar durante cinco años de obra misionera en la República Argentina. Mi estudio del tema muy bien puede sacar a la luz algunos elementos que no habrían llamado la atención de las maestras, puesto que yo, como esposa de pastor, me codeo más con un grupo más amplio de mujeres que ellas, ya sea en las clases o en el pupilaje. Puesto que soy mujer, naturalmente me intereso en las mujeres a quienes conozco, y aunque es posible que algunas de las personas que llevan más tiempo no piensen que mis años de observación son muchos, he tenido el privilegio de conocer de manera íntima, tanto en mi propia casa como en las de ellas, a buen número de tipos representativos de las mujeres latinoamericanas –y voy a tratar de decirles la impresión que me han dejado.

¿Por qué no empezamos por el nivel más bajo en la escala social, la sirvienta? La sirvienta en Argentina no es sino pura y sencillamente un ganapán. Trabaja desde temprano en la mañana hasta tarde en la noche, ocupa un rincón desnudo y desamueblado en la casa, o frecuentemente en una choza adjunta, casi siempre es analfabeta, y tiene muchas menos oportunidades de aprender o de mejorar su vida que una joven de semejantes condiciones en nuestra propia tierra, o en cualquier país cristiano –aunque en Buenos Aires, como sucede en cualquier gran ciudad, con su número creciente de fábricas y de tiendas que tientan a la joven sin educación, una buena sirvienta logra ganar algo más. Pero esto no es nada comparado con los peligros morales que la rodean. Es una joven sin protección alguna, vista como poco más que un animal, y es dentro de esas clases que más frecuentemente vemos el terrible efecto

---

[4] Mrs. E. M. Bauman, "Women's Work in Missions in Latin-America" en *Conference on Missions in Latin America*, Sowers Printing Co., Lebanon, PA, 1913, pp. 137-140.

de la inmoralidad de una nación que no conoce a Dios. Son
los hijos de las pobres sirvientas traicionadas quienes llenan
los asilos de niños abandonados con sus millares y millares de
niños sin nombre. Muchos de estos serán los futuros sirvientes
en la nación. ¿No nos enferma pensar en el futuro que se abre
ante ellos? No puedo decirles cuán sorprendida y atónita quedé
en nuestro primer pastorado, en un pueblo pequeño a varias
horas de distancia de Buenos Aires por ferrocarril, al descubrir
que era casi imposible en toda la región encontrar una sirvienta
de más de 17 o 18 años que no tuviera ya al menos un hijo carente de apellido. Lo más triste de todo es que nadie se maravilla
ni sorprende de esto como cosa extraordinaria. Se le ve como
cosa completamente esperada. ¿No concuerdan conmigo en que
estas sirvientas necesitan el evangelio? ¿No lo necesitan tanto
para su propia vida personal como también y particularmente
para proveerles una atmósfera moral más segura y limpia?

Pero veamos un cuadro algo más positivo, el de las jóvenes
más educadas. Las jóvenes siempre son interesantes, pero creo
que las de la raza latina lo son de manera particular. Son tan
atrayentes en cuanto a su rostro y comportamiento, tan des-
piertas e inteligentes, que su personalidad nos atrae. Pero
cuando entro a una casa argentina, a menos que sean verdaderos cristianos, siempre me pregunto cuánto de la cordialidad
y de la dulzura con que se me recibe son reales, y cuánto se
debe solo a cortesía, ya que los argentinos son sobre todo corteses. Un argentino o argentina le prometerá a usted todo lo que
le pida y estará de acuerdo con todo lo que usted dice para no
ofenderle contradiciéndole. Y esto me lleva a una afirmación
que a ningún argentino le gustará, pero que todos tendrán que
aceptar como verdadera: al carácter latino le falta un elemento
fundamental, la base de toda nobleza de carácter, es decir, la
sinceridad; sinceridad de palabra y de vida. Los misioneros
aquí presentes que sean maestros o maestras estarán de acuerdo
conmigo en que la falta que más frecuentemente encuentran
en sus discípulos, y la que resulta más difícil de eliminar, es la
falta de veracidad. Esa falta parece estar sembrada en su propia
naturaleza, fruto amargo del romanismo. Uno se topa con eso a
cada paso, y también con la superficialidad y artificialidad de la

vida y del carácter que surgen de ello, ya que no es posible tener un alto carácter moral basado en la falta de sinceridad. La niña jovencita no es en realidad una niña alegre y juguetona. Es una señorita vestida de más. Se le enseña a preocuparse más por la admiración de la sociedad que por los placeres de la niñez. La joven escolar puede brillar y tratar de alcanzar el mejor lugar, pero esto no se debe normalmente a un deseo de ser eficiente, sino más bien al deseo de dar una buena impresión y de eclipsar a las demás. La joven puede ser encantadora ante la sociedad (aunque no lo sea siempre en su propia casa), pero casi siempre le faltan los altos ideales, pues se preocupa más por lo que otras personas puedan decir que por la realidad de las cosas.

Naturalmente, estoy hablando en términos generales. Hay felices excepciones, y he conocidos varias niñas a quienes todavía no ha alcanzado el poder de Cristo pero que sin embargo son dignas de todo aprecio y admiración. Pero estas siempre me han parecido como plantas exóticas, que crecen y se desarrollan a pesar de un ambiente que no es normal. Veo además que ellas mismas, si se les permitiese crecer y ampliarse en una atmósfera de consagración a Dios y de servicio a humanidad, resultarían grandemente fortalecidas y ennoblecidas, y de mucha mayor bendición para sus congéneres...

Por último, aunque no sea en modo ninguno de menor importancia, está la madre, a quien todo el mundo se complace en honrar, cuya tarea de alistar a la familia para una vida útil es tan altamente importante al tiempo que difícil. ¿Han pensado ustedes algunas veces, mis queridas madres, lo que sería emprender tal tarea sin poder reposar en un poder superior, sin conocer a aquel que nos invita a todos a ir a él con nuestras cuitas y dificultades, y que nunca deja de cargarlas junto con nosotros, quien nos guía y dirige cuando no sabemos en qué dirección ir? Cuando todo marcha bien y la vida corre suave y agradablemente, se verá poca diferencia entre un hogar argentino y uno cristiano. Allí también hay el mismo espíritu de sacrificio maternal, el mismo cálido afecto entre hermanos y hermanas –y esto frecuentemente en vínculos más estrechos que los que encontramos en muchos de nuestros hogares americanos. Pero es cuando llegan las tormentas del dolor y el sufrimiento, las dificultades que ponen a prueba al más fuerte corazón cristiano, que podemos ver la diferencia. Ah, frecuentemente me pregunto cómo no se rompe el corazón de una madre con las tensiones en que vive, qué consuelo hay en poder encender una vela ante una imagen en la recámara, vela que durante todo el resto del año no se enciende. Imagínense lo que puede significar perder a un ser querido sin ninguna de las reconfortantes promesas de la palabra de Dios que alivian el dolor, sin los brazos eternos que nos sostienen a través de la prueba. Queridas madres, si sus hijas o hijos están dispuestos a ir a aquellos que no conocen al Salvador vivo y resucitado, a nuestro siempre presente y permanente Consolador, no pongan obstáculos en su camino. Más bien, piensen en aquellas hermanas suyas que llevan sus cargas solas, y por tanto alegremente y de buen grado ofrezcan a Dios el sacrificio que Él les pide.

QUINTO DOCUMENTO
Una perspectiva radical

Introducción

La organización *Iglesia y Sociedad en América Latina* –ISAL– surgió en 1961, e incluía en su seno a los críticos más severos de la injusticia social en la región. La conferencia de ISAL en 1966 en El Tabo, Chile, tuvo lugar en tiempos en que había una creciente polarización en América Latina –polarización que no sólo dividía las naciones, sino también a los creyentes y las iglesias. El desorden económico de los años de la posguerra, y el creciente poder de las grandes corporaciones transnacionales en la agricultura, la manufactura y el comercio llevaron a muchos a la convicción que la revolución era el único camino a seguir. Pero al mismo tiempo los informes procedentes del bloque comunista llevaban a otros a la seguridad de que el peor peligro no era la injusticia social, sino la revolución marxista. La Revolución Cubana que había comenzado siete años antes había contribuido a esa polarización, pues algunos veían en ella una señal de que la revolución podía tener buen éxito, mientras otros veían en ella la violencia, el desorden y el sufrimiento que serían el resultado probable de cualquier revolución.

Entre los cristianos, algunos abogaban por la revolución, otros decían que era mejor no meterse en política, y otros formaban partidos políticos cristianos cuyo propósito era alcanzar el poder y entonces llevar a sus naciones hacia un futuro mejor. Desde sus inicios, ISAL se inclinó hacia la primera de estas tres posiciones, que veía en la revolución el camino a seguir, y por ello frecuentemente se le acusó de fomentar tanto el marxismo como la violencia.

El documento que sigue proviene de la Segunda Consulta Latinoamericana de Iglesia y Sociedad. Al leerlo, debemos tener en cuenta que se trataba de un continente y una iglesia divididos por reacciones divergentes y conflictivas con respecto al marxismo, la injusticia social, la Revolución Cubana, las políticas norteamericanas, la ideología política, y mucho más. Debemos entonces preguntarnos: ¿Qué razones ofrece el documento en contra de la formación de partidos políticos cristianos? ¿Será que tales partidos no eran capaces de alcanzar el poder para producir los cambios necesarios? ¿Será que tales partidos, de alcanzar el poder, serían en realidad una amenaza a la naturaleza misma del cristianismo? ¿En qué consistiría tal amenaza?

Si los cristianos no han de crear sus propios partidos, ¿qué opciones ofrece el documento? ¿Qué criterios han de emplear los creyentes para decidir a qué partidos y movimientos unirse? ¿Deberían unirse a movimientos que no son cristianos y quizás hasta anticristianos (por ejemplo, los partidos comunistas)? ¿Por qué?

Tanto a ISAL como a muchos de quienes participaban en el movimiento se les acusó de fomentar la violencia. ¿Cómo responderían a tales acusaciones? ¿Qué puntos fuertes y débiles hay en sus argumentos en este sentido? ¿Qué respuesta les darían a los creyentes que insisten en que su fe les exige abstenerse completamente de toda violencia?

Un modo bastante común de responder a la cuestión de cómo los cristianos han de ocuparse de los asuntos políticos es decir que, aunque los creyentes como individuos pueden y hasta deben involucrarse en la política, las iglesias deben abstenerse de ello. ¿Qué diría ISAL acerca de esto? Comparemos entonces este documento con otro que hemos leído anteriormente. ¿En qué puntos difería este análisis de los problemas de América Latina de lo que hemos visto en el escrito de Speer?

Texto[5]

La comunidad cristiana latinoamericana se halla hoy en medio de la crisis y revolución de las estructuras políticas del continente, inmersa en un proceso que condiciona sus formas de vida y organización, aun sin que ella misma sea conciente del hecho ni lo desee. Pero al hallarse en esta manera "dentro" del proceso, la iglesia no puede pretender impulsar el cambio o la revolución en un sentido específicamente "cristiano". Este intento significaría sacralizar la revolución, tentación contra la que Dios advierte al recordarle a su iglesia, en todas las situaciones históricas, "Yo soy el Señor, tu Dios ..."

Con este fin, para "presentar perfecto en Cristo Jesús a todo hombre" (Col 1:28), vale decir, para que Cristo tome forma en la nueva sociedad inter-dependiente, el camino de los cristianos es incorporarse de manera vital a las situaciones y comunidades que constituyen su contexto histórico, como en una nueva dispersión. Esta integración no implica una alternativa o desafío al señorío de Jesucristo, pero es una participación real, plena y leal en las preocupaciones de carácter secular y en las decisiones a que obliga la vida contemporánea. En esta perspectiva, no hay fundamentos para que la iglesia conciba una forma del cambio o revolución que se considere distintamente "cristiana", ni que pretenda imponer ese mismo sello a un orden social o un movimiento político concreto. Por el contrario, su participación en la vida política y en el cambio social la lleva a asumir la forma del **siervo sufriente**; es decir, la mueve a actuar de manera sacrificada y humilde en favor del bienestar del hombre. A partir

---

[5] Iglesia y Sociedad en América Latina, *América Hoy: acción de Dios y responsabilidad del hombre,* Iglesia y Sociedad en América Latina, Montevideo, 1966, pp. 116-119.

de esta concepción, pueden advertirse ciertas líneas de acción y posibles respuestas a varias inquietudes que preocupan a los cristianos y a las iglesias de nuestro continente.

1. La participación política del cristiano le lleva a una acción responsable y creativa en los partidos políticos y movimientos cívicos y sociales existentes. Si éstos no satisfacen la necesidad de cambios expresada en la sociedad, puede considerar la opción de buscar –junto con otros hombres preocupados como él e insatisfechos con el "statu quo"– nuevas estructuras o movimientos políticos a través de los cuales canalizar una acción responsable. Pero debe evitar la tentación de pensar en partidos políticos "cristianos", hecho que implica ignorar los verdaderos fundamentos de la unidad en la iglesia y conduce a sancionar con un pretendido sistema de valores cristianos el programa de un partido político... En cambio, no debe temer participar en grupos o movimientos que en su concepción político-social parezcan discrepar, implícita o explícitamente, con la concepción "cristiana" del sistema social. En primer lugar, es dudoso que exista una concepción bíblica estática y definitiva de la sociedad, de modo que los sistemas que se han llamado "cristianos" a través de la historia han sido expresiones precisamente históricas y por lo tanto transitorias del orden social, no importa cuán elevado haya sido el grado de inspiración bíblica de esos sistemas. En segundo término, es precisamente en los grupos y movimientos que cuestionan el rol de la fe cristiana, donde la participación del creyente en Jesucristo puede alcanzar su verdadera dimensión profética y hacer realidad la presencia de su Señor en medio de las decisiones cruciales de la sociedad presente. Es preciso reconocer el riesgo implícito en esta participación, pero a la vez no puede ignorarse que la misma Palabra de Dios mueve a asumir actitudes de este tipo, y que de esa manera la fe y la vocación de testimonio y servicio del cristiano alcanzan su contenido concreto.

2. ¿Puede el cristiano participar en la lucha directa contra las estructuras legales establecidas, cuando no hay perspectivas de que éstas se transformen por la acción de los movimientos y partidos políticos o grupos sociales vigentes? En otras palabras:

¿le es lícito al cristiano participar activamente en movimientos revolucionarios que pueden recurrir a la violencia, cuando el fin perseguido en [sic; es] una transformación social que no parece viable por otro camino, pero que resulta imprescindible desde el punto de vista de la justicia social y el bienestar del hombre? Una consideración realista del problema debe llevar a reconocer que no se trata de introducir la violencia en una sociedad sin violencia: existe la llamada "violencia invisible", o "violencia blanca", y también la violencia moral, latente y cotidiana imposible de erradicar de nuestra sociedad en el momento actual. Esta violencia ya existente provoca a cada momento centenares de muertes como resultado del hambre, de la miseria, de la enfermedad, en América Latina, y priva al hombre de nuestro continente de las posibilidades elementales para vivir en condiciones "humanas". Es decir, el impedimento que el orden social vigente pone al hombre para cumplir el destino para el que fue creado, alcanzar su plenitud humana, la verdadera medida de Jesucristo. Por otra parte, es necesario subrayar el carácter ambiguo de toda acción violenta o no violenta: sea que se elija la vía de la violencia en razón de la eficacia, sea que nos decidamos por la no-violencia para preservar nuestros principios, somos igualmente culpables delante de Dios. Ni la violencia ni la no-violencia, por lo tanto, pueden determinarse previamente en virtud de principios "a priori", sin consideración de las situaciones dadas. Advirtiendo esta ambivalencia, la responsabilidad inequívoca del cristiano es señalar y desenmascarar las formas de violencia visible o invisible; buscar sus causas y posibles remedios; llevar a la práctica las soluciones que haya creído encontrar en consulta con la Palabra de Dios, pero sabiendo que el mismo realismo de la Biblia le lleva a expresar su acción a través de los conductos políticos y sociales y los grupos de presión ya existentes y por lo tanto su acción no podrá ser perfecta ni ideal. Y finalmente ha de saber que el cristiano no puede esperar una seguridad absoluta y definitiva en cuanto al carácter de sus decisiones. Esto le lleva a buscar la comunión fraternal de la congregación cristiana, le lleva a adoptar una actitud de humildad y consulta con los hermanos que han tomado decisiones diferentes a la suya, y le permite reconocer el nivel profundo en que se produce el encuentro del hombre en Jesucristo, más allá de las decisiones concretas que debemos adoptar en la vida social. De la misma manera que Lutero, se someterá al juicio de Dios y se acogerá a su perdón con las palabras: "Esta es mi decisión. Que Dios me ayude".

3. A esta altura es posible notar que no hay un criterio seguro para distinguir entre la acción de los cristianos considerados individualmente, y la acción de la iglesia en su carácter de institución formal. Sin embargo, hay instancias en que la acción de la iglesia considerada institucionalmente se hace necesaria. Cuando la situación política y social llega a expresar el carácter demoníaco de las instituciones y la ambición y el egoísmo del hombre; cuando la violencia, directa o indirecta, se desata en forma apocalíptica, la iglesia puede y debe pronunciarse proféticamente denunciando el juicio de Dios sobre los partidos políticos, los sistemas económicos, las ideologías y los gobiernos responsables de esa situación. Debe tener presente, sí, que está pronunciando en el nombre del Señor un juicio que alcanza a todos los cristianos que participan activamente en ese proceso, y por lo tanto este juicio recae también sobre ella misma. Como parte integrante e inseparable del orden social, la iglesia lleva sobre sí el peso de la culpa colectiva, y su juicio es siempre, al mismo tiempo, una confesión de pecado. En todo caso, la actitud profética implica un riesgo y un sacrificio por parte de la Iglesia, y nada puede ser más ajeno al espíritu de Jesucristo que la adopción de una neutralidad cómoda o una actitud ultramundana, indiferente al conflicto social desencadenado en torno suyo.

Sexto documento
El evangelio y la política

Introducción

El autor de nuestra próxima fuente, José Míguez Bonino (1924-2012), fue uno de los más destacados teólogos protestantes latinoamericanos del siglo 20. Nacido en Argentina, tras servir como pastor primero en Bolivia y luego en su propia patria hizo sus estudios doctorales en el *Union Theological Seminary*, en Nueva York. Por muchos años fue profesor de la Facultad Evangélica de Teología de Buenos Aires, donde realizó sus primeros estudios teológicos, y que después llegó a ser el Instituto Superior de Educación Teológica (ISEDET). Al mismo tiempo, continuó sirviendo como pastor metodista en Buenos Aires. Mundialmente reconocido, se involucró profundamente en el movimiento ecuménico, y fue presidente del Consejo Mundial de Iglesias desde 1975 hasta 1983.

Reconocido como uno de los fundadores de la teología de la liberación, participó activamente en la vida política de su país, particularmente durante los años de la dictadura militar, cuando fue uno de los fundadores de la Asamblea Permanente por los Derechos Humanos en Argentina. En 1994, participó de la Asamblea Constituyente que redactó la nueva Constitución Nacional.

Al escribir sobre la participación cristiana en la política, Míguez no se está refiriendo a cuestiones teóricas, sino a vivencias de las que él mismo participó, y a corrientes entre las cuales tuvo que navegar. El documento que sigue es valioso no sólo por lo que dice, sino también por quién lo dice.

Al leer esta fuente, debemos considerar ante todo que refleja la experiencia de años de lucha en pro de los derechos humanos, no siempre con el apoyo o beneplácito de muchos de sus propios hermanos evangélicos, quienes estaban convencidos de que la política debía dejarse a los políticos, y que los creyentes no debían involucrarse en ella. Pero también refleja la preocupación de haber visto surgir unos pocos años antes, particularmente en Guatemala, una forma de participación política evangélica que resultó en el apoyo a la dictadura militar. ¿Cómo se expresan esas experiencias y preocupaciones en el documento que sigue?

Pero también, ahora que nos acercamos al fin de nuestro viaje por la historia latinoamericana, podemos tomar esta fuente como una ocasión para repasar esa historia, y para discernir sus hilos conductores. Míguez señala tres peligros que los evangélicos deben enfrentar al involucrarse en la política. ¿Son nuevos esos peligros? Aunque en forma diferente, ¿aparecen algunos de ellos en las fuentes que hemos leído anteriormente, tanto protestantes como católicas? ¿Es solamente el protestantismo el que corre estos peligros, o también el catolicismo? ¿Cuánto hay de nuevo en la situación que Míguez describe, y cuánto es nueva encarnación de antiguas actitudes y acciones?

Texto[6]

¿Qué es lo nuevo?

Dos aspectos llaman la atención en este nuevo momento de participación de los evangélicos en la vida política de nuestros países. Uno es el hecho que muchos de los evangélicos que ingresan a la vida política no son creyentes de las iglesias o de los grupos que siempre expresaron un interés en ella –las iglesias más tradicionales, a menudo llamadas, críticamente, «liberales»– sino más bien de aquellas para las cuales el mundo político fue siempre considerado sospechoso, inconveniente para el cristiano o incluso lisa y llanamente diabólico. Quienes afirmaron rotundamente que «un cristiano no puede meterse en política» (ni sus hijos) son quienes han producido esta irrupción de los evangélicos. El otro aspecto llamativo es que esta participación no se mantiene en el ámbito, un tanto neutral, del mundo de la educación y el servicio, sino que irrumpe directamente en la vida política partidaria, ya sea ingresando en partidos políticos, ya tratando de formar «corrientes» propias dentro de esos partidos, ya intentando crear partidos «evangélicos».

¿Por qué ha ocurrido esto? ¿Cómo entenderlo? Cualquier sociólogo aficionado podría darnos al menos dos razones. Una es el extraordinario crecimiento numérico de las iglesias evangélicas, particularmente éstas de las que hablamos: cualquier sector de la población que tome conciencia de su importancia reclama una participación. Y además, cualquier sector de la población que represente una proporción significativa es

---

[6]   José Míguez Bonino, *Poder del evangelio y poder político: La participación de los evangélicos en la política en América Latina*, Ediciones Kairós, Buenos Aires, 1999, pp. 11-15.

un «potencial político» que ningún partido, dirigente político o candidato puede despreciar. Un historiador de las iglesias evangélicas añadirá otra razón: los evangélicos ya han llegado en nuestros países a la segunda o tercera generación. Ya no se sienten extraños, «sapos de otro pozo», sino parte de la vida del país. Por otra parte, muchas de estas iglesias son totalmente autóctonas en su liderazgo y membresía, y por eso están más directamente vinculadas y juegan sus posibilidades en la sociedad en la que actúan, incluyendo los avatares políticos de las mismas.

Esto ya nos lleva a una causa más profunda: de muchas maneras las comunidades o congregaciones evangélicas, particularmente en barrios o pequeñas poblaciones, prestan un servicio a la gente. Muchas veces, sus dirigentes o pastores son reconocidos como gente honesta y servicial; la congregación presta ayuda solidaria y en muchos casos no solamente a sus miembros sino a todos. *Hay una presencia positiva reconocida: es el testimonio de vida que da credibilidad*. Y aquí tocamos el nudo del tema. *Finalmente, es el evangelio mismo el que impulsa a participar en la política porque, aunque sea imperfecta y a veces «sucia» y «peligrosa», es una forma en que se puede expresar el amor cristiano al prójimo en algunas de sus necesidades humanas más urgentes*. Particularmente, en las graves crisis que las sociedades latinoamericanas estamos sufriendo, este reclamo a la solidaridad y el servicio fraterno se hace imperioso a cualquier persona o grupo que se atreva a llamarse discípulo de Jesucristo.

Por eso creo que debemos alegrarnos de este despertar de los evangélicos a su derecho y su responsabilidad en el ejercicio del poder y el servicio mediante la participación política. Insisto en las dos cosas: derecho y responsabilidad. Nadie puede objetar esa participación: somos ciudadanos de nuestros países y no podemos aceptar que se pretenda descalificarnos o excluirnos, por cualquier razón o pretexto –y menos aún por una discriminación religiosa– de un derecho que nos corresponde. Pero ese derecho envuelve una responsabilidad. Como personas, recibimos de la vida política una serie de servicios; protección, leyes que ordenan la convivencia social, servicios de diverso orden. No podemos simplemente dejar que «otros» se ocupen por nosotros de todo eso. Pero como creyentes tenemos también convicciones acerca de la vida, la justicia, el bien, la verdad, de las que tenemos que dar testimonio. Y el campo político es uno de los que más necesitan ese testimonio. Los evangélicos latinoamericanos le hemos negado por demasiado tiempo nuestro aporte a la sociedad en este aspecto. Gracias a Dios, parece que hemos comenzado a reconocerlo.

Las tentaciones de la política

Sin embargo, nuestros padres no se equivocaban en advertirnos de los peligros que representa para la fe esa participación. Menciono sólo tres que me parece que la experiencia nos muestra como particularmente nocivos.

El primero es la tentación de utilizar el poder político al servicio de la Iglesia. Demasiado bien sabemos lo que ha significado (incluso para nuestra libertad de culto) el uso que ha hecho la Iglesia Católica Romana de su poder político. No nos engañemos a nosotros mismos diciendo que nosotros no sufrimos esa tentación sino que todo lo hacemos para el avance del evangelio. Para eso nos bastarían nuestras iglesias. Si los evangélicos participamos en política debe ser para el bien del pueblo de nuestros países, no para obtener beneficios, privilegios o facilidades especiales para las iglesias. Por otra parte, tales beneficios tendrían «patas cortas» porque despertarían –con justicia– reacciones: «estos son como todos, lo que quieren es sacar provecho». Y desgraciadamente, no faltarían ejemplos.

El segundo peligro es la ilusión de que, como somos creyentes, somos incorruptibles. No es que la política sea «sucia» y nosotros corramos el peligro de que nos contamine. Es que nosotros –creyentes evangélicos– somos también pecadores: perdonados, en camino hacia una más plena santificación, constantemente ayudados y sostenidos por el Espíritu Santo y guiados por las Escrituras, pero todavía sometidos a tentación y llevando dentro de nosotros «el viejo hombre» que no muere del todo. La soberbia de creernos santos es la puerta por la que se cuela el diablo. Y lo que es peor: corremos el riesgo de disfrazar la corrupción –a veces de justificarla ante nuestra propia conciencia– diciendo que hacemos esto o aquello "para bien". *Un evangélico que da a su iglesia del diezmo de "coimas" o dudosos beneficios que consigue por medio de su militancia política o que consigue "favores" especiales para "los suyos", peca dos veces: contra el pueblo a quien estafa y contra el Señor a quien blasfema.* Y no nos faltarían ejemplos concretos.

Sin embargo, en tercer lugar, es también una tentación creer que basta con ser honestos y bien intencionados para ser buenos cristianos en la vida política. Un parlamentario tendrá que votar presupuestos, participar en discusiones sobre relaciones internacionales, legislar cuestiones sociales que afectan la salud, el empleo, la educación, la seguridad. Un funcionario político tiene que administrar reglamentaciones, decidir procedimientos. *Es necesario que sepa lo que hace.* Con escasas excepciones, los evangélicos no nos hemos preparado para eso. Claro, tampoco lo han hecho muchos otros políticos. Precisamente por eso, nuestra responsabilidad es mayor. Y requiere una doble tarea: por una parte, tratar de comprender mejor cómo se relaciona el evangelio –la enseñanza bíblica, el mensaje de Jesús, la enseñanza apostólica, la experiencia de veinte siglos de la Iglesia cristiana– con los temas y cuestiones que tiene que tratar la política. Por otra parte, la propia ciencia de la política, de las relaciones de poder, de la economía. Si no lo hacemos resultaremos "idiotas útiles" (o tal vez, peor aún "inútiles") de cualquier tipo de tendencia a la que nos afiliemos y responsables de sus resultados.

Séptimo documento

La fe y el temor de una poetisa

Introducción

El siglo 20 no fue un tiempo feliz para Guatemala, tierra sacudida por dictaduras, revoluciones y guerra civil. En la década de 1980 esas condiciones empeoraron por cuanto buena parte de América Central se vio envuelta en una guerra que no era sino un conflicto entre los intereses de los Estados Unidos y los de la Unión Soviética. Quienes se oponían al gobierno inmediatamente eran tildados de comunistas. Hubo quien se aprovechó del desorden para llevar a cabo matanzas de la población indígena y apoderarse de sus tierras. Esto fue particularmente cierto de los Quichés. La poetisa Julia Esquivel Velásquez, presbiteriana nacida en esa triste nación en 1930, había estudiado primero en la Universidad de San Carlos en su país y luego en el Seminario Bíblico Latinoamericano en San José, Costa Rica. Al regresar a su tierra la violencia que vio le produjo profundo dolor. Patrullas de la muerte que eran agentes extraoficiales del gobierno actuaban impunemente, matando a quien se atreviera a hablar en defensa de los pobres. Esquivel sentía que las palabras de los poetas eran como puñales que la herían y por lo tanto combinó su poesía con un activismo infatigable en pro de la paz y la justicia. Por ello fue repetidamente amenazada y blanco de las patrullas de la muerte. Por último, tras un conato de secuestro, partió al exilio.

El poema que sigue es parte de una colección publicada bajo el título de *Florecerás Guatemala*. Esquivel lo escribió mientras estaba exiliada en Suiza, donde aprovechó la oportunidad para llevar adelante más estudios y establecer contactos con líderes de las iglesias de todo el mundo. Cuando la violencia amainó, regresó a Guatemala, donde vive actualmente.

Al leer este poema, hemos de notar cómo Esquivel usa la historia de la crucifixión para interpretar su propia historia y la de Guatemala. Nótese el uso de las personas de Anas y Caifás, sumo sacerdotes en tiempos de la muerte de Jesús. Nótese también su referencia a Herodes y Poncio Pilato, quienes representaban a la autoridad imperial romana. ¿Podemos ver cómo todo esto se relaciona con Guatemala? El amigo de Jesús seducido por los planes de los sacerdotes es Judas. ¿Dónde vería Esquivel el reflejo de Judas en Guatemala? Al leer este poema podemos entender algunas de las razones por las que se le persiguió y amenazó. También vale la pena pensar en lo que podría significar la imagen de un templo vacío de Dios. Nótese que el poema se mueve del temor al gozo. Ciertamente, el gozo que Esquivel expresa tiene poco fundamento en cambios que pudiera haber en las circunstancias externas. Tiene que ver más bien con el modo en que Esquivel entiende la herida del Señor y la de ella.

Texto[7]

Tengo miedo, Señor

Tengo miedo del miedo de los poderosos
De la inseguridad de los burócratas,
De la egolatría de los machos
De aquellos que disponen,
Con soberbia,
Y en tu nombre,
De dinero y prestigio a su antojo.

Ellos, como Anas y Caifás
O como Herodes o Pilato
Siempre están disponibles
Para prepararte de nuevo una cruz.

Ellos, los importantes,
Anteponen su prestigio
A la desnuda y vergonzosa verdad.
Ellos, tienen miedo del riesgo, Señor.
Su posición les es demasiado preciosa.
Prefieren cavar bien una fosa
Para hacernos desaparecer.

Ellos, Tú lo sabes bien,
Hablan de justicia,
Son muy honorables, y pulcros…
Pero con sus hechos traman la caída del justo
(y si es mujer, con mayor gusto).

Señor, líbrame
De caer en las redes
Del hombre soberbio

---

[7] Julia Esquivel Velásquez, "Temblor," en *Florecerás Guatemala*, CUPSA, Ciudad de México, 1989, pp. 25-27. Usado con permiso.

Y abre ante mis ojos
Un camino de paz.

Caminaré contigo
Por la senda Antigua.
Cierra, te lo ruego,
Fuertemente mi mano a la tuya
Hasta que pueda hacer mía
Aquella herida
Abierta por el clavo
Que te adhirió a la cruz.

Aquella herida tuya,
Infinita como tu amor,
Herida posible,
Porque uno de tus amigos
Se dejó seducir por el proyecto sacerdotal
Y sucumbió complaciente
Ante el brillo fatuo
De la limosna institucional.

¡Necio amigo tuyo!
¿De qué le valió,
Ya perdida su alma,
Arrojar el ídolo
En un templo vacío de Dios?

¡Algo maravilloso ha ocurrido!
Ya no tengo miedo, Señor,
Siento tu mano marcada,
Ligada firmemente
A la mía pequeña.

Tu herida es mía,
Infinita...

PROTESTANTES Y CATÓLICOS

Introducción

El siglo 19 le trajo serias dificultades a la Iglesia Católica Romana, no sólo en América Latina, sino en todo el mundo. Estas dificultades surgían de las ideas liberales modernas tales como la libertad de culto, la separación entre la iglesia y el estado, y la educación pública como tarea y responsabilidad de los gobiernos seculares. Tales retos tomaron forma política en la Revolución Francesa, que le resultó costosa a la Iglesia Católica, y después en la independencia de las naciones latinoamericanas. Por lo general, la reacción oficial de la iglesia fue de resistencia a todo cambio y de insistencia en su propia autoridad. En 1864, el papa Pío IX (1846-1878) promulgó una *lista de errores*, que incluía ochenta proposiciones que el Papa consideraba ser errores de la modernidad. Entre ellos se encontraban la libertad de culto, la idea de que la Iglesia Católica no debería tener los privilegios de ser la única religión del estado, que la ciencia debería estar libre de toda autoridad eclesiástica, que la educación pública debería estar al alcance de todas las clases sociales y bajo la jurisdicción del estado, y muchas otras semejantes. En 1870, en lo que era más bien un intento de reafirmar la autoridad que el papado iba perdiendo, el Primer Concilio del Vaticano, al cual asistieron unos 600 prelados de todo el mundo, proclamó la infalibilidad del papa. Pero aun así, ese mismo año la pérdida de poder por parte del papado se manifestó en el hecho de que perdió a Roma y la mayoría de los tradicionales estados pontificios, que pasaron a ser parte del

Reino de Italia, de modo que ahora al papado solo le quedó el Vaticano.

Entretanto, muchos líderes y teólogos protestantes tomaban una dirección opuesta, declarando que el protestantismo y la modernidad eran perfectamente compatibles, y en algunos casos hasta llegando a equipararlos. Así, buena parte del protestantismo llegó a sostener muchos de los "errores" que el Papa deploraba, apoyando por ejemplo la libertad de pensamiento, de culto, de asamblea, y de investigación científica.

Como resultado de todo esto, las diferencias entre el catolicismo romano y el protestantismo se agudizaron, lo cual llevó a profundas sospechas mutuas, y a repetidos ataques virulentos.

Las condiciones resultaban particularmente difíciles para la Iglesia Católica en América Latina, donde el nacimiento de las nuevas naciones y el crecimiento del protestantismo amenazaban la autoridad tradicional que la Iglesia Católica y su jerarquía habían tenido. En 1899, en respuesta a tales desafíos en América Latina, el papa León XIII (1878-1903) convocó el Primer Concilio Plenario Latinoamericano, que se reunió en Roma con el propósito de coordinar la respuesta de la iglesia a las dificultades que surgían en la región según se acercaba el siglo 20 –particularmente las amenazas de la modernidad y del liberalismo que la acompañaba, así como la creciente presencia protestante en la región.

La estrategia católica en respuesta al reto del protestantismo siguió diversos caminos. En países tales como Colombia, donde la Iglesia Católica tenía todavía el poder necesario para influir sobre la legislación a favor suyo, se promulgaron leyes que limitaban los derechos y las actividades de los protestantes. En toda América Latina se decía repetidamente que la cultura latina era esencialmente católica, que el protestantismo era el brazo del imperialismo norteamericano, y que por lo tanto hacerse protestante era rendirse ante las influencias extranjeras. Dirigiéndose al resto del mundo, particularmente a los Estados Unidos y a Europa, los defensores del catolicismo frecuentemente afirmaban que puesto que América Latina ya era cristiana, las misiones extranjeras a la región resultaban innecesarias y disruptivas –quizás hasta abriéndole el camino al comunismo.

En respuesta a tales políticas y aseveraciones, los protestantes tanto en América Latina como en otros países argumentaban que el catolicismo latinoamericano se apartaba mucho de del verdadero cristianismo y que tenía al menos buena parte de la culpa de los males de la región. Cuando se promulgaban leyes contra los protestantes o cuando se les hacía víctimas de violencia, parte de la respuesta protestante era dar a conocer los hechos tan ampliamente como fuera posible, con la esperanza de que esto presionara a los gobiernos que promulgaban tales leyes o permitían la violencia. Estas condiciones y tensiones perduraron durante toda la primera mitad del siglo 20, hasta que el Segundo Concilio del Vaticano (1962-1965) comenzó a cambiar la atmósfera de hostilidad y desconfianza que existía entre católicos y protestantes.

Los documentos que se incluyen en este capítulo se escribieron antes de los cambios introducidos por el Segundo Concilio del Vaticano. Por lo tanto, en ellos veremos una fuerte enemistad entre protestantes y católicos. Pero también veremos que algunos de estos documentos son autocríticos.

El primer documento, "El Arzobispo se queja", es ejemplo de la actitud de la jerarquía católica romana frente a la creciente presencia protestante en América Latina. Es una carta que el Arzobispo de Lima le dirigió al ministro peruano de justicia y culto objetando a la apertura de una iglesia y escuela protestantes. Aunque la carta llevaba fecha de 1864, fue publicada tres años más tarde en una revista protestante en Inglaterra, acompañada de un informe de los acontecimientos que servían de contexto.

El segundo documento, "El plan de acción de una mujer católica", proviene del Congreso Católico Argentino-Uruguayo, que tuvo lugar en Montevideo en 1906. Se ven algunas señales de cambio en el hecho de que por primera vez en tales reuniones se invitó a algunas mujeres a participar en la asamblea. Una de ellas fue Celia LaPalma de Emery, una filántropa argentina relativamente pudiente que se interesaba sobre todo por los niños de la calle. Parte de su discurso se dedicó a ese tema así como a las dificultades de las madres que tenían que trabajar. Criticaba al gobierno por no proveer suficientes fundos para el cuidado de los huérfanos y de los niños abandonados. Pero también le preocupaba el cuadro más amplio: veía un gran conflicto entre la religión y los gobiernos seculares. Culpaba al liberalismo y al socialismo por la pérdida de influencia de la Iglesia Católica. La respuesta que proponía era la creación de un ejército de "cristianos sin miedo" que emprenderían una "cruzada de amor" y cuyas obras de caridad les darían la autoridad necesaria para oponerse a los gobiernos liberales y de inclinaciones socialistas.

El tercer documento, "Un catolicismo de avanzada", fue escrita por Lucila Godoy Alcayaga, una maestra de escuela mejor conocida bajo el seudónimo de Gabriela Mistral (1889-1957). Abandonada por su padre cuando todavía era muy joven, Mistral tuvo que enfrentarse repetidamente a las consecuencias de la pobreza y de los prejuicios hacia las mujeres. Siendo joven aún, se sintió atraída por las ideas liberales, al punto de que cuando procuró su primera posición como maestra a la edad de 18 se le rechazó porque el capellán de la escuela la consideraba demasiado liberal. Cuando escribió el documento que sigue en 1924, comenzaba a hacerse conocer como poetisa y como activista social y política. Aunque era católica, criticaba a las autoridades de la iglesia por no responder adecuadamente a las necesidades de su tiempo. En 1945, más de veinte años después de haber escrito el artículo que citamos aquí, fue la primera latinoamericana en recibir el Premio Nobel de Literatura. Más tarde se unió al cuerpo diplomático chileno, y representó su país en Italia, en Portugal y en los Estados Unidos.

El cuarto documento, "Justificar la presencia", proviene de la pluma de John A. Mackay (1889-1983), quien tras largos años de residencia en América Latina como misionero presbiteriano fue presidente del Seminario Teológico de Princeton en Nueva Jersey. Buena parte de su carrera la desarrolló en Lima, donde estableció vínculos con los círculos intelectuales peruanos, y a la postre llegó a ser Profesor de Filosofía Moderna en la prestigiosa Universidad de San Marcos. Su conocimiento y comprensión de la cultura latinoamericana fueron mucho más profundos que lo que vimos en Speer en el capítulo 6, en el documento "Raza y misión".

El escrito de Mackay que presentamos aquí fue publicado por el Comité de Cooperación en América Latina, el cual se formó en 1916, en parte como respuesta a la decisión de la Conferencia Internacional Misionera que se reunió en Edimburgo en 1910, de excluir a las misiones protestantes en América Latina –exclusión fundamentada sobre la premisa de que América Latina ya era cristiana y por lo tanto no debía ser considerada territorio misionero.

El quinto documento, "No todos somos católicos", proviene de Gonzalo Báez Camargo (1899-1983), reconocido poeta y periodista mexicano. Báez Camargo era metodista, y buena parte de lo que escribía expresaba su experiencia de fe en relación con su propia cultura, y particularmente trataba acerca del lugar del protestantismo en México. Como las otras fuentes protestantes en este capítulo, ésta refleja un rechazo radical del catolicismo romano –o al menos del catolicismo tal como se practicaba y experimentaba en América Latina.

El sexto documento, "La Violencia", es uno de docenas de artículos e informes escritos por James Goff, un norteamericano que sirvió como misionero presbiteriano en Colombia. Como él mismo dice en la fuente citada, se le designó para investigar y documentar la persecución y violencia religiosas que estaban teniendo lugar en ese país. El resultado fue un gran número de informes acerca de asesinatos, iglesias dinamitadas, y hasta matanzas –todo aparentemente con el beneplácito tanto del gobierno como de la jerarquía eclesiástica. Sus informes, que circularon ampliamente por América Latina así como en los Estados Unidos y otros países, avergonzaban a la iglesia y el gobierno colombianos, que unas veces los rechazaban de plano, y otras declaraban que eran exageraciones. A la postre, tras el Segundo Concilio Vaticano y un cambio político en Colombia, tanto el gobierno como la iglesia llegaron a confesar que los informes de Goff eran verdad. El documento que aquí se cita se escribió después de que la persecución había terminado, o al menos amainado. Aunque resume mucho de lo que se encuentra en los informes anteriores de Goff, su propósito era buscar cambios que impidieran la reaparición de la violencia y de la persecución.

Al leer estas fuentes, es bueno verlas como respuestas a las circunstancias y retos de aquel tiempo y también como parte de un diálogo en el que unas de estas fuentes responden a otras. ¿Qué le diría LaPalma a Báez Camargo? ¿Cómo respondería Gabriela Mistral a lo que dice Mackay? ¿Qué diferencias vemos entre las fuentes escritas por latinoamericanos y las escritas por extranjeros? ¿Qué puntos tienen en común?

También es bueno tener en cuenta cómo se relaciona lo que aquí leemos con lo que hemos visto anteriormente. Por ejemplo, ¿cómo respondería Báez Camargo a las fuentes en las que Speer y Bauman explican lo que les parecía el subdesarrollo social y económico de América Latina?

Primer documento

El arzobispo se queja

Introducción

Lo que sigue es una carta que en 1864 el Arzobispo de Lima le dirigió al ministro del gobierno peruano a cargo de asuntos religiosos. Lo que le llevó a escribir fue la noticia llegada del Callao, el puerto que servía a Lima, y que está a unos diez kilómetros, en el sentido de que unos misioneros protestantes estaban construyendo allí una iglesia y una escuela. El Arzobispo le escribió al gobierno exigiendo que los proyectos protestantes se detuvieran y que no se permitiera que hubiera en el país iglesias ni escuelas protestantes. No se sabe cómo fue que esta carta vino a parar a manos de un misionero protestante. Que alguien estuviera dispuesto a darla a conocer no ha de sorprendernos, pues en ese momento el jefe del gobierno peruano era el coronel Mariano Prado, conocido por sus políticas liberales. Tres años más tarde la Sociedad Misionera Sudamericana publicó la carta en inglés como parte de un informe de su primer misionero en Callao. Según este misionero protestante, las tensiones no habían disminuido. En la propia ciudad de Callao, un sacerdote católico repetidamente incitaba al pueblo en contra de los protestantes. En Lima el debate sobre la libertad de culto llegó a ser tan amargo que cuando el Congreso discutía el tema una multitud de mujeres católicas que observaban el proceso desde el balcón de la sala comenzaron a apedrear a los representantes liberales y tuvieron que ser expulsadas a la fuerza.

Al leer esta carta, tenemos que tratar de entender por qué el Arzobispo pensaba como lo hacía y cuáles eran las presuposiciones de sus argumentos. Podemos ver algunos puntos fuertes y otros muy débiles. ¿Por qué se ofendería tanto ante lo que hacían los protestantes? ¿Cómo veía a los extranjeros y sus motivaciones? ¿Cómo justificaba la libertad de culto en otros países? ¿Por qué no hace lo mismo en Perú? ¿Qué vínculos trataba de establecer entre el bien de la nación y la prohibición del culto protestante? ¿Cómo explicaba o entendía las razones que tendrían algunos peruanos para hacerse protestantes?

Nótese también lo que el Arzobispo dice acerca de algunos peruanos cuyo catolicismo no es todo lo que debería ser. ¿Qué razones da para tal catolicismo imperfecto? ¿A quién culpa? Sobre la base de lo que hemos leído, sería bueno considerar si había también otras personas a quienes pudo culpar.

Consideremos además la ruta que la carta ha seguido para llegar a nosotros, en traducción inglesa, y publicada por una revista misionera protestante. ¿Qué razones tendría la revista para publicar la carta de un arzobispo católico romano? Nótese que el Arzobispo había hecho referencia a las políticas de Inglaterra en tiempos de Isabel para fortalecer su propio argumento. ¿Qué podría responder un lector protestante británico de aquellos tiempos?

Texto[1]

Palacio arzobispal
Lima, 29 de septiembre, 1864
Al Señor Ministro de Justicia y Culto

Señor Ministro,

Le hago llegar la carta del día 12 próximo pasado que el vicario de Callao me ha dirigido informándome de la construcción de un templo y escuela protestantes que pronto han de abrirse en esa ciudad.

La construcción parece lo suficientemente adelantada, y quienes la dirigen sin duda tratarán de ridiculizar nuestro culto y mostrarán la falta de respeto que tienen hacia nuestra constitución y las leyes de nuestro país.

No me detendré a comentar acerca de los principios fundamentales de los cuales el cuarto artículo de nuestra constitución es corolario. Solo Dios puede prescribir el culto con que desea se le adorne, y que solo a Él va dirigido y solo él merece. Puesto que reconocemos que la fe católica es la única verdadera, de ello se deduce como legítima consecuencia que el ejercicio del culto católico es el único que ha de ser ofrecido a la divinidad. Nuestros legisladores han considerado bien estos principios, y establecido en todas las instituciones políticas que la religión de la nación peruana es la católica, apostólica y romana, y que no se ha de permitir el ejercicio público de ninguna otra.

Pero aun dejando a un lado razones tan obvias, basta considerar que la diversidad del culto destruye en un país la unidad de pensamiento, de tradiciones y de costumbres en que consiste su carácter nacional. La tolerancia de diversas formas de culto no es ventaja alguna para el cuerpo político, sino una inconveniencia, o más bien una debilidad, que afecta a las naciones cuyas opiniones religiosas están divididas.

---

[1] *South American Missionary Magazine* 1, July 1867, pp. 97-100.

La tolerancia religiosa sólo se concede en aquellos países donde quienes disienten de la religión establecida son numerosos y forman parte considerable de la amplia familia llamada nación. En tal caso el mal que divide el culto y las opiniones religiosas se tolera a fin de evitar un mal mayor, es decir, que un gran número de individuos queden faltos de culto y de las reglas de moral que pueden guiar su conducta. En tal caso, es mejor que un pueblo tenga alguna clase de culto, aunque sea mutilado, mediante el cual conservar algunas nociones de la revelación, y de la moral que el evangelio purifica.

Pero tal no es la condición de la nación peruana. No existe aquí el lamentable germen de la discordia religiosa. Quizás no todos sean miembros de la iglesia como deberían serlo. Quizás hay algunos que quieren solo un pequeño barniz de religión. Bien puede haber otros en quienes la corrupción de las costumbres ha eclipsado el sentimiento religioso que es innato a la naturaleza humana y que crece y se fortalece mediante la educación. Pero la existencia de tales personas no es razón suficiente por la cual las leyes han de ser desobedecidas, o cambiarse nuestra constitución. Estas personas, aunque no sean buenos católicos, tampoco serán protestantes. Su tendencia es no tener religión alguna, renunciar a toda forma de culto, y en breve olvidarse de la divinidad. Para tales personas la tolerancia es un absurdo, y cualquier culto es una acción fanática. Con sus costumbres y teorías minan las leyes fundamentales de la sociedad, de la familia y del individuo, y por lo tanto para tales no deberíamos quebrantar las leyes que de este modo obedecemos.

La unidad, Señor Ministro, en materia de doctrina como de religión o política, es una gran bendición para las naciones. Todas tratan de obtenerla mediante leyes más o menos represivas, cada una según las circunstancias y condiciones especiales en que se encuentra. Donde hay unidad en una nación, sus pensamientos son nobles, su fuerza compacta y su acción vigorosa.

La unidad religiosa produce grandes resultados. Es germen de caridad. Es principio de puro y desinteresado amor hacia nuestro país y nuestro prójimo. La persona religiosa trabaja concienzudamente, y no por interés propio o bajos deseos.

Permitir entonces que el ejercicio público de una nueva religión se establezca en un país que ha conservado el beneficio de su unidad es sembrar la semilla de la discordia en nuestra nación y cosechar en el futuro frutos amargos.

Aun en aquellos países en que la tolerancia es necesaria por razón del gran número de quienes profesan diferentes religiones, el gobierno siempre busca la unidad y por ello protege una religión y promulga leyes que limitan la acción de otras. En Inglaterra, tras el reinado de Isabel, no se permitía la construcción de una iglesia católica, a menos que los súbditos católicos llegaran a ser varios millones. Nunca se hubiera tolerado el culto católico sencillamente porque cien extranjeros hubieran llegado al país siguiendo sus negocios. A pesar de haber un inmenso número de católicos en ese país, el ejercicio de su religión se encuentra sujeto a innumerables obstáculos. Baste decir que aun hoy el católico inglés que por razón de su pobreza no puede contribuir al sostén de su culto y el apoyo de su religión, paga diezmos por orden del estado a la Iglesia Anglicana del gobierno, cuyos errores deplora. Tal siendo el caso, ¿por qué ha de tolerarse el ejercicio público de una religión nueva y hasta ahora desconocida en el país en Perú, donde no hay ni siquiera un peruviano protestante?

No basta con decir que hay un buen número de protestantes residentes en el Callao. Estas personas han venido a nuestro país para hacer dinero, y una vez que han adquirido sus riquezas vuelven con ellas a su propio país. Esto no se debe a que falta tolerancia religiosa, sino más bien al amor innato que toda persona tiene hacia su tierra natal, adquirido en los años mozos, y que nunca se olvida. Y se debe también al nivel superior de civilización que esas naciones han alcanzado, de tal modo que a quien tiene medios económicos le proveen mayores medios de gozar de ellos. Luego, quienes vienen al Perú a adquirir riquezas deberían en compensación de ello sujetarse a nuestras leyes, y tratarlas con respeto.

Los países tienen la obligación de satisfacer las necesidades de sus propios súbditos, pero no de aceptar los caprichos de cualquiera cuyo país se encuentre en otro hemisferio. Por muy grandes e inviolables que sean los derechos de la hospitalidad, un extranjero no tiene derecho a exigir que un pueblo niegue su fe, sus costumbres y tradiciones, viole sus propias leyes, y cambie su carácter nacional. Ni Inglaterra, ni ningún otro país, conociendo sus verdaderas intenciones lo permitiría.

El Perú es bien tolerante en lo que requieren la verdadera caridad, el sentir religioso y el honor nacional. El Perú no persigue a nadie porque tenga una creencia diferente, y a cambio de la tolerancia exige que su propia religión sea respetada y honrada públicamente.

Pero ahora ellos no quieren ajustarse a esa medida tan justa. Pretenden dogmatizar en público, colocar en una contienda abierta la fe y la religión de los peruanos con las de otras naciones. Piden el ejercicio público del culto protestante para que el protestantismo pueda propagarse, sus errores predicados, publicados y comunicados a los ignorantes, a los curiosos, a los noveleros, a los débiles en la fe, a los pobres que se encuentren bajo la protección o influencia de los disidentes. El protestantismo busca el ejercicio público del culto a fin de, con ese pretexto, propagar sus doctrinas y difundir sus enseñanzas religiosas entre las masas, no solo mediante la predicación, sino también mediante la educación en sus escuelas y colegios.

Puesto que se establece un templo protestante en el Callao, no hay razón alguna para impedir el establecimiento de otras casas y escuelas semejantes. ¿Qué diferencia puede haber entre enseñar en un templo, y enseñar en un salón con unos cuantos bancos? La diferencia consiste sólo en el número y la clase de quienes escuchan. En el templo se enseña a grandes y pequeños, a los ignorantes y los instruidos. En las escuelas y colegios se enseña sólo a niños débiles ignorantes.

Así de lamentables son las consecuencias de una tolerancia mal entendida. Las razones que he aducido, Señor Ministro, me imponen como peruano y como obispo la tarea dolorosa pero severa de llamar la atención al gobierno supremo de una cuestión que requiere que se tomen medidas de tal modo que nuestra constitución no sea pisoteada, ni que se violen las leyes en nuestra nación, por personas que no son miembros del país, y que si lo fueran no son lo suficientemente numerosas para que sus deseos deban cumplirse. Ni están tampoco en tales condiciones que la recta razón y buena política requieran que se toleren sus gestiones.

Como obispo católico, tengo la obligación de salvaguardar del contagio irreligioso herético a las almas redimidas por la sangre del Salvador y que son parte de la grey de Nuestro Señor Jesucristo que ha sido encomendada a mi cuidado. Es por tanto mi deber alzar el grito de alarma contra estos ataques que tan imprudentemente se hacen contra la pureza de la santa religión que poseemos, y demandar que se cumplan las leyes de nuestra patria.

Confío en la piedad de Su Excelencia el Presidente de la República y en la rectitud de quienes al presente forman el Consejo de Ministros, quienes consideran carácter grave y transcendental de la cuestión, y no permitirán que nuestra carta fundamental sea hecha trizas, acostumbrando así tanto a nacionales como extranjeros a despreciar y desafiar las leyes bajo las que vivimos.

Ruego le plazca a Su Señoría hacer llegar este reclamo a la atención de Su Excelencia, etc., etc., etc.

Firmado José Sebastián
Arzobispo de Lima

Segundo documento
El plan de acción de una mujer católica

Introducción

Aunque este discurso por Celia LaPalma de Emery fue pronunciado en 1906, no fue sino hasta 1910 que se publicó como parte de una colección de sus discursos y conferencias –publicación que en sí misma era un nuevo llamado a la acción por parte de los católicos verdaderamente comprometidos. Aunque en el texto que hemos seleccionado no se incluyen, en otra parte del mismo discurso la autora menciona muchas de las acciones que los católicos estaban tomando en defensa de la iglesia y en pro del bien social.

En este documento, LaPalma se refiere repetidamente a la necesidad de "acción católica". Fue en la década de 1920, con el apoyo del papa Pío XI, que se creó una organización a nivel mundial bajo el nombre de Acción Católica. Buena parte del programa de esa nueva organización era lo que LaPalma había propuesto antes –la creación de un cuadro de católicos laicos militantes que revitalizaran la fe y que se comprometieran a defender los derechos de la iglesia. En Argentina no hubo tal organización oficial bajo el nombre de Acción Católica sino en 1931, un cuarto de siglo después del discurso de LaPalma, cuando la organización ya existía en varias otras regiones del mundo. La-Palma puede considerarse una precursora de Acción Católica. Su discurso y sus diversas actividades son clara indicación de cómo el laicado latinoamericano se iba involucrando en la vida de la iglesia –particularmente en defensa de los derechos y de la fe de la iglesia frente a lo que parecía ser un ambiente cada vez más hostil.

Al leer este documento, es bueno tratar de discernir el modo en que LaPalma entendía la situación de su tiempo, particularmente en lo que se refiere a la actitud de los gobiernos. ¿El gobierno sería un aliado, o más bien un enemigo que había que dominar? ¿Cómo proponía relacionarse con el gobierno? En el conflicto entre liberales y conservadores, ¿resulta claro el partido que ella tomaría? ¿Por qué? ¿A quién culparía por las amenazas y peligros que veía? Al enumerar las metas de las acciones que proponía, ¿cuánta importancia se le daba a la defensa de los derechos de la iglesia y de su culto en comparación con las necesidades sociales del pueblo? ¿Por qué sentía ella tal urgencia? ¿Cómo se reflejaría en su discurso el hecho de que estaba hablando a un grupo de varones? ¿Tenía algo que decir acerca del papel del clero, o se refería sólo al laicado? ¿Qué nos dice todo esto en cuanto a la situación de la iglesia en esos días?

Texto[2]

Ahora bien: en cuanto á la manera de ejercer los católicos sus derechos de ciudadanos, ó sea, de obrar la acción civil católica, hay que persuadirse de que debe hacerse pública en su mayor extensión, y que los católicos seglares deben llevarla de los hogares á la calle, al juzgado, al Congreso y demás poderes, ora sea con la eficacia de su talento, de su prudencia, autoridad é influencia; ora por medio de su ayuda personal, apoyo moral y aun protección pecuniaria, consolando siquiera, y para no pasar del ínfimo grado posible, no desalentando por lo menos á los que trabajan.

En cuanto á la importancia de las necesidades, puede dicha acción referirse: 1.° á la defensa de lo que pertenece al culto; 2.° á la propaganda de la fe y doctrinas católicas; 3.° á las obras de caridad, y 4.° á todo lo que se relaciona con los derechos de la Iglesia, y el bienestar social.

No entraré á enumerar los detalles que puede abarcar esta acción en cada punto; pero en síntesis declaro que será difícil que haya un solo católico de tan pocas habilidades que no pueda hacer algo por la buena causa, y que todos deben hacer lo que esté á su alcance.

Ya he dicho que la acción católica existe, y eso lo prueba el hecho de que, á pesar de que siendo en casi todas las naciones los elementos oficiales ó partidos de gobierno más ó menos hostiles á la Iglesia, y de que muy pocos son entre los soberanos, presidentes y ministros los que la sostienen claramente, todavía nuestra Iglesia se halla defendida y respetada, gracias á la acción de los buenos católicos de todas partes.

Establecidos estos principios, viene ahora el punto esencial que me propongo deslindar en esta ocasión, y con respecto á nuestro país: la existencia de una punible apatía en una gran parte de los católicos, que aceptan, sí, las prácticas piadosas

---

[2]   Celia LaPalma de Emery, *Acción pública y privada en favor de la mujer y del niño en la República Argentina*, Buenos Aires: Alfa y Omega, Buenos Aires, 1910, pp. 23 - 24.

privadas, pero que juzgan imposible el comprometerse á llamar la atención, á dar que hablar á las gentes, á molestarse gastando su influencia, ó á crearse una mala opinión entre los liberales. Esos católicos indolentes proceden así porque ignoran sus deberes y los peligros que nos amenazan. A ellos hay que recordarles que Dios desechó al criado inútil de la parábola, que no negoció su talento, y que ha de tomarles estrecha cuenta de lo que pudieron hacer por medio de la religión en defensa de la sociedad y no lo hicieron. Sepamos todos, en fin, que es nuestro deber no callar cuando hay que hablar; no encogernos de hombros cuando se debe defender la buena causa; no abandonar á los católicos que trabajan y que, si no vencen, es por su falta de ayuda. Es necesario afiliarse al ejército activo de la acción católica, porque la apatía en estos momentos es una violación de un gran deber.

La causa principal de que haya católicos en estas condiciones está en que no quieren saber la extensión del mal, no comprendiendo así la necesidad de contrarrestarlo; duerme en ellos el corazón porque no les ilustra la razón. A la punible apatía de esos católicos se debe el haber ido perdiendo tanta ventaja oficial de nuestra causa en la enseñanza, tanta influencia en el ánimo de una mayoría del pueblo que, predispuesto desfavorablemente contra el clero y la religión, cierra los oídos á las buenas ideas difundidas por la palabra oral y escrita; debido á ellos nuestra prensa, el baluarte principal de las ideas mantenedoras del orden social, no alcanza el desarrollo necesario que tienen en cambio los diarios impíos para el mal; por su indolencia estamos amenazados de parciales derrotas.

TERCER DOCUMENTO

Un catolicismo de avanzada

Introducción

Este artículo apareció en una revista protestante, *La Nueva Democracia*, que se publicaba en Nueva York bajo los auspicios del Comité de Cooperación en América Latina, y que era reconocida como vehículo de expresión de las élites intelectuales latinoamericanas, tanto protestantes como católicas. Los autores de otros documentos que siguen en este libro, John A. Mackay y Gonzalo Báez Camargo, escribieron para ella.

Lo primero que hemos de considerar al leer esta próxima fuente es lo que nos dice acerca de las relaciones entre católicos y protestantes. En algunas de las lecturas anteriores, se habrá notado una clara hostilidad y desconfianza mutua. Pero Mistral publicó este artículo en una revista protestante a miles de kilómetros de distancia. Esto es muestra de que, a pesar de la atmósfera general, había cierta medida de apertura y de contacto entre intelectuales católicos y protestantes.

¿Cuál era el "problema" de América Latina y de su catolicismo según Mistral? ¿Qué diría acerca de lo que dice Speer en el documento que hemos leído en el capítulo 6, "Raza y misión", publicado sólo unos años antes? ¿Qué paralelismos hay entre el modo en que ella juzga a los eslavos rusos y el modo en que Speer se refiere a los latinoamericanos? ¿En qué puntos estaría de acuerdo con Celia LaPalma, y en cuáles diferirían? ¿Qué pensarían los católicos conservadores acerca de su frase "el catolicismo y el cristianismo en general"? ¿Se ven señales de prejuicios de clase en su artículo? ¿Qué indicios vemos aquí de un distanciamiento entre los católicos liberales por una parte y la jerarquía y políticas de la Iglesia Católica por otra?

Esto se escribió cuando la Rusia comunista estaba en ascendencia. ¿Qué pensaba Mistral acerca del atractivo del comunismo para América Latina? De estar escribiendo hoy, después de la desintegración de la Unión Soviética, ¿cuáles de sus aseveraciones serían todavía válidas, y cuáles no? ¿En qué difiere la "reconquista" a que se refiere Mistral de la que tuvo lugar en España a fines de la Edad Media (véase capítulo uno, "Un destino manifiesto?")? Otro punto que vale la pena considerar es el siguiente: El próximo chileno que recibió un Premio Nobel de literatura, Pablo Neruda, quien había aprendido mucho de Mistral, se hizo comunista. ¿Sería esto un complimiento de los temores que Mistral expresa en este artículo?

Texto[3]

Un aspecto doloroso de la América Latina en este momento es el divorcio absoluto que se está haciendo entre las masas populares y la religión, mejor dicho entre democracia y cristianismo. Como la pauta de las reformas más agudas la ha dado la dictadura rusa aterrorizante, los discípulos de la estepa consideran parte de sus programas no ya la a-religiosidad, sino la impiedad franca, solidaria de esta vergüenza rusa; en la Navidad del año pasado, recorrió las calles de Petrogrado una procesión grotesca, en la que los fundadores de las religiones, Cristo entre ellos, iban personificados con mamarrachos.

Sabido es que el pueblo ruso era, hasta hace poco, uno de los más creyentes de la tierra. Sus jefes, al realizar el cambio de las instituciones, no debieron descuajar en él groseramente el sentido religioso de la vida, sino hacer en él una especie de depuración espiritual, limpiando el culto de superstición, elevando el cristianismo del mujik.

Pero esos jefes, en el aspecto político, han hecho dar a su raza el salto mortal sobre el abismo, cambiando el zarismo brutal, por la dictadura bolchevique, brutal también. La raza sin matices que es la eslava, dio también el salto trágico del misticismo más agudo a la impiedad más cínica. El contagio viene, pues, de la estepa; y como la nuestra también es una raza sin matices –eso que da la cultura exquisita– el caso se reproduce con semejanza muy próxima.

CONSERVANTISMO [SIC] Y JACOBINSIMO

Es grato leer en el libro de un pedagogo norteamericano de tantos quilates como el Rector de la Universidad de Columbia, un elogio de la religión como parte integrante de la educación y también como elemento propicio para la solidez de un pueblo. He leído eso con cierto estupor, porque en nuestra América del Sur el liberal es casi siempre un jacobino.

---

[3] Gabriela Mistral, "Cristianismo con sentido social," *La Nueva Democracia* (junio 1924), citado en "Prosa Religiosa," *Gabriela Mistral*, consultado el 2 de abril de 2013, http://www.gabrielamistral.uchile.cl/prosa/cristsoc.html

El jacobino podría definirse así: es el hombre de una cultura mediocre o inferior, sin ojo fino para las cosas del espíritu, el "denso". No ha advertido que la religión es uno de los aspectos de la cultura y que ha contribuido a la purificación del alma popular. Así, él rechaza lo religioso como factor de educación individual lo rechaza de igual modo, como factor social; confunde, el muy burdo, religión con superstición, lo cual es algo parecido a confundir los marionettes con la tragedia griega.

Errores del cristianismo latinoamericano

Pero si el pueblo ruso, y con él los nuestros, el mejicano o el chileno, han abandonado con tanta facilidad la fe de sus mayores dejándose convencer por sus violentos "leaders", hay que pensar, con la más infantil de las lógicas, que se les han presentado razones de un enorme poder convincente. No se arranca con esa facilidad una vieja fe, que ha nutrido a tantas generaciones, ni se destiñe ante una masa con esta rapidez una institución de excelencias poderosas.

El deber del cristiano es, en este caso, no lanzar apóstrofes iracundos y desesperados, sino hacer un análisis agudo, como el que se hace después de una derrota, para ver en qué ha consistido la fragilidad de un sentimiento que creíamos eterno.

Yo, que he anclado en el catolicismo, después de años de duda, me he puesto a hacer este buceo, con un corazón dolorido, por lo que mi fe pierde, pero a la vez con una mente lúcida, deseando, más que condenar, comprender el proceso.

Lo que he visto es esto: nuestro cristianismo, al revés del anglosajón, se divorció de la cuestión social, la ha desdeñado, cuando menos, y ha tenido paralizado o muerto el sentido de la justicia, hasta que este sentido nació en otros y le ha arrebatado a sus gentes.

Una fe que nació milagrosamente entre la plebe, que sólo con lentitud fue conquistando a los poderosos, estaba destinada a no olvidar nunca ese nacimiento. Pero a la vez de respetar esta tradición popular, tenía el deber de mirar que, fuera de su origen, la llamada plebe, que yo llamo el pueblo maravilloso, es, por su vastedad, el único suelo que la mantendría inmensa, haciéndola reinar sobre millares de almas. Las otras clases, por selectas que sean, le dan un pobre sustento, y toda religión ha aspirado siempre al número, lo mismo que toda política. Pues bien, ni por tradición ni por cálculo sagaz, nuestro cristianismo ha sabido ser leal con los humildes.

Aspectos de la religión

Yo sé muy bien que no es la ayuda social la forma más alta de una religión, sé que Santa Teresa, la mística, es una expresión religiosa más alta que una sociedad de beneficencia católica y que San Agustín es mayor que San Vicente de Paul, porque la santa y el enorme teólogo recibieron lo más alto: el mensaje divino dentro de la carne. Pero a las cumbres de la religión, como a los Himalayas de la geografía, no asciende sino un puñado de hombres.

La fe de Cristo fue, entre la plebe romana, y sigue siéndolo para el pueblo hoy, una doctrina de igualdad entre los humanos, es decir, una norma de vida colectiva, una política (ennoblezcamos alguna vez la palabra manchada). Tal aspecto de la religión, el que más importaba a las masas, no se hizo verdad entre nuestros países. La acción social católica en la Argentina es ya intensa: en Chile hace cosa estimable, pero no lo suficiente todavía, y en otros países, que prefiero callar, no existe.

El pueblo trabajador se ha visto abandonado a su suerte, en una servidumbre sencillamente medioeval y ha acabado por hacer este divorcio entre religión y justicia humana. Han ido hacia él los agitadores a declararle que el cristianismo es una especie de canto de sirenas con el cual se quiere adormecer sus ímpetus para las reivindicaciones; los "leaders" le han asegurado que la búsqueda del reino de los cielos es incompatible con la creación de un reino de la tierra, es decir, del bienestar económico.

El pueblo no es heroico, es decir, no es la carne de sacrificio que han sido sólo los hombres sublimes; y no debía esperarse de él que, ante la elección, optara por el otro...

Los malos pastores le han dicho que no hay entre las dos cosas alianza posible, y el pueblo se ha ido con los que prometen pan y techo para los hijos.

Todavía es posible la reconquista

No podemos perder tantas almas, pues por mucho que valieran las nuestras, Dios no nos perdonaría el abandono de las multitudes que son casi el mundo. El catolicismo tiene que hacer la reconquista de lo que, por desidia o egoísmo, ha enajenado, y esto será posible si los católicos demostramos que, en verdad, somos capaces de renunciación, o sea, capaces de la esencia misma de nuestra doctrina.

No bastan las pequeñas concesiones hechas hasta ahora. Lo que la Bélgica católica realiza en favor de sus obreros y campesinos, significa un programa enorme y los que lo conocemos, sentimos vergüenza; lo que hacen los católicos alemanes en este momento es también una cosa heroica y que, en nuestros países, parecería de radicalismo alarmante.

Hay que prepararse a una acción semejante, resignándose a la pérdida de muchos privilegios que nosotros llamamos ladinamente derechos...

El hambre de justicia despertada en el pueblo no se aplaca con una mesa estrecha de concesiones; el pueblo, además, sabe que conseguirá reformas esenciales con la prescindencia nuestra, y su actitud no es ya la de la imploración temblorosa. Tenemos que habituarnos al nuevo acento de las masas populares; hiere los viejos oídos, un poco femeninos de puro delicados, mas tienen que oír esos oídos.

Cristianismo estético o diletantismo religioso

Todo el bien que hoy día puede hacerse al catolicismo y al cristianismo en general, es un sacrificio de intereses materiales. O se da eso, o se declara lealmente que la doctrina de Cristo la aceptamos sólo como una lectura bella, en el Evangelio, o como una filosofía trascendente que eleva la dignidad humana, pero que no es para nosotros una religión, es decir, una conducta para la vida.

Si somos dilettanti de la Escritura, recitadores estéticos de una parábola, por su sabor griego de belleza pura, es bueno confesar nuestro epicureísmo; nos quedaremos entre los comentadores literarios o filosóficos de la religión.

Si somos lo otro, los cristianos totales del Evangelio total iremos hacia el pueblo. Ordenaremos un poco sus confusos anhelos sobre reformas de nuestro sistema económico y, mezclados con ellos, hemos de discutir primero y conceder en seguida.

A los egoístas más empedernidos será bueno decirles que, con nosotros o sin nosotros, el pueblo hará sus reformas, y que ha de salir, en el último caso, lo que estamos viendo: la democracia jacobina, horrible como una Euménide y brutal como una horda tártara. Elijamos camino.

CUARTO DOCUMENTO
Justificar la presencia

Introducción

El presbiteriano John A. Mackay fue uno de los líderes más respetados en su tiempo tanto en los Estados Unidos como en América Latina. En los Estados Unidos, cuando escribió el documento que sigue, era presidente del Seminario Teológico de Princeton, una de las escuelas teológicas más prestigiosas del país. En América Latina se le respetaba por ser un misionero que verdaderamente se había ocupado de tratar de entender y apreciar las culturas de la tierra en que trabajaba. En Lima se rodeó de un círculo que incluía a algunos de los más distinguidos intelectuales de la nación. Hizo amistad y mantuvo correspondencia con Miguel de Unamuno, rector de la Universidad de Salamanca, generalmente reconocido como el principal filósofo y una de las figuras literarias más importantes de España en ese tiempo. El libro de Mackay *El otro Cristo español* fue recibido por muchas personas en América Latina como un análisis profundo y correcto de la religiosidad latinoamericana. En el campo de las misiones en general, presidió la Junta Presbiteriana de Misiones Extranjeras desde 1944 hasta 1951 –es decir, llegó a ese cargo cinco años después de la jubilación de Speer (véase el capítulo 6, "Raza y misión"). Fue una de las figuras cimeras en la búsqueda de la unidad entre los cristianos. Como tal, participó de varias conferencias mundiales que llevaron a la fundación tanto del Consejo Mundial de Iglesias como del Consejo Internacional Misionero.

Es importante recordar todo esto al leer este cuarto documento, pues en ella encontraremos algunos juicios acerca del catolicismo romano y de lo que él llama "el espíritu ibérico", que de otro modo podrían llevarnos a la conclusión de que Mackay fue un hombre de mente estrecha y de prejuicios anticatólicos injustificables. Por ello este documento nos ayuda a entender la mentalidad tanto de los protestantes como de los católicos en América Latina a mediados del siglo 20. Aquí tenemos un ejemplo de lo que entonces parecía ser un pensamiento de avanzada. Como hemos visto en el texto de Gabriela Mistral, había católicos que concordaban con mucho de lo que Mackay decía acerca del catolicismo y de su influencia.

Al leer este documento, debemos tener en cuenta ante todo quiénes formaban parte de la audiencia a la cual se dirigía. Si el lector era un protestante en América Latina, ¿cómo vería el juicio que Mackay hacía acerca de su tierra y cultura? Si era un protestante norteamericano, ¿qué le diría este escrito que tenía que entender? Si eran lectores en los Estados Unidos, particularmente aquellos que definían la política del país hacia América Latina, ¿cuál sería el propósito de Mackay al escribir estas líneas?

Al igual que Speer, Mackay apuntaba hacia un problema, pero no se trataba del mismo problema. ¿Cuál sería la preocupación específica de Mackay? ¿A quién culpaba por lo que lamentaba?

¿Qué temores abrigaba Mackay acerca de lo que los católicos estaban haciendo para influir sobre las políticas internacionales de los Estados Unidos? ¿Cuál era su respuesta ante tales actividades? ¿Qué esperaba que hicieran sus lectores?

¿Qué nos dice esto acerca de las relaciones entre católicos y protestantes durante la Segunda Guerra Mundial, tanto en América Latina como en los Estados Unidos?

Es útil comparar este escrito con el documento de Speer. ¿En qué se asemejaban o diferían sus actitudes hacia América Latina? Si un latinoamericano de aquellos tiempos leyera ambos documentos, ¿reaccionaría igual ante ambos, o no?

Texto[4]

No es con espíritu sectario o de amargura que afirmo que hay en la Iglesia Católica Romana una intolerancia inherente. Quizás los mismos católicos estén dispuestos a confesarlo. Nos rechazan como dignos representantes de la religión cristiana y se comprometen dondequiera sea posible a impedir y obstaculizar la expresión del protestantismo en el mundo. En tiempos normales nadie le prestaría mucha atención a tal intolerancia, y manifestarla tampoco serviría los intereses de la Iglesia Católica Romana. Pero las condiciones de tiempos de guerra han cambiado toda la situación. Aprovechando el hecho de que al presente una de las principales dimensiones de la política norteamericana es buscar relaciones más estrechas con las hermanas repúblicas del sur, la Iglesia Católica Romana tiene especial interés en afirmar lo que no es sino una mentira. La mentira es que las relaciones interamericanas se perjudican por razón de la presencia de misioneros protestantes en América Latina. Lo que es más, hay pruebas abundantes de que no se están escatimando esfuerzos para convencer al público norteamericano de que tal es el caso y para convencer al gobierno en Washington de que ponerles fin a las misiones protestantes en América Latina sería provechoso para los intereses norteamericanos.

---

[4] John Mackay, *The Validity of Protestant Missions in Latin America*, September 26, 1942, Annual Meeting of the Committee on Cooperation in Latin America, National Council of the Churches of Christ in the United States of America, Division of Overseas Ministries Records, 1914-1972, NCC RG, box 44, folder 8, Presbyterian Historical Society, Philadelphia, PA.

El modo en que este asunto sale a la superficie al presente indica que es apropiado que lo tomemos en cuenta aquí. Debo dejar claro que mi propósito al discutir el tema no es convencernos de que la obra misionera protestante en América Latina es válida. De ello no creo que haya duda ninguna. Toda persona cristiana de mente abierta que visite esas tierras quedará convencida. No estamos tratando de convencer a la Iglesia Católica Romana de que las misiones protestantes en América Latina sean válidas... Lo que queremos hacer es sencillamente: primero, aclarar nuestro propio pensamiento, cristalizar en nuestras propias mentes qué fundamentos hay para nuestra convicción y compromiso con esta gran obra; y, en segundo lugar, clarificando nuestros propios pensamientos, buscar los medios de justificar esa obra ante las personas de mente abierta en los Estados Unidos, ya sean cristianas o no. Estoy bosquejando lo que creo ser el cimiento o los pilares que constituyen la validez de la labor protestante en el continente del sur, tal como analizo la situación. Esos fundamentos son seis:

1. *El imperativo cristiano.* Ese imperativo nos inspira tanto cuando se aplica a la América Latina como cuando se relaciona con cualquier otra parte del mundo. ¿En qué consiste el imperativo misionero? Es un imperativo en el que la persona se siente obligada a promover una idea o a representar una causa, a ser como un cruzado porque cree que lo que tiene es de gran importancia para los demás. Esa persona se siente movida por lo que el profesor Hocking llama "un impulso cósmico". Sin ese impulso cósmico, si no cree que lo que presenta y promueve tiene importancia cósmica, una persona no puede ser verdaderamente misionera.

¿Qué significa ser impulsado por un imperativo misionero evangélico? Ese imperativo surge de la creencia de que el evangelio es de importancia cósmica, y que las buenas nuevas que hay para la humanidad tienen también tal importancia. La buena nueva es que todo ser humano tiene el privilegio, si sigue el camino que Dios ha trazado, de relacionarse con el Dios sirviente mediante Jesucristo, y que viniendo a ser persona nueva a través de Jesucristo puede tener una transformación completamente de carácter para llegar a ser un alma y cumplir la visión del ser humano que Dios tiene. Pero en el evangelio hay más que eso; los protestantes hemos sido demasiado individualistas. También es de importancia suprema el hecho mismo de la comunidad, de la iglesia, del compañerismo, de la comunidad de Cristo, del cuerpo de Cristo, pues es como miembro de ese cuerpo que el individuo transformado puede recibir orientación y alimento de tal modo que pueda desarrollarse para llegar a cumplir la función que le ha sido dada. En el evangelio correctamente entendido, hay una personalidad que es como la de Cristo, pero también hay una sociedad que como Cristo cumple su destino en la historia. Como cristianos protestantes, nos mueve el impulso cósmico de una gran comisión para proclamar el evangelio como salvar al ser humano, y edificar la iglesia de Cristo tanto en América Latina como en cualquier otro lugar.

2. *La incapacidad de la Iglesia Católica Romana en su acercamiento a la América hispana*. Este es nuestro segundo cimiento o pilar. Aunque creo personalmente que la Iglesia Católica Romana deja mucho que desear, no soy intolerante hacia ella, ni creo tampoco ser sectario. Nos gloriamos en la santidad que hay tanto hoy como en el pasado dentro de la Iglesia Católica Romana. Conozco hoy a santos dentro de ella. Pero ni en el pasado ni hoy la Iglesia Católica Romana ha representado dignamente la plenitud del evangelio cristiano que tiene que ser proclamado. Mientras la iglesia romana ha tenido éxito a través de las edades en hacer muchas cosas maravillosas y ha producido buen número de santos, sin embargo no ha logrado ni logra todavía llevar a sus seguidores a una relación personal y viva con Jesucristo. La iglesia romana se interesa en el desarrollo espiritual de ciertos individuos y no se preocupa si la masa de la población solamente le da un asentimiento pro forma a la doctrina católica romana o está dispuesta a seguir los mandatos de la iglesia...

Hace poco un distinguido filósofo romano, un verdadero santo, cuando se le preguntó acerca del catolicismo latinoamericano, dijo: "Eso no es catolicismo". Algunos de nosotros hemos estado diciendo esto por largos años, y algunos eminentes autores latinoamericanos también lo han dicho abiertamente. En España y en la historia latinoamericana no solo el cristianismo, sino también el catolicismo como tal han sido descristianizados debido a la enorme confianza en sí mismo que es parte natural del espíritu ibérico. La manifestación hispana del cristianismo ha sido una manifestación desnaturalizada. En ningún otro lugar del mundo ha habido un entendimiento más inadecuado de Jesucristo. Esto es crucial. Es posible juzgar la verdad de cualquier expresión del cristianismo por el lugar que Jesucristo tiene en ella. Aquellos de nosotros que conocemos la América Latina sabemos que Jesucristo como Señor resucitado no se encuentra al centro del cristianismo en ese continente.

3. *El carácter único del problema espiritual hispano.* ¿Qué es eso que llamamos el alma hispana, y en qué consisten su naturaleza y expresión? Creo que es cierto tanto étnica como antropológicamente que la expresión más poderosa de la naturaleza humana primitiva y sin bruñir en toda la historia ha sido el espíritu ibérico. En ningún estudio antropológico que se haya hecho se ha encontrado algo que lo sobrepase en su desnuda arrogancia. Es tan poderoso que nunca se le ha dominado, tan fuerte que nunca ha podido subyugarle fuerza espiritual, ética o sistema de valores alguno.

4. *La actitud de la América hispana hacia el cristianismo evangélico.* ¿Será cierto que todos quieren echarnos de la región? ¿Somos una amenaza a las relaciones hispanas? Véanse los distintos tipos de obra que han llevado a cabo los misioneros de la iglesia protestante. ¿Será cierto que nos maldicen y quieren no vernos más? Es posible mencionar toda suerte de ejemplos que muestran que los misioneros han venido a ser las personas más amadas dentro de sus propias comunidades... ¿Qué quería decir Juárez al declarar: "Ah, si el protestantismo pudiera mexicanizarse"?

5. *Los derechos jurídicos del cristianismo protestante.* Tenemos cierto lugar en la sociedad organizada. La iglesia protestante tiene ciertos derechos jurídicos. Si se ha de poner en duda nuestro derecho jurídico, afirmaremos lo que no sería ne-

cesario decir. Tenemos el derecho bajo las leyes de los Estados Unidos a propagar lo que creemos ser de gran importancia, de importancia cósmica... El gobierno de los Estados Unidos no nos puede privar de ese derecho.

6. *La presencia de las iglesias protestantes en América Latina.* La obra evangélica a través de los años ha sido tan exitosa que ahora hay grandes grupos evangélicos en diversas regiones, y todos son nuestros hermanos. Debemos interesarnos en ellos porque son nuestros hermanos. ¿Quién se atreverá a separarles de nosotros? Estamos unidos en los vínculos de Cristo, en la familia ecuménica de Dios. Debemos estar a su lado...

Debemos asegurarnos que no se engañe al pueblo norteamericano en este tiempo de crisis.

QUINTO DOCUMENTO
No todos somos católicos

Introducción

Como se dice en la introducción al presente capítulo, Gonzalo Báez Camargo fue figura cimera de la élite intelectual mexicana, y su obra logró mucho en pro del prestigio y la aceptación del protestantismo –o al menos de algunos de sus principios fundamentales– entre esa élite. Durante años sus editoriales abiertamente protestantes en el diario *El Excélsior* eran ampliamente distribuidos y leídos tanto por protestantes como por católicos. Muchos católicos liberales encontraban aliento en sus palabras y frecuentemente las empleaban en sus llamados a la reforma de su propia iglesia. Báez Camargo representaba una inteligencia protestante que iba surgiendo y que estaba en diálogo constante con los católicos liberales así como con las principales figuras literarias y filosóficas de América Latina –entre ellas, Gabriela Mistral, autora de otra fuente en el presente capítulo. Cuando Báez Camargo describía el catolicismo latinoamericano y distinguía entre sus diversas variedades, mucho de lo que decía sería reafirmado por los católicos liberales.

Por esa razón, al leer el presente documento es bueno tener en mente también el de Gabriela Mistral y considerar en qué concuerdan y en qué no. También se le puede comparar con las opiniones de Speer en el capítulo 6, "Raza y misión", y la de Mackay en "Justificar la presencia".

¿Cómo describía Báez Camargo el cristianismo latinoamericano? ¿Cómo relacionaba las clases sociales con las diversas formas de catolicismo? ¿Cuál de ellas era de su preferencia? ¿Cuáles eran las principales faltas o debilidades del catolicismo en América Latina? ¿Sería su escrito mera propaganda protestante, o sería algo más que eso? ¿Por qué los católicos romanos liberales verían en él un aliado?

Nótese lo que Báez Camargo pensaba acerca del dogmatismo católico y cómo lo relacionaba con la revolución mexicana y con el creciente abandono de la iglesia católica por parte de las masas. Compárese esto con lo que dice Gabriela Mistral. En otras palabras, es bueno considerar hasta qué punto este documento es propaganda protestante, y hasta qué punto es una descripción justa de lo estaba ocurriendo.

Si usted fuera el arzobispo católico de México al publicarse este artículo, ¿cuál sería su respuesta?

Texto[5]

Hispanoamérica pasa por ser, a la mirada del no-observador o el observador distraído, profunda y totalmente católica. Nuestros profesionales del lugar común y de la frase hecha, y los declamadores líricos de un latinoamericanismo retardatario, quisieran demostrar que los hispanoamericanos somos inevitablemente católicos por nacimiento, por tradición y por latitud, o que debiéramos serlo, a falta de más y mejores razones, por simple afinidad de sangre, de rutina y de solidaridad con nuestro medio. Una mirada atenta, sin embargo, nos descubre, a poco ahondar, la complejidad del fenómeno religiosa de Hispanoamérica, ...

---

[5] Gonzalo Báez Camargo, *Hacia la renovación religiosa en Hispano-América*, Casa Unida de Publicaciones, Ciudad de México, 1930, pp. 9-13, 14-15, 17.

Las masas practican una religión extraña que quiere ser católica del tipo tradicional, pero en la que realmente se involucran con brumosas ideas cristianas, conceptos paganos y prácticas fetichistas. Por lo que toca a la aristocracia y a los "católicos ilustrados", profesan la religión por conveniencia social, como timbre de distinción, como algo indispensable para dar mayor suntuosidad y notoriedad a las grandes ocasiones de la vida: bautizo, primera comunión, matrimonio, defunción … Merced a su influencia y su dinero, la religión se les torna plegadiza y adaptable, no les impone deberes ni renunciaciones que no sea posible suavizar y adornar con el sello de la elegancia. Su actitud, a pesar de lo inconfesada, es a fondo la del pulcro filósofo Séneca cuando escribía acerca de la adoración de los dioses: "No hay que olvidar nunca, que la adoración que les rendimos es más bien cuestión de buenas maneras que de lo que ellos valgan en sí." Y si vamos a las clases medias, nos encontraremos con un término medio y descolorido entre la crudeza del culto popular y la idolatría discreta y chic de las clases altas.

Adviértese por doquiera un trágico estupor en las conciencias, una quietud cadavérica en las mentes y una parálisis mortal en las voluntades. Las multitudes católicas viran constantemente su entusiasmo religioso hacia el hedonismo práctico de las festividades y las rispideces del fanatismo. Para exaltar su fervor, necesitan apelar a los sedimentos subconscientes del odio hacia los que no piensan como ellos. Sus avivamientos religiosos se abaten y reducen generalmente hasta el nivel de simples explosiones de intolerancia o de estéril sentimentalidad...

Por lo que hace a la moral, hemos vivido y seguimos viviendo en un pagano divorcio entre el rito y la conducta. La religión se aprueba y se practica como sistema de formas externas, pero no invade las esferas de la vida como inspiración de la conducta individual y social. Una de las más dolorosas realidades de nuestro medio, es la cómoda hermandad de la fidelidad al rito, en que el pueblo hace consistir la verdadera religiosidad, con la blasfemia y la impiedad. Hasta la caridad se prostituye el tornarse en gesto calculado y displicente, fórmula de publicidad y pasajera incensación de un egoísmo vanidoso.

...

Y si tal es el panorama en los dominios de la Iglesia tradicional, ¿acaso es más halagador en las muchedumbres, que a muchedumbres llegan ya, que han desvinculado sus conciencias, franca o subrepticiamente, del redil romano? ...

Difícil como es un sondeo de las causas de tal orden de cosas, resaltan, sin embargo, a primera vista las más prominentes.

Un dogmatismo sin resquicios para el ejercicio del pensamiento individual; un dogmatismo con respuestas en conserva y frecuentemente en descomposición, para toda hambre espiritual; un dogmatismo para el cual la libertad de pensamiento, la función de la conciencia propia, resultan, más que inútiles, peligrosos, tenía que terminar por enflaquecer y anquilosar la constitución espiritual de nuestros pueblos. El eclesiasticismo, colocándose tenazmente entre el alma y su Dios, acabó por hacer de este Dios una entidad remota, y por extinguir en las almas el anhelo de una comunicación directa con la Divinidad...

...

Otra de las causas es el retraimiento de la Iglesia de las necesidades sociales y espirituales de nuestros pueblos. Poco a poco, en la evolución humana, han llegado a ser estas necesidades de un carácter avasallador y urgente. Al trabajador hambriento de un orden social más justo, la Iglesia quiso acallarlo y conformarlo con la predicación de un mundo mejor después de la muerte, y de la paciencia para soportar sin protesta y sin afán de mejoramiento, las injusticias y sufrimiento que ella consideró inherentes a esta vida fugaz y engañosa, pero que en gran parte no son sino el resultado de la actuación egoísta y cruel de los hombres mismos. La Iglesia interpretó el Reino de los Cielos como un estado de bienaventuranza en el más allá, y no como el reinado de la caridad, de la fraternidad y de la justicia en este mismo mundo terreno en que vivimos. Y mientras predicaba a los infelices y oprimidos la resignación y la esperanza, se olvidó de predicar la justicia y el amor a los amos despiadados y a los capitalistas negreros, y no hizo nada efectivo para mejorar la situación social y para dirigir una sabia evolución hacia la liberación de las masas esclavizadas.

Entonces sucedió lo inevitable: vino la revolución con sus relámpagos vindicadores, a despertar al oprimido y a reformar, de manera casi siempre violenta, el orden establecido. La iglesia se asustó, entonces, y ella, que había permanecido al margen de las necesidades sociales de los pueblos confiados a su custodia y dirección, temió que al derribarse la caduca estructura de la vieja sociedad feudal, ésta, con la cual tenía vínculos estrechos, la arrastrara en su ruina. De ahí provino su segunda equivocación: se alió con el viejo orden de cosas, quiso apuntalarlo con sus prédicas y su influencia; invocó en su favor todos los recursos eclesiásticos. Todo ha sido inútil. La transformación social, primero descuidada y después hostilizada por la Iglesia, se ha seguido operando, obedeciendo a la ley inalterable de las grandes necesidades históricas. Como resultado natural, las grandes masas trabajadoras tienden a desvincularse más de la Iglesia.

...

... una cultura religiosa apropiada, menos dogmatismo, menos eclesiasticismo, más oportunidad para el pensamiento y la iniciativa individuales, más compresión para las necesidades sociales, habrían hecho de nuestra América un campo infecundo para la irreligiosidad y el fanatismo.

SEXTO DOCUMENTO

La Violencia

Introducción

El conflicto político entre liberales y conservadores, siempre presente en la mayoría de las naciones latinoamericanas desde su nacimiento, fue particularmente virulento y prolongado en Colombia. Una serie de motines en Bogotá en 1948 llevó a un período de quince años al que los colombianos llaman "la Violencia". Durante ese tiempo los conservadores gobernaron con mano dura, y la supresión del liberalismo tomó un giro violento –frecuentemente a manos de la policía y los militares, que generalmente tenían carta blanca en cuanto a cómo tratar a los liberales reales o presuntos. Puesto que la jerarquía católica romana por largo tiempo se había alineado con el bando de los conservadores, generalmente apoyó esa violencia, o al menos se desentendió de ella, y también se ocupó de que se dirigiera contra los protestantes –que en todo caso eran mayormente liberales.

Como James Goff afirma en este documento, esto alarmó a las agencias misioneras en el extranjero, particularmente a la Junta Presbiteriana de Misiones Extranjeras en los Estados Unidos. Tales agencias tomaron medidas para que se investigara la agresión contra los protestantes y se hicieran circular los resultados de tal investigación. Goff dedicó muchos años de viajes e investigación a esa tarea.

El documento que presentamos aquí fue escrito en 1961, cuando ya la violencia había amainado. Durante el resto de esa década, en parte debido al nuevo espíritu del Segundo Concilio Vaticano, y en parte debido a la convicción de los colombianos mismos, que ya bastaba de violencia, la situación continuó mejorando.

Al leer este documento será útil tener en cuenta la relación que se ve entre las diferencias y los conflictos políticos y los religiosos. Nótese la relación que parece haber entre la jerarquía católica y el partido conservador. ¿Qué ganaba cada uno de estos dos grupos de su relación con el otro? ¿Por qué sería que el gobierno colombiano y el Vaticano concordaban en las políticas a que se refiere Goff? ¿En qué modo sería el protestantismo una amenaza para el gobierno, para la Iglesia Católica, o para la nación misma y su cultura? ¿De qué se acusaba al protestantismo? ¿Cómo refleja el catolicismo que aquí se describe actitudes semejantes a las que expresó mucho antes el arzobispo de Lima (véase "El arzobispo se queja")? ¿Por qué fue necesario que una junta de misiones extranjera impulsara a los protestantes colombianos a documentar y publicar lo que estaba ocurriendo? ¿Qué propósitos y resultados podría tener esto? ¿Por qué sería que la jerarquía católica romana afirmaba que estos informes no circulaban dentro de Colombia?

Compárese este artículo con el de Gabriela Mistral. Compárense las actitudes del liderazgo católico a que ella se refería un tercio de siglo antes con las que se describen en este documento. Compárese también todo esto con lo que dicen Speer ("Raza y misión") y Mackay ("Justificar la presencia"). ¿De qué maneras Goff confirma o contradice lo que decían ellos acerca del catolicismo latinoamericano?

Texto[6]

No cabe duda de que los historiadores estarán ya listos a declarar que la violenta persecución religiosa contra los protestantes colombianos terminó con el cambio de gobierno en 1958. Pero lo cierto es que la persecución continúa con menos intensidad, y que existe el grave peligro de que haga erupción otra vez más en sus formas más violentas. Esto se debe a que las causas subyacentes de la persecución nunca se han eliminado. Bajo la superficie, en espera de un cambio en el clima político, hay presiones y odio hacia los protestantes, y una serie de acciones seudolegales por parte del gobierno colombiano que bien podrían producir otro baño en sangre para el pueblo de Dios.

Trece años de persecución religiosa en Colombia han resultado en el saldo atroz de 116 cristianos protestantes martirizados por su fe, 66 iglesias y capillas protestantes destruidas mediante el fuego o la dinamita, y más de 200 escuelas protestantes clausuradas. ¿Se olvidará pronto la cristiandad de tales atrocidades, y tomará las medidas necesarias para garantizar la libertad religiosa de sus ciudadanos? Un cambio de actitud de la jerarquía católica romana, unido a una acción positiva en defensa de la libertad por parte del gobierno colombiano, bien podrían cambiar el cuadro en poco tiempo. Una y otra vez se nos pregunta en los Estados Unidos: "¿Son verdad esas cosas que se cuentan de la persecución en Colombia? ¿Cómo puede ser que

---

[6] James E. Goff, "What's Behind the Persecution in Colombia?" *Latin American Evangelist*, May-June, 1961, pp. 2 - 5. Cortesía de Yale Divinity School Library.

haya todavía una persecución religiosa al estilo medieval en una nación civilizada occidental en el siglo 20?"

La respuesta es sencillamente: "Sí". Veremos rápidamente lo que ha sucedido en Colombia durante los últimos trece años.

El terrorismo político y la violencia brotaron en Colombia en 1947. La jerarquía católica romana, aprovechando esa oportunidad, comenzó una campaña simultánea para sofocar el cristianismo protestante y para aniquilarlo doquiera fuera posible.

Desconcertados, y convencidos de que el gobierno nacional les protegería, los protestantes se quejaron repetidamente y solicitaron ayuda, pero sin resultado alguno. Pronto resultó escandalosamente claro que la Policía Nacional había sido adoctrinada contra el protestantismo, y que los policías mismos eran los principales agentes de persecución.

En 1951, por sugerencia de la Misión Presbiteriana, la Confederación Evangélica de Colombia (CEDEC) ordenó que se hiciera un estudio documentado de la persecución. El Señor Lorentz Emery y yo, ambos bajo la Misión Presbiteriana, fuimos asignados a trabajar a tiempo parcial con la Confederación, y la Junta Presbiteriana de Misiones Extrajeras hizo una apropiación de $1.000 para ayudar con los gastos de la investigación. Viajamos por todo el país, desde el extremo norte de la Península Guajira hasta Popayán, entrevistando a víctimas y testigos oculares de la persecución y visitando escenas de violencia. Según fue avanzando la investigación, comenzó a desplegarse ante nuestros ojos una terrible gama de atrocidades cometidas contra los cristianos protestantes. Estas tomaban la forma de crímenes contra los derechos personales, religiosos, políticos y educativos de los ciudadanos colombianos. En otra parte de este artículo se incluye una lista de las 24 formas principales de persecución que descubrimos.

Los cristianos en Colombia, al ver la creciente gravedad de los informes de nuestra investigación, llegaron al convencimiento que no podían permanecer callados. En 1952 la Confederación Evangélica autorizó la publicación de comunicados de prensa acerca de la persecución cada vez que alguna tenía lugar.

A partir de entonces, se han publicado 67 boletines, además de un número de comunicados de prensa especiales. Se han enviado a los editores, corresponsales y agencias noticiosas, así como al Vaticano, al gobierno colombiano, al gobierno estadounidense, a las Naciones Unidas, a la Organización de Estados Americanos, a la Unión Panamericana y a las principales denominaciones religiosas.

Según avanzaban las investigaciones, surgieron varias preguntas que exigían respuesta: ¿Cuáles son las verdaderas raíces de la persecución antiprotestante? ¿Por qué es que los colombianos parecen pecar en este sentido más que cualquier otra nación en el mundo? Y pronto nuestra investigación empezó a dar respuestas.

Las raíces de la persecución se hunden profundamente en la historia colombiana. El espacio no nos permite aquí dar una exposición completa de muchos de esos factores, pero al menos diremos algo acerca de los principales. Entre las causas de la persecución estaban las siguientes:

- El dominio del clero sobre el gobierno conservador que rigió en Colombia desde 1946 hasta 1958

- La determinación por parte de la jerarquía católica romana de extirpar el cristianismo protestante

- La naturaleza peculiar del catolicismo colombiano, que es la más pura imagen del catolicismo español medieval en el siglo 20

- Las peligrosas aseveraciones que el clero católico romano hace en contra de los protestantes, especialmente la de que "están destruyendo nuestra unidad nacional", y la de que "están introduciendo el comunismo"

- El adoctrinamiento de la Fuerza Policíaca Nacional por parte del clero romano para que destruyera el avance del protestantismo y lo expulsara de Colombia

- Una campaña fundamental de odio contra el protestantismo llevada a cabo por el clero católico, que creó sospechas y odio entre el pueblo y a la postre resultó en acciones de violencia y de cruel discriminación.

Pero por importantes que hayan sido esas causas, y tristes que hayan sido los resultados que alcanzaron, quedan todavía tres acciones oficiales y semioficiales por parte del gobierno colombiano que resultan aún más serias, pues proveen un fundamento "legal" y una sanción de la persecución. Estas son:

- El Concordato –un antiguo tratado que resultó de negociaciones entre el gobierno y el Vaticano, y que le da status y poderes oficiales a la iglesia romana

- El Tratado de Misiones, que le concedió al catolicismo romano el derecho exclusivo de propagar las enseñanzas religiosas en la inmensa mayoría del territorio colombiano

- Las "Ordenes Circulares", una acción ejecutiva que limita severamente la libertad de asamblea de los protestantes.

Estas tres causas –el Concordato, el Tratado de Misiones y las Ordenes Circulares– son tan importantes como base de la persecución que bien vale la pena describirlas con más detalle. Si la persecución violenta vuelve a Colombia –y esa posibilidad siempre existe– será debido a que estas tres acciones del gobierno le darán cierta "legalidad".

El Concordato. En 1887 el presidente Rafael Núñez y el papa León XIII negociaron un concordato que le da a la Iglesia Católica Romana extensos privilegios. El primer artículo del Concordato, que fue parte de la constitución del país de 1886 a 1936, muestra la naturaleza del documento:

"La Religión católica, apostólica, romana es la de Colombia; los Poderes públicos la reconocen como elemento esencial del orden social, y se obligan á protegerla y á hacerla respetar, lo mismo que á sus Ministros, conservándola á la vez en el pleno goce de sus derechos y prerrogativas."[7]

_____

[7] Joaquín Girón y Arcas, *La situación de la iglesia católica en los diversos estados de Europa y de América*, Librería General de Victoriano Suárez, Madrid, 1905, p. 340.

Sobre la base inicial de esta carta blanca acerca de la autoridad de la iglesia, el Concordato continúa diciendo que la educación pública, desde los grados elementales hasta la universidad, ha de ser organizada y dirigida de acuerdo a los dogmas y la moral de la Iglesia Católica. En todos los niveles de educación se requiere la instrucción religiosa en la fe católica, y en las escuelas han de observarse todas las prácticas pías del catolicismo. Se le da al arzobispo de Bogotá el derecho de censura sobre todos los libros de estudio, y puede despedir a cualquier profesor o maestro que no esté de acuerdo con el dogma católico.

Sobre la base de un acuerdo suplementario (1892) la administración de los cementerios públicos queda a cargo de la Iglesia Católica. El Concordato también declara que el gobierno y el Vaticano pueden establecer acuerdos con el propósito de evangelizar a las tribus bárbaras. Esto es el fundamento de los Tratados de Misiones de 1902, 1928 y 1953.

El Tratado de Misiones. En 1953, el presidente interino Roberto Urdaneta y el papa Pío XII llegaron a un tratado de misiones que establecía 19 territorios misioneros para la Iglesia Católica que recibían el título oficial de vicariatos y prefecturas apostólicas. El área combinada de estos 19 territorios comprende tres cuartas partes de todo el país. Cada uno de estos 19 territorios está bajo la dirección de una orden religiosa católica. A los colombianos que viven en esos territorios no se les permite educación alguna sino bajo la supervisión de los directores de misiones católicas, la mayoría de los cuales son extranjeros.

Esto proscribe la presencia del protestantismo en los territorios misioneros, donde docenas de escuelas e iglesias protestantes han sido clausuradas. Además, el gobierno promete contribuir sumas anuales para cada misión, hacer contribuciones de tierra para la construcción de edificios, subsidiar la edificación de escuelas católicas, seminarios, orfanatos y hospitales, y además ayudar a los misioneros católicos en toda forma que sea posible.

Ese tratado, que nunca fue sometido a la probación del Congreso como lo que quiere la Constitución, ha de continuar por 25 años.

Las Ordenes Circulares. El Dr. Lucio Pabón Núñez, ministro de gobierno bajo la dictadura militar que duró desde 1953 hasta 1957, proclamó una serie de "órdenes circulares" que limitan el cristianismo protestante de las siguientes maneras: (1) Se les prohíbe a los protestantes tener servicios religiosos o escuelas en los territorios misioneros; (2) en todo el país se les prohíbe cualquier manifestación pública de su fe; y (3) han de notificarles por escrito a las autoridades civiles la hora y lugar de sus reuniones. Aunque los protestantes consideran que estas órdenes son inconstitucionales y por lo tanto carentes de valor, los sacerdotes todavía pueden forzar a las autoridades civiles a observarlas en ciertos lugares. El presente gobierno del Frente Nacional hasta la fecha ha vacilado en cuanto a la anulación de las órdenes circulares.

En todo esto vemos que cuando la violencia no tiene éxito, se pueden emplear para sofocar al protestantismo medios seudolegales tal como las órdenes circulares y el Tratado de Misiones. También se nota que ha sido durante los tiempos de lucha y desorden políticos que tales esfuerzos han tenido lugar y tienen más posibilidades de éxito. Y siempre la supuesta justificación para los ataques contra los protestantes es que sirven como agentes del comunismo, o que destruyen la unidad nacional –ambos cargos claramente falsos.

Durante los primeros cuatro años de la persecución los protestantes no se preocuparon mucho por darla a conocer. En 1952 la Confederación Evangélica se convenció no solo de que el gobierno conservador no remediaría la situación, sino también de que el gobierno mismo era parte de ella. La Confederación autorizó a su Oficina de Información a publicar anuncios de prensa. Los 67 boletines que se han publicado tratan sobre cientos de acciones de persecución. En ellos se presenta la realidad de manera detallada y bien documentada de modo que se pueda facilitar la investigación de cualquier agencia del gobierno que desee confirmar los hechos.

Los portavoces de la iglesia Católica dicen que la Confederación limita estrictamente la circulación de sus informes dentro de Colombia, al tiempo que los distribuye ampliamente en otros lugares. Dicen que la Confederación Evangélica actúa por tanto engañosamente, pues sabe que los colombianos, quienes supuestamente estarán bien informados de lo que sucede en su propio país, rápidamente denunciarán los boletines como falsos y calumniosos.

Tal acusación es falsa. Si el público colombiano no conoce la persecución dentro de su propio país, es porque la jerarquía católica ha logrado suprimir las noticias, pues los boletines de la Confederación se hacen circular ampliamente a la prensa colombiana, al cuerpo diplomático y a los miembros de la jerarquía católica misma. En la lista de envío hay 21 editores de periódicos colombianos y los editores de las revistas noticiosas semanales *Semana* y *Cromos*. Lo mismo es cierto de once corresponsales en Bogotá y de cuatro programas radiales. Durante el Estado de Sitio (1945-1958), los censores del gobierno prohibían la publicación de las noticias acerca de la persecución, y lo hacían por insistencia de la jerarquía. Aquellos editores que se atrevían a incluir alguna noticia de la persecución recibían la ira del obispo y del Comité de Acción Católica diocesano. Entre los colombianos que reciben los boletines se encuentran el Presidente de la República, los trece miembros del gabinete, gobernadores de los 16 departamentos y nueve territorios, el Fiscal General, el Presidente del Senado y el Presidente de la Cámara de Representantes.

Los oficiales católicos romanos que reciben los boletines son el Arzobispo de Bogotá (quien es el primado de la iglesia católica en Colombia), el Nuncio Apostólico y el Secretariado del Episcopado colombiano.

¿Habrá tenido esa publicidad el efecto deseado? La Confederación Evangélica de Colombia cree que sí, y por tanto ha continuado su publicidad con varios propósitos en mente. El primero de ellos es informarle al mundo acerca del modo en que se trata a los protestantes colombianos. El segundo es documentar la persecución para el bien de la historia de la iglesia.

Por último, ha continuado esa publicidad con la esperanza de advertir a los protestantes en otros países acerca de los peligros de un catolicismo político llevado a sus últimas consecuencias.

Aunque el gobierno colombiano y la Iglesia Católica en Colombia consistentemente han negado la existencia de la persecución, la Iglesia Católica en otros lugares, particularmente en los Estados Unidos, ha confesado con cierta cautela que es posible que los protestantes hayan sufrido. La actitud de las iglesias protestantes en el resto del mundo es de profunda preocupación y simpatía, con la sola excepción del Consejo Canadiense de Iglesias, que en 1958 criticó a los colombianos protestantes por ser "demasiado agresivos" en su "proselitismo" en un país que es predominantemente católico.

La persecución en Colombia ha ido acompañada de un crecimiento sorprendente en la iglesia, lo cual sigue de cerca el patrón del Nuevo Testamento de dispersión y testimonio más intenso. En los siete años entre 1953 y 1960, la membresía de la iglesia aumentó por más de dos veces y media, de 11.958 a 33.156. ¡Esto equivale a un crecimiento promedio anual de un 16 por ciento compuesto! El cuerpo de simpatizantes protestantes se estima ser cinco veces más que los bautizados, es decir, unas 165.500 personas. ¿Cómo se compara esto con la población total del país? Sobre la base del estimado del gobierno en 1959, que la población constituye 14 millones de habitantes, los protestantes vienen a ser el 1.17 por ciento de la población de Colombia.

Bajo el gobierno del presidente liberal de Colombia, Dr. Alberto Lleras-Camargo, quien vino a ocupar la presidencia en 1958, Colombia se ha estado tornando hacia la democracia y el gobierno constitucional. La dirección del Dr. Lleras-Camargo se ha extendido a través de los diversos niveles del gobierno, y la violencia, tanto política como religiosa, va disminuyendo.

Pero aunque la persecución religiosa, especialmente en su forma violenta, ha disminuido, sus principales causas todavía permanecen. Hasta tanto el Congreso colombiano no abrogue el Concordato y el Tratado de Misiones, la posición del cristianismo protestante sigue siendo precaria. El gobierno presente, por no estar dominado por el clero romano, está dispuesto a desentenderse de las provisiones restrictivas de estos dos documentos, pero todavía el regreso de un gobierno conservador querrá decir que se aplicarán con renovado vigor.

LA IGLESIA CATÓLICA ANTE LAS NUEVAS CONDICIONES

Introducción

En América Latina, la segunda mitad del siglo 20 fue un período de inestabilidad política y social. Durante la Segunda Guerra Mundial, cuando el conflicto impedía el comercio a través de los océanos Atlántico y Pacífico, los Estados Unidos se vieron forzados a aumentar su comercio con América Latina, y ello a su vez llevó a varios países a un breve período de prosperidad sin precedentes. En contraste, los años de la posguerra frecuentemente fueron un tiempo de estancamiento económico, y a veces de recesión. Aun en los países más prósperos el crecimiento económico no mantuvo el ritmo del crecimiento de la población. Estos factores se conjugaron para crear una situación volátil. El desasosiego que resultaba de todo esto se exacerbaba por otros dos factores: La creciente concentración de la riqueza en unas pocas manos y el atractivo del comunismo. En 1959 la revolución cubana le dio al comunismo un pie de apoyo firme y una posible entrada al resto de América Latina, y pronto sus líderes Fidel Castro y Ernesto "Che" Guevara llegaron a ser figuras icónicas para muchos desde el Río Bravo hasta Tierra del Fuego.

En respuesta a tales condiciones, surgieron los gobiernos de "seguridad nacional", particularmente en las décadas de 1970 y 1980. Normalmente eran dictaduras militares que hacían uso ilimitado de su poder a fin de responder a lo que decían ser la amenaza del comunismo. Millares de personas a quienes tales gobiernos tenían por opositores desaparecieron, y muchos otros fueron encarcelados y torturados. Puesto que estos gobiernos colaboraban entre sí, por primer vez en la historia de América Latina se hizo muy difícil para quienes huían de la persecución encontrar asilo en países vecinos. Con la excepción notable de Jimmy Carter, la mayoría de los presidentes norteamericanos o bien apoyaban abiertamente a tales gobiernos de seguridad nacional, o bien se desentendían de ellos. Todo esto llevó a una creciente polarización entre grupos conservadores y radicales tanto dentro de la iglesia como en la sociedad en general.

En capítulos anteriores hemos visto que siempre existió dentro del catolicismo latinoamericano una tensión entre quienes se preocupaban principalmente por el apoyo y el sostén del orden eclesiástico y de las instituciones existentes y quienes estaban convencidos de que los cristianos debían participar en acciones más radicales en relación a los pobres y los explotados. Ahora esa tensión llegó a la superficie. Por todas partes aparecieron grupos católicos que no sólo se oponían a las políticas de las dictaduras militares, sino que también proponían un cambio radical en el orden social y económico. En 1965, sesenta sacerdotes argentinos fundaron la organización Sacerdotes para el Tercer Mundo. Inmediatamente chocaron con la jerarquía de la iglesia, que no fue capaz de suprimir esta u otras organizaciones radicales. Tres años más tarde surgió en Colombia otro movimiento semejante, y uno de sus sacerdotes, Camilo Torres, se unió a las guerrillas que luchaban contra el orden existente.

Fue en el contexto de ese desasosiego que el Consejo Episcopal Latinoamericano (CELAM) se reunió primero en Bogotá y luego en Medellín, Colombia, en 1968, para la celebración de su Segunda Conferencia General. Aunque tradicionalmente el CELAM había sido bastante conservador, ahora había entre sus miembros quienes pensaban que la iglesia debía mostrarse firme ante la represión política y social que existía. Una visita del papa Pablo VI, quien llegó en un helicóptero militar y por lo tanto parecía apoyar la represión militar, no fue bien recibida por muchos de quienes estaban en Medellín. Por lo tanto los documentos de Medellín, de donde ha sido tomada nuestro primer documento, "Los obispos ante el futuro", buscaban responder a las tensiones sociales existentes reconociendo sus raíces en modos que no hubieran sido posibles unas décadas antes.

El segundo documento, "Una carta de amor a Dios", procede de la pluma del más famoso teólogo latinoamericano del siglo 20, Gustavo Gutiérrez. La publicación de su libro *Teología de la liberación: Perspectivas*, en 1971, trajo a la luz un pensamiento que se venía gestando por algún tiempo, y del cual hay ecos en nuestro primer documento. El material que se incluye aquí ha sido sugerido por el propio Gutiérrez como una buena muestra de su pensamiento.

El tercer documento, "Un regaño oficial", representa la respuesta del Vaticano a la teología de la liberación con el propósito de detenerla por completo, o al menos de hacerla más moderada. Su principal autor, el cardenal Joseph Ratzinger, más tarde llegaría a ser el papa Benedicto XVI. Cuando emitió esta declaración, encabezaba la Congregación para la Doctrina de la Fe, que era la heredera de la Suprema Sagrada Congregación del Santo Oficio, mejor conocida como la inquisición. La respuesta de los principales teólogos de la liberación –entre ellos Gustavo Gutiérrez– fue que, puesto que este documento no describía correctamente la posición de ellos, no se refería a ellos, y por lo tanto no prohibía sus enseñanzas u opiniones.

Al leer el modo en que Ratzinger condenaba la teología de la liberación, muchos fueron de la opinión que su preocupación principal, aún más importante que la influencia marxista, era que la teología de la liberación promovía una participación tal del laicado en la vida de la iglesia que minaba la autoridad de la jerarquía. Esto era particularmente cierto de las comunidades eclesiales de base (frecuentemente conocidas como CEBs), cuyas reuniones, frecuentemente en ausencia de sacerdotes, incluían discusiones acerca de la Biblia y su importancia para las luchas sociales del momento.

El cuarto documento, "¡Que se convierta el Vaticano!", es la respuesta de Leonardo Boff, uno de los teólogos de la liberación más radicales, al documento de Ratzinger, y es indicio de los serios debates y conflictos que estaban teniendo lugar dentro del catolicismo. Como se ve en este documento, y en la historia posterior de Boff, en ocasiones esos conflictos llevaron a críticas contra el Vaticano y en las que se ponía en duda la autoridad del papa.

En cierto modo, la próxima fuente, "Los Magos", representa una de esas CEBs que tanto preocupaban a Ratzinger, aunque en este caso el sacerdote sí está presente. Los participantes son principalmente gente pobre, con la presencia de algún estudiante, en la pequeña comunidad de Solentiname, en una isla cerca de Managua. Poco después de la discusión que aquí se cita, la comunidad de Solentiname fue prácticamente destruida por las fuerzas del gobierno. Cuando la revolución sandinista triunfó, el padre Ernesto Cardenal, el sacerdote en estas conversaciones, formó parte del gobierno.

Esta fuente es también un puente entre las fuentes anteriores y las siguientes. Mientras las primeras son más bien teológicas y proceden de la pluma de personas con buena educación, este cuarto documento consiste de conversaciones que incluyen tanto a un sacerdote instruido como a muchas personas con poca educación formal. Es una indicación de cómo el pueblo común reaccionaba a la teología de la liberación y cómo la interpretaba.

Las próximas dos fuentes son dos retablos. En este contexto se llama "retablos" a pinturas comisionadas por creyentes, generalmente con el propósito de darle gracias a Dios o a alguno de los santos por una intervención milagrosa, tales como el ser sanado o librado de algún peligro, o en otras ocasiones para pedir una intervención milagrosa. Normalmente los retablos incluyen una pintura que de algún modo describe el evento a que se refieren y una explicación escrita de lo que el retablo celebra o pide. Por lo común son bastante pequeños (unos 15 por 25 centímetros), y hoy se los valora como objetos religiosos, pero también como arte popular que nos permite tener un atisbo de la fe del pueblo.

PRIMER DOCUMENTO
Los obispos ante el futuro

Introducción

Lo que sigue es un segmento de uno de los documentos que resultaron de la reunión del CELAM en Medellín. Al leerlo, debemos tener en cuenta las condiciones que se han descrito en la introducción al presente capítulo. En él podemos entrever un poco del modo en que los obispos latinoamericanos empezaban a ver lo que estaba sucediendo en América Latina. En cierta medida coincide con lo que ya hemos dicho en nuestra introducción, y en cierta otra medida difiere de ella. Nótese lo que el documento añade a lo que ya se ha dicho. También vale la pena preguntarse qué querían decir los obispos al referirse a "la falta de la integración socio-cultural".

El documento también se refiere a "una concepción errónea sobre el derecho de propiedad de los medios de producción y sobre la finalidad misma de la economía". ¿De qué manera critica el documento la forma en que normalmente se entiende la propiedad? ¿Qué relación guarda esto con lo que hemos visto antes acerca de la historia de América Latina? Nótese también el modo en que los obispos critican el capitalismo liberal –es decir, un capitalismo que se sujeta sólo a las necesidades del mercado y de la demanda. Nótese por otra parte el modo en que los obispos critican el marxismo. Compárese todo esto con lo que Gabriela Mistral propuso antes. ¿Hasta qué punto están teniendo lugar las reformas que ella propuso, y en qué modo difieren de esa propuesta?

Por último, el documento se refiere a lo que debería ser la actitud de la iglesia y particularmente de los obispos. Nótese que, al tiempo que el documento habla sobre el lugar del laicado en la iglesia, la palabra "obispo" generalmente aparece con mayúscula. ¿Qué querrá decir esto?

Texto[1]

Hechos

Existen muchos estudios sobre la situación del hombre Latinoamericano. El documento de trabajo preparado para la II[a] Conferencia General del Episcopado Latinoamericano, no será ciertamente el último. En todos ellos se describe la miseria que margina a grandes grupos humanos en todos nuestros pueblos. Esa miseria como hecho colectivo, se califica como injusticia que clama al cielo.

Pero, lo que quizás no se ha dicho suficientemente es que los esfuerzos que se han hecho no han sido capaces en general, de asegurar que la justicia sea respetada y realizada en todos los sectores de las respectivas comunidades nacionales. Las familias muchas veces no encuentran posibilidades concretas de educación para sus hijos; la juventud reclama su derecho a ingresar a universidades o centros superiores de perfeccionamiento intelectual o técnico-profesional; la mujer, su igualdad de derecho y de hecho con el hombre; los campesinos, mejores condiciones de vida; o si son productores, mejores precios y seguridad en la comercialización; la creciente clase media se siente afectada por la falta de espectativa [*sic*]. Se ha iniciado un éxodo de profesionales y técnicos a países más desarrollados; los pequeños artesanos e industriales son presionados por intereses mayores y no poco [*sic*] grandes industriales de Latinoamérica van pasando progresivamente a depender de empresas mundiales. No podemos ignorar el fenómeno de esta casi universal frustración de legítimas aspiraciones que crea el clima de angustia colectiva y que ya estamos viviendo.

La falta de integración socio-cultural, en la mayoría de nuestros países, ha dado origen a la super posición [*sic*] de culturas. En lo económico se implantaron sistemas que contemplan sólo las posibilidades de sectores con alto poder adquisitivo. Esta falta de adaptación a la idiosincrasia y a las posibilidades

---

[1] *I[a] Conferencia General del Episcopado Latinoamericano*, Editorial Metropolitana, San José, Costa Rica, 1969, pp. 12, 14-15, 84-85, 86, 88.

de nuestra población, originan, a su vez, una frecuente inestabilidad política y la consolidación de instituciones puramente formales. A todo ello debe agregarse la falta de solidaridad, que lleva en el plano individual y social a cometer verdaderos pecados, cuya cristalización aparece evidente en las estructuras injustas que caracterizan la situación de América Latina.

...

Proyecciones de pastoral social

... En el mundo de hoy, la producción encuentra su expresión completa en las empresas, tanto industriales como rurales, que constituyen la base fundamental y dinámica del proceso económico global. El sistema empresarial latinoamericano y por él la economía actual, responde a una concepción errónea sobre el derecho de propiedad de los medios de producción y sobre la finalidad misma de la economía. La empresa, en una economía verdaderamente humana, no se identifica con los dueños del capital, porque es fundamentalmente una comunidad de personas y unidad de trabajo, que necesita de capitales para la producción de bienes. Una persona o un grupo de personas no pueden ser propiedad de un individuo, de una sociedad, o del Estado.

El sistema liberal capitalista y la tentación del sistema marxista parecen agotar en nuestro continente, las posibilidades de transformar las estructuras económicas. Ambos sistemas atentan contra la dignidad de la persona humana; porque uno tiene como presupuesto la primacía del capital, su poder y su discriminatoria utilización en función del lucro. El otro, aunque ideológicamente sostenga un humanismo, mira más bien al hombre colectivo, y en la práctica se traduce en una concentración totalitaria del poder del Estado. Debemos denunciar que Latinoamérica se ve encerrada entre estas dos opciones y permanece dependiente de los centros de poder que canalizan su economía.

Hacemos por ello, un llamado urgente a los empresarios, a sus organizaciones y a las autoridades políticas, para que modifiquen radicalmente la valoración, las actitudes y las medidas con respecto a la finalidad, la organización y el funcionamiento de las empresas. Merecen aliento todos aquellos empresarios que individualmente o a través de sus organizaciones hacen esfuerzos por inspirar las empresas dentro de las orientaciones del magisterio Social de la Iglesia. De todo ello dependerá fundamentalmente el cambio social y económico de Latinoamérica, hacia una economía verdaderamente humana.

...

En el contexto de pobreza y aún de miseria en que vive la gran mayoría del pueblo latinoamericano, los Obispos, sacerdotes y religiosos tenemos lo necesario para la vida y una cierta seguridad, mientras los pobres carecen de lo indispensable y se debaten entre *la angustia y la incertidumbre*. Y no faltan casos en que los pobres sienten que sus Obispos, o párrocos y religiosos, no se identifican realmente con ellos, con sus problemas y angustias, que no siempre apoyan a los que trabajan con ellos o abogan por su suerte.

...

Orientaciones pastorales

... Para todo eso queremos que la Iglesia de la América Latina sea evangelizadora y solidaria de los pobres, testigo del valor de los bienes del Reino y humilde servidora de todos los hombres de nuestros pueblos. Sus Pastores y demás miembros del pueblo de Dios han de dar a su vida y a sus palabras, a sus actitudes y a su acción, la coherencia necesaria con las exigencias evangélicas y las necesidades de los hombres latinoamericanos.

...

Preferencia y solidaridad

... El particular mandato del Señor de "evangelizar a los pobres" debe llevarnos a una distribución de los esfuerzos y del personal apostólico que dé preferencia efectiva a los sectores más pobres y necesitados y a los segregados por cualquier causa, alentando y acelerando las iniciativas y estudios que con ese fin ya se hacen.

Queremos los Obispos acercarnos cada vez más con sencillez y sincera fraternidad a los pobres, haciendo posible y acogedor su acceso hasta nosotros.

...

Queremos que nuestra Iglesia Latinoamericana esté libre de ataduras temporales, de conveniencias indebidas y de prestigio ambiguo; que "libre de espíritu respecto a los vínculos de la riqueza"[2], sea más transparente y fuerte su misión de servicio; que esté presente en la vida y en las tareas temporales, reflejando la luz de Cristo, presente en la construcción del mundo.

SEGUNDO DOCUMENTO
Una carta de amor a Dios

Introducción

El documento que sigue proviene de la pluma de Gustavo Gutiérrez, la figura cimera de la teología de la liberación, y su primer exponente. Gutiérrez fue ordenado sacerdote a los treinta años, tras una adolescencia afligida por osteomielitis que por algún tiempo le tuvo en silla de ruedas. Casi cuarenta años más tarde, en 1998, se unió a la orden de los dominicos. Su labor literaria se enriquece por una parte por su excelente educación teológica, recibida mayormente en Bélgica y Francia, y por otra por su constante trabajo y solidaridad con el pueblo pobre del Perú, su tierra natal. Tras amplia reflexión sobre la pobreza y lo que significa desde una perspectiva teológica, en 1971 publicó su más famosa obra, *Teología de la liberación: Perspectivas*, que ha sido traducida a casi dos docenas de lenguas. Fue principalmente contra él que el cardenal Ratzinger produjo el documento de donde procede nuestra próxima fuente ("Un regaño oficial") –aunque, como se dice en la introducción, Gutiérrez declaró que el modo en que ese documento describe la teología de la liberación no representa su propio pensamiento. Tras recibir múltiples honores en todo el mundo, Gutiérrez es

---

[2] Pablo VI, 24-8-68.

ahora profesor en la Universidad de Notre Dame, en el estado norteamericano de Indiana.

El documento que sigue lo sugirió el propio Gutiérrez como una buena selección para dar a conocer lo esencial de su pensamiento. Nótese que buena parte de lo que en él se dice trata sobre la "opción preferencial por el pobre". Este es un tema central en toda la teología de la liberación y –como Gutiérrez señala– ha sido generalmente acogido por el magisterio de la Iglesia Católica como expresión de lo que ha sido la enseñanza de la iglesia en sus mejores tiempos.

Al leer este texto, debemos comenzar preguntándonos qué relación ve Gutiérrez entre el conocimiento de la pobreza y la solidaridad con los pobres por una parte, y la revelación de Dios por otra. Para hacer buena teología, ¿bastará con practicar la solidaridad con los pobres y luchar por la justicia social? ¿Bastará con estudiar la Palabra? ¿Serán necesarias ambas cosas? En tal caso, ¿cómo se relaciona una con la otra?

¿Cómo entiende Gutiérrez la pobreza? ¿Qué relación hay entre lo que Gutiérrez llama "pobreza real" –la pobreza involuntaria e injusta de los pobres–, la "pobreza espiritual", que consiste en colocarse en manos de Dios, y la pobreza de quien se hace pobre por solidaridad con los pobres? ¿Qué relación puede haber entre este entendimiento de la pobreza y la decisión de Gutiérrez, a los setenta años de edad, de unirse a la orden de los dominicos –orden que requiere votos de pobreza?

Puesto que buena parte del documento trata acerca del verdadero sentido de la "opción preferencial por el pobre", cabe preguntarse: ¿Cómo entiende Gutiérrez esa opción? ¿Contra qué posibles interpretaciones erróneas trata de precisar su significado? ¿Por qué se esmera en relacionar esta opción con los documentos de Medellín y de Puebla, y con las declaraciones pontificias? ¿Qué relación vemos entre lo que Gutiérrez dice aquí y lo que leímos en el primer documento de este capítulo?

Por último, Gutiérrez termina comparando su libro con una carta de amor, y declarando que el libro mismo es una carta de amor a Dios. ¿Cómo se refleja ese amor en lo que leemos aquí?

Texto[3]

b) Optar por el Dios de Jesús

Si bien es importante y urgente tener un conocimiento serio de la pobreza en que vive la gran mayoría de nuestro pueblo, así como de las causas que la originan, el trabajo teológico propiamente dicho comienza cuando intentamos leer esa realidad a la luz de la Palabra. Ello implica ir a las fuentes de la revelación.

El significado bíblico de la pobreza constituye por eso una de las piedras angulares, y primeras, de la teología de la liberación. Se trata claro está de una cuestión clásica del pensamiento cristiano pero la nueva presencia de los pobres a la que hemos aludido la replantea con vigor. Una pieza clave de la comprensión de la pobreza en esta línea teológica es la distinción –asumida después en Medellín en el documento *Pobreza de la Iglesia*– de tres acepciones de la noción de pobreza: la pobreza real como un mal, es decir no deseada por Dios; la pobreza espiritual en tanto disponibilidad a la voluntad de Dios; y la solidaridad con los pobres al mismo tiempo que la protesta contra la situación que sufren.

Ese es el contexto de un tema central en esta teología y hoy ampliamente aceptado en la Iglesia universal: *la opción preferencial por el pobre*. Medellín hablaba ya de dar "preferencia efectiva a los sectores más pobres y necesitados y a los segregados por cualquier causa" (*Pobreza* n. 9). El término mismo de *preferencia* rechaza toda exclusividad y subraya quiénes deben ser los primeros –no los únicos– en nuestra solidaridad. Por una cuestión de verdad y honestidad personal queremos decir que desde un primer momento en teología de la liberación –numerosos textos lo prueban– se insistió en que el gran desafío venía de la necesidad de mantener al mismo tiempo la universalidad del amor de Dios y su predilección por los últimos de la historia. Escoger exclusivamente uno de estos extremos es mutilar

---

[3] Gustavo Gutierréz, *Teología de la liberación: Perspectivas,* Lima, 1988, pp. 24-28, 58-60. Usado con permiso.

el mensaje cristiano. Por eso todo intento de hacerlo debe ser claramente rechazado.

En la difícil década del 70 esta perspectiva dio lugar a muchas experiencias en la Iglesia latinoamericana y a las consiguientes reflexiones teológicas. En el proceso se fueron puliendo expresiones con las que se buscaba traducir el compromiso con los pobres y oprimidos. Esto se hace patente en Puebla que recoge la fórmula de la opción preferencial por el pobre (cf. el capítulo con ese nombre), expresión que ya había comenzado a usarse en las reflexiones teológicas de esos años en América Latina. Dicha Conferencia le dio así un aval y un alcance muy grandes.

La palabra opción no siempre ha sido bien interpretada. Como toda expresión tiene sus límites, pero con ella se quiere acentuar el carácter libre y comprometedor de una decisión. No es algo facultativo si entendemos por esto que un cristiano pueda hacer o no dicha opción por los pobres, como tampoco supone necesariamente que quienes la toman no pertenecen al mundo de los pobres; así es en muchísimos casos, pero conviene precisar que los mismos pobres deben hacer esta opción. Este enfoque tiene un antecedente precioso. Se trata del llamado a ser una Iglesia de los pobres que Juan XXIII formuló un mes antes del inicio del Concilio. La frase es conocida: "Frente a los países subdesarrollados la Iglesia es, y quiere ser, la Iglesia de todos y en particular la Iglesia de los pobres" (discurso del 11 de setiembre de 1962). Limitémonos a subrayar que en ella se encuentran las dos dimensiones exigentes e inseparables de la universalidad y la preferencia que mencionábamos poco antes.

En estos últimos años importantes documentos del Magisterio eclesiástico a nivel universal se han hecho eco de la perspectiva de la Iglesia latinoamericana, empleando directamente la expresión "opción preferencial por el pobre." Juan Pablo II lo ha hecho repetidas veces.[4] Ella se encuentra también en la segunda Instrucción de la Congregación de la Fe sobre la teología de la liberación (LC n. 68). Además, el Sínodo extraordinario

---

[4] Entre las últimas ocasiones están la encíclica *Redemptoris Mater* (marzo de 1987) No. 37 y el discurso pronunciado en As, Francia (mayo de 1987).

de 1985 decía con exactitud en su conclusión: "Después del Concilio Vaticano II, la Iglesia se ha hecho más consciente de su misión para el servicio de los pobres, los oprimidos y los marginados. En esta opción preferencial, que no debe entenderse como exclusiva, brilla el verdadero espíritu del Evangelio. Jesucristo declaró bienaventurados a los pobres (cf. Mt 5: 3; Lc 6: 20), y Él mismo quiso ser pobre por nosotros (cf. 2 Co 8: 9)". En esa toma de conciencia ("después" de Vaticano II) la experiencia y el pensamiento de la Iglesia en América Latina han jugado indiscutiblemente un papel de primer plano.

Hay quienes han pretendido, desde los dos extremos del espectro de las posiciones que existen sobre estos temas, que habría en el Magisterio la intención de reemplazar la expresión "opción preferencial" por "amor preferencial". Nos parece que el asunto queda zanjado por la última encíclica de Juan Pablo II. Hablando de puntos y orientaciones presentes en la enseñanza de la Iglesia de estos años, el Papa afirma: "Entre dichos temas quiero señalar aquí *la opción o amor preferencial* por los pobres. Esta es una opción o una *forma especial* de primacía en el ejercicio de la caridad cristiana, de la cual da testimonio toda la Tradición de la Iglesia. Se refiere a la vida de cada cristiano, en cuanto imitador de la vida de Cristo, pero se aplica igualmente a nuestras responsabilidades sociales y consiguientemente, a nuestro modo de vivir y a las decisiones que se deben tomar coherentemente sobre la propiedad y el uso de los bienes" (*Sollicitudo rei socialis* n. 42; subrayado en el texto).

La opción por el pobre significa en última instancia una opción por el Dios del Reino que nos anuncia Jesús, este es un punto que hemos trabajado y profundizado en varias ocasiones.[5] Toda la Biblia, desde el relato de Caín y Abel, está marcada por el amor de predilección de Dios por los débiles y maltratados de la historia humana. Esa preferencia manifiesta precisamente el amor gratuito de Dios. Eso es lo que nos revelan las bienaventuranzas evangélicas; ellas nos dicen con estremecedora sencillez

---

[5] Cf. Por ejemplo *La verdad*, pp. 222-234.

que la predilección por los pobres, hambrientos y sufrientes tiene su fundamento en la bondad gratuita del Señor.

El motivo último del compromiso con los pobres y oprimidos no está en el análisis social que empleamos, en nuestra compasión humana o en la experiencia directa que podamos tener de la pobreza. Todas ellas son razones válidas que juegan sin duda un papel importante en nuestro compromiso, pero en tanto que cristianos él se basa fundamentalmente en el Dios de nuestra fe. Es una opción teocéntrica y profética que hunde sus raíces en la gratuidad del amor de Dios, y es exigida por ella. Bartolomé de las Casas, en contacto con la terrible pobreza y la destrucción de los indios de este continente, la explicaba diciendo: "porque del más chiquito y del más olvidado tiene Dios la memoria muy reciente y muy viva".[6] De esta memoria nos habla la Biblia, como lo han hecho ver, entre otros, los trabajos de J. Dupont.[7] Ella es el fundamento de la memoria de la Iglesia que es el espacio de la fe, de la entrega al Dios que nos ama primero.

Esta percepción fue afirmándose en la experiencia de las comunidades cristianas latinoamericanas y llegó a Puebla a través del documento del episcopado peruano para dicha conferencia. Allí se sostiene que por la sola razón del amor de Dios manifestado en Cristo "los pobres merecen una atención preferencial, cualquiera que sea la situación moral o personal en que se encuentren" (n. 1142). En otras palabras, el pobre es preferido no porque sea necesariamente moral o religiosamente mejor que otros, sino porque Dios es Dios, Aquel para quien "los últimos son los primeros". Esta aseveración choca con nuestra frecuente y estrecha manera de entender la justicia, pero precisamente esa preferencia nos recuerda que los caminos de Dios no son nuestros caminos (Cf. Is 55:8).

Aunque no han faltado las incomprensiones así como las tendencias a operar indebidas reducciones ("sociologista" o

---

[6] "Carta al Consejo de Indias" (1531) en *Obras escogidas*, BAE, Madrid, 1958, p. 44.

[7] Además de su obra mayor *Les beatitudes* (3 vol), Gabalda, París, 1969-1973, ver de este autor los artículos recogidos en *Études sur les Évangiles Synoptiques* (2 vol.), University Press, Leuven, 1986.

espiritualista), tanto de pretendidos partidarios como de explícitos adversarios de esta opción preferencial, se puede afirmar que se trata de algo que forma parte indefectiblemente de la comprensión que la Iglesia en su conjunto tiene hoy de su tarea en el mundo (el texto del Sínodo de 1985, que hemos citado, es claro al respecto). Un enfoque cargado de consecuencias y que no está a decir verdad sino en sus primeros pasos.

2. Conclusión

... El giro tomado en Medellín, y ratificado por Puebla, cambió para muchos el perfil de la Iglesia en América Latina. Pese a nuestros inmensos problemas y a las situaciones particularmente dolorosas en que vive la gran mayoría de nuestro pueblo, es posible afirmar que la comunidad cristiana latinoamericana atraviesa un período fecundo y vital; ciertamente no fácil, pero cargado de promesas. Causa por ello preocupación –en algunos momentos, angustia– ver la renuencia y los ataques que se dan entre nosotros a las más fecundas tendencias de la pastoral y la teología.

Es verdad que los retos que confrontamos en Latinoamérica son muy grandes y que los cambios por realizar son profundos, incluso al interior de la Iglesia; Puebla llama por eso varias veces a la conversión de todos los cristianos y del conjunto de la Iglesia ante la pobreza que se vive en la región (cf. el capítulo "Opción preferencial por los pobres"). No obstante, las nuevas situaciones hay que afrontarlas con fe y con amor; según la Biblia el temor es lo contrario a ambas actitudes. En los evangelios la expresión "no teman" está ligada a la de "hombres de poca fe" (cf. Mt 14:26-31), San Juan nos dice por su lado que allí donde hay amor no hay temor (cf. 1Jn 4:18).

No se trata de predicar la imprudencia y la irreflexión, sino de estar convencidos de que el Espíritu nos llevará hacia la verdad completa (cf. Jn 16:13); su presencia está en el nuevo rostro de una Iglesia pobre, misionera y pascual que ha empezado a tomar la comunidad cristiana latinoamericana. Sería una traición al Espíritu, un pecado contra Él, perder lo conseguido en estos años ante cristianos y no cristianos del continente.

Juan XXIII nos dejó al respecto una pauta insuperable. En un texto arraigado en su gran sentido del Dios que "todo lo hace nuevo" (Ap 21.5) y en su profunda esperanza, el Papa decía con una lucidez que atraviesa nuestra época: "Hoy más que nunca, ciertamente más que en los siglos pasados, estamos llamados a servir al hombre en cuanto tal y no sólo a los católicos; en relación a los derechos de la persona humana y no solamente a los de la Iglesia católica. Las circunstancias presentes, las exigencias de los últimos cincuenta años, la profundización doctrinal nos han conducido a realidades nuevas, como dije en el discurso de apertura del Concilio. No es el Evangelio el que cambia; somos nosotros los que comenzamos a comprenderlo mejor. Quien ha vivido largamente y se ha encontrado al inicio de este siglo frente a nuevas tareas de una actividad social que abarca a todo el hombre, quien ha vivido, como es mi caso, veinte años en Oriente, ocho en Francia y ha podido confrontar culturas y tradiciones diversas, sabe que ha llegado el momento de reconocer los signos de los tiempos, de coger la oportunidad y de *mirar lejos*".[8]

Mirar lejos. Más allá de nuestro pequeño mundo, de nuestras ideas y discusiones, de nuestros intereses, malos ratos y –por qué no decirlo– de nuestras razones y legítimos derechos. La Iglesia en América Latina requiere unir sus fuerzas y no desgastarlas en discusiones de poco aliento. Podrá así "coger la oportunidad" de una nueva evangelización que se haga, en solidaridad con todos, desde los más pobres e insignificantes. Para ello necesitamos reconocer la interpelación del Señor presente en los signos de los tiempos; ellos nos llaman a una interpretación, pero sobre todo a un compromiso con los demás que nos haga amigos del "Amigo de la vida" (Sabiduría 11:26).

---

[8]　Texto del 24 de mayo de 1963, poco antes de su muerte, reproducido en A. y G. Alberigo *Giovanni XXIII. Profesia nella fedelta*, Queriniana, Brescia, 1978, p. 494 (énfasis nuestro).

Para concluir, que se nos permita contar aquí una anécdota personal. Hace pocos años me preguntó un periodista si yo escribiría hoy tal cual el libro "Teología de la Liberación". Mi respuesta consistió en decirle que el libro en los años transcurridos seguía igual a sí mismo, pero que yo estaba vivo y por consiguiente cambiando y avanzando gracias a experiencias, a observaciones recibidas, lecturas y discusiones. Ante su insistencia le pregunté si hoy escribiría él a su esposa una carta de amor en los mismos términos que 20 años atrás; me respondió que no, pero reconoció que su cariño permanecía... Mi libro es una carta de amor a Dios, a la Iglesia y al pueblo a los que pertenezco. El amor continúa vivo, pero se profundiza y varía la forma de expresarlo.

Febrero 1988.

Tercer documento
Un regaño oficial

Introducción

Cuando la Congregación de la Doctrina de la Fe, bajo la dirección del Cardenal Ratzinger, publicó este documento, se lo consideró generalmente como un rechazo a la teología de la liberación, o al menos como una palabra de advertencia acerca de ella. Pero aun así, en varios puntos el documento parece estar de acuerdo con algunos de los reclamos de la teología de la liberación. Al leer este documento debemos considerar no sólo de qué manera rechaza la teología de la liberación, sino también cómo reafirma algunas de las preocupaciones de esa teología. Nótese que, mientras parece desentenderse de lo dicho por los obispos en Medellín, sí endosa la siguiente conferencia del CELAM, que tuvo lugar en Puebla en 1979, y que en términos generales buscaba suavizar las declaraciones de Medellín.

Al leer este documento es bueno considerar algunos puntos específicos en los cuales la teología de Ratzinger difiere de la teología de la liberación. Tomemos por ejemplo el modo en que Ratzinger entiende el pecado. ¿Qué responderían los obispos de

Medellín o Gustavo Gutiérrez al modo en que este documento define el pecado? Podemos imaginar una discusión entre Ratzinger y Gutiérrez en cuanto al pecado y la salvación. ¿En qué puntos estarían de acuerdo? ¿Qué subrayaría cada uno? ¿De qué manera criticaría cada una de las dos partes la visión de la otra? ¿Cuáles pensaría ser sus errores? ¿Cómo relaciona este documento la opresión económica y la explotación con la esclavitud al pecado?

Tomemos entonces el concepto mismo de "liberación". Tomemos en consideración las frases "lo que es fundamental" y "lo que pertenece a las consecuencias" del pecado. ¿Qué diría Gutiérrez acerca del modo en que este documento usa esas palabras para establecer prioridades? ¿Qué consecuencias prácticas tendrían esas diferencias?

Nótese, sin embargo, que buena parte del documento se ocupa más específicamente del modo en que la teología de la liberación y su apoyo a las comunidades eclesiales de base minan la autoridad de los sacerdotes y de la jerarquía.

Cuando Gutiérrez leyó este documento, respondió sencillamente que lo que aquí se llamaba "teología de la liberación" no era lo que él estaba proponiendo, y que por lo tanto no tenía que recibir ese documento como un rechazo a su teología. ¿Qué argumentos podría usar Gutiérrez para declarar que el documento no se refería a él?

Texto[9]

El Evangelio de Jesucristo es un mensaje de libertad y una fuerza de liberación. En los últimos años esta verdad esencial ha sido objeto de reflexión por parte de los teólogos, con una nueva atención rica de promesas.

La liberación es ante todo y principalmente liberación de la esclavitud radical del pecado. Su fin y su término es la

---

[9] *Instrucción sobre algunos aspectos de la "teología de la liberación"*, Sagrada Congregación para la doctrina de la fe, 1984. http://www.vatican.va/roman_curia/congregations/cfaith/documents/rc_con_cfaith_doc_19840806_theology-liberation_sp.html

libertad de los hijos de Dios, don de la gracia. Lógicamente reclama la liberación de múltiples esclavitudes de orden cultural, económico, social y político que, en definitiva, derivan del pecado, y constituyen tantos obstáculos que impiden a los hombres vivir según su dignidad. Discernir claramente lo que es fundamental y lo que pertenece a las consecuencias es una condición indispensable para una reflexión teológica sobre la liberación.

En efecto, ante la urgencia de los problemas, algunos se sienten tentados a poner el acento de modo unilateral sobre la liberación de las esclavitudes de orden terrenal y temporal, de tal manera que parecen hacer pasar a un segundo plano la liberación del pecado, y por ello no se le atribuye prácticamente la importancia primaria que le es propia. La presentación que proponen de los problemas resulta así confusa y ambigua. Además, con la intención de adquirir un conocimiento más exacto de las causas de las esclavitudes que quieren suprimir, se sirven, sin suficiente precaución crítica, de instrumentos de pensamiento que es difícil, e incluso imposible, purificar de una inspiración ideológica incompatible con la fe cristiana y con las exigencias éticas que de ella derivan.

La Congregación para la Doctrina de la Fe no se propone tratar aquí el vasto tema de la libertad cristiana y de la liberación. Lo hará en un documento posterior que pondrá en evidencia, de modo positivo, todas sus riquezas tanto doctrinales como prácticas.

La presente Instrucción tiene un fin más preciso y limitado: atraer la atención de los pastores, de los teólogos y de todos los fieles, sobre las desviaciones y los riesgos de desviación, ruinosos para la fe y para la vida cristiana, que implican ciertas formas de teología de la liberación que recurren, de modo insuficientemente crítico, a conceptos tomados de diversas corrientes del pensamiento marxista.

Esta llamada de atención de ninguna manera debe interpretarse como una desautorización de todos aquellos que quieren responder generosamente y con auténtico espíritu evangélico a «la opción preferencial por los pobres». De ninguna manera podrá servir de pretexto para quienes se atrincheran en una actitud de neutralidad y de indiferencia ante los trágicos y urgentes problemas de la miseria y de la injusticia. Al contrario, obedece a la certeza de que las graves desviaciones ideológicas que señala conducen inevitablemente a traicionar la causa de los pobres. Hoy más que nunca, es necesario que la fe de numerosos cristianos sea iluminada y que éstos estén resueltos a vivir la vida cristiana integralmente, comprometiéndose en la lucha por la justicia, la libertad y la dignidad humana, por amor a sus hermanos desheredados, oprimidos o perseguidos. Más que nunca, la Iglesia se propone condenar los abusos, las injusticias y los ataques a la libertad, donde se registren y de donde provengan, y luchar, con sus propios medios, por la defensa y promoción de los derechos del hombre, especialmente en la persona de los pobres.

...

El presente documento sólo tratará de las producciones de la corriente del pensamiento que, bajo el nombre de «teología de la liberación» proponen una interpretación innovadora del contenido de la fe y de la existencia cristiana que se aparta gravemente de la fe de la Iglesia, aún más, que constituye la negación práctica de la misma.

...

Pero las «teologías de la liberación», de las que hablamos, entienden por Iglesia del pueblo una Iglesia de clase, la Iglesia del pueblo oprimido que hay que «concientizar» en vista de la lucha liberadora organizada. El pueblo así entendido llega a ser también para algunos, objeto de la fe.

A partir de tal concepción de la Iglesia del pueblo, se desarrolla una crítica de las estructuras mismas de la Iglesia. No se trata solamente de una corrección fraternal respecto a los pastores de la Iglesia cuyo comportamiento no refleja el espíritu evangélico de servicio y se une a signos anacrónicos de autoridad que escandalizan a los pobres. Se trata de poner en duda la estructura sacramental y jerárquica de la Iglesia, tal como la ha querido el Señor. Se denuncia la jerarquía y el Magisterio como representantes objetivos de la clase dominante que es necesario combatir. Teológicamente, esta posición vuelve a decir que el pueblo es la fuente de los ministerios y que se puede dotar de ministros a elección propia, según las necesidades de su misión revolucionaria histórica.

…

La llamada de atención contra las graves desviaciones de ciertas «teologías de la liberación» de ninguna manera debe ser interpretada como una aprobación, aun indirecta, dada a quienes contribuyen al mantenimiento de la miseria de los pueblos, a quienes se aprovechan de ella, a quienes se resignan o a quienes deja indiferentes esta miseria. La Iglesia, guiada por el Evangelio de la Misericordia y por el amor al hombre, escucha el clamor por la justicia y quiere responder a él con todas sus fuerzas.

Por tanto, se hace a la Iglesia un profundo llamamiento. Con audacia y valentía, con clarividencia y prudencia, con celo y fuerza de ánimo, con amor a los pobres hasta el sacrificio, los pastores –como muchos ya lo hacen–, considerarán tarea prioritaria el responder a esta llamada.

Todos los sacerdotes, religiosos y laicos que, escuchando el clamor por la justicia, quieran trabajar en la evangelización y en la promoción humana, lo harán en comunión con sus obispos y con la Iglesia, cada uno en la línea de su específica vocación eclesial.

Conscientes del carácter eclesial de su vocación, los teólogos colaborarán lealmente y en espíritu de diálogo con el Magisterio de la Iglesia. Sabrán reconocer en el Magisterio un don de Cristo a su Iglesia y acogerán su palabra y sus instrucciones con respeto filial.

…

La urgencia de reformas radicales de las estructuras que producen la miseria y constituyen ellas mismas formas de violencia no puede hacer perder de vista que la fuente de las injusticias está en el corazón de los hombres. Solamente recurriendo a las capacidades éticas de la persona y a la perpetua necesidad de conversión interior se obtendrán los cambios sociales que estarán verdaderamente al servicio del hombre...

...

Las tesis de las «teologías de la liberación» son ampliamente difundidas, bajo una forma todavía simplificada, en sesiones de formación o en grupos de base que carecen de preparación catequética y teológica. Son así aceptadas, sin que resulte posible un juicio crítico, por hombres y mujeres generosos.

Por esto los pastores deben vigilar la calidad y el contenido de la catequesis y de la formación que siempre debe presentar la integridad del mensaje de la salvación y los imperativos de la verdadera liberación humana en el marco de este mensaje integral.

En esta presentación integral del misterio cristiano, será oportuno acentuar los aspectos esenciales que las «teologías de la liberación» tienden especialmente a desconocer o eliminar: trascendencia y gratuidad de la liberación en Jesucristo, verdadero Dios y verdadero hombre, soberanía de su gracia, verdadera naturaleza de los medios de salvación, y en particular de la Iglesia y de los sacramentos. Se recordará la verdadera significación de la ética para la cual la distinción entre el bien y el mal no podrá ser relativizada, el sentido auténtico del pecado, la necesidad de la conversión y la universalidad de la ley del amor fraterno. Se pondrá en guardia contra una politización de la existencia que, desconociendo a un tiempo la especificidad del Reino de Dios y la trascendencia de la persona, conduce a sacralizar la política y a captar la religiosidad del pueblo en beneficio de empresas revolucionarias.

A los defensores de «la ortodoxia», se dirige a veces el reproche de pasividad, de indulgencia o de complicidad culpables respecto a situaciones de injusticia intolerables y de los regímenes políticos que las mantienen. La conversión espiritual, la intensidad del amor a Dios y al prójimo, el celo por la justicia y la paz, el sentido evangélico de los pobres y de la pobreza, son requeridos a todos, y especialmente a los pastores y a los responsables. La preocupación por la pureza de la fe ha de ir unida a la preocupación por aportar, con una vida teologal integral, la respuesta de un testimonio eficaz de servicio al prójimo, y particularmente al pobre y al oprimido. Con el testimonio de su fuerza de amar, dinámica y constructiva, los cristianos pondrán así las bases de aquella «civilización del amor» de la cual ha hablado, después de Pablo VI, la Conferencia de Puebla. Por otra parte, son muchos, sacerdotes, religiosos y laicos, los que se consagran de manera verdaderamente evangélica a la creación de una sociedad justa.

CUARTO DOCUMENTO
¡Que se convierta el Vaticano!

Introducción

El famoso teólogo y prolífico autor brasileño Leonardo Boff (1938) fue una de las principales figuras en los inicios de la teología de la liberación. De joven se había unido a la Orden de San Francisco, en 1964 fue ordenado sacerdote, y se dedicó a enseñar teología en la escuela franciscana de Petrópolis, en Brasil. Más radical que Gustavo Gutiérrez, participó con él en algunas de las primeras conversaciones que llevaron al surgimiento de la teología de la liberación. En 1985, el Cardenal Ratzinger, a la sazón prefecto de la Sagrada Congregación para la Doctrina de la Fe (y después papa, bajo el nombre de Benedicto XVI), le condenó a un año de "silencio respetuoso" por razón de varias de las tesis que Boff proponía en su libro *Iglesia: Carisma y Poder*. Ya para esa época se había distinguido por sus esfuerzos por ampliar la teología de la liberación, aplicándola a la ecología sobre la base de que los oprimidos por los sistemas económicos modernos no son sólo los pobres, sino también la naturaleza toda. Sus conflictos con Ratzinger y con el catolicismo más tradicional no amainaron. En 1992, cuando se preparaba bajo los auspicios de la Organización de Naciones Unidas una conferencia mundial sobre ecología y economía que tendría lugar en Río, Ratzinger se propuso silenciar a Boff una vez más, aparentemente para impedirle expresar sus opiniones en ese foro mundial. El resultado fue que Boff renunció tanto a la Orden de San Francisco como al sacerdocio, aunque siguió declarándose católico al tiempo que declaraba que Ratzinger era un "terrorista religioso". En el año 2012, en ocasión del cincuentenario del comienzo del Segundo Concilio del Vaticano, Boff y varios otros teólogos distinguidos –incluso algunos obispos– firmaron una *Declaración del jubileo acerca de la reforma y autoridad de la Iglesia Católica*. Al año siguiente, comentando sobre la elección del papa Francisco I, dijo que, aunque la iglesia no necesita tener papas, esperaba que Francisco impulsara algunas de las reformas que le parecían tan necesarias.

El documento que sigue fue publicado en el año 2000 en la revista *Pasos*, del Departamento Ecuménico de Investigaciones en San José, Costa Rica. Al leerlo, es necesario tener en cuenta el largo conflicto entre Boff y Ratzinger. Pero al mismo tiempo es necesario entender que no se trataba sólo de una enemistad personal, sino más bien de dos visiones de la iglesia, de su misión y de su autoridad. Tampoco era un conflicto totalmente nuevo. ¿Qué señales de esas dos visiones encontramos en los documentos que hemos leído hasta aquí? ¿Qué nos dice el documento acerca del catolicismo romano en América Latina? ¿Será una realidad monolítica? ¿Cómo puede Boff escribir estas palabras y seguir considerándose católico fiel?

Texto[10]

Este tipo de discurso no es específico del romanismo, sino de todos los totalitarismos contemporáneos, del fascismo nazi, del estalinismo, del sectarismo religioso, de los regímenes latinoamericanos de seguridad nacional, del fundamentalismo del mercado y del pensamiento único neoliberal. El sistema es totalitario y cerrado en sí mismo, en el caso de la jerarquía vaticana, un "totatus" ("totalitarismo") como decían teólogos católicos, críticos del absolutismo de los papas. La realidad empieza y termina allí donde empieza y termina la ideología totalitaria...

---

[10] Leonardo Boff, "Joseph Cardenal Ratzinger: ¿exterminador del futuro? Sobre la *Dominus Iesus*, *Revista Pasos* 92, noviembre/diciembre, 2000, pp. 3 - 5.

Quien pretende tener él solo la verdad absoluta, está condenado a la intolerancia para con todos los demás, que no están en ella. La estrategia es siempre la misma, en cualquiera de estos totalitarismos: convertir a los otros o someterlos, desmoralizarlos o destruirlos.

Conocemos bien este método en América Latina. Fue minuciosamente aplicado por los primeros misioneros ibéricos que vinieron a México, al Caribe y a Perú con la ideología absolutista romana. Consideraron falsas las divinidades de las religiones indígenas, y sus doctrinas las tuvieron por pura invención humana. Y las destruyeron con la cruz asociada a la espada...

La estrategia del documento vaticano obedece a la misma lógica de los referidos totalitarismos: la de la desmoralización y de la disminución hasta la completa negación del valor teologal de las convicciones del otro. Destruye todas las flores del jardín no católico y religioso, para que quede, soberana y solitaria, sólo la flor de la Iglesia romano-católica. Y todo, bajo la invocación de Dios, de Cristo y de la revelación divina, pecando alegremente contra el segundo mandamiento de la Ley de Dios, que prohíbe usar el santo nombre de Dios en vano o para encubrir intereses meramente humanos.

...

... La jerarquía vaticana elabora la correspondiente teología, con el objeto de justificar, reforzar y sacralizar su poder. Para hacer que ese poder sea irreformable, intocable y absoluto, le atribuye un origen divino, cuando, en realidad, es producto histórico y fruto de un proceso implacable de expropiación...

El cardenal Ratzinger no enseña la esencia del cristianismo, sin la que nada se sustenta, de lo que resulta vana toda la argumentación del documento. Entre otras cosas esenciales, dos son las más graves: no anuncia la centralidad del amor ni predica la importancia decisiva de los pobres. En su documento, estas dos cosas están totalmente ausentes.

Para Jesús y para todo el Nuevo Testamento, el amor lo es todo (Mt 22:38-39), porque Dios es amor (1Jn 4:8, 16) y únicamente el amor salva (Mt 25:34-47), un amor que debe ser incondicional (Mt 5:44). Nada de eso se lee en el documento cardenalicio. Éste sólo habla de verdades reveladas y de la fe teologal como adhesión plena a ellas. Y bien sabe el cardenal que la fe sola no salva, puesto que como dicen todos los concilios, sólo salva la fe "informada de amor" (*fides caritate informata*)...

Esa ausencia del amor es clamorosa, solamente comprensible en quien no tiene una experiencia espiritual, no se encuentra con el "Dios comunión de personas divinas", no ama a Dios y al prójimo, sino que sólo se adhiere perezosamente a las verdades escritas y abstractas. Por el hecho de que el texto no revela ningún amor, también muestra que no ama a nadie, a no ser al propio sistema.

Sin compasión ni esfuerzo de comprensión, injuria el credo de los otros. Más todavía: para empeorar su situación, en ningún momento se refiere a los pobres. Para Jesús y todo el Nuevo Testamento, el pobre no es un tema entre otros. Es el lugar a partir del cual se descubre el evangelio como buena noticia de liberación ("bienaventurados ustedes los pobres"), y funciona como criterio último de salvación o de perdición. De nada sirve pertenecer a la Iglesia romano-católica, poseer todo el arsenal de los medios de salvación, someterse con mente y corazón al sistema jerárquico, acoger todas las verdades reveladas, si no se tiene amor "nada soy" (1Co 15:2). Si no tuviéramos amor al hambriento, al sediento, al desnudo, al peregrino y al preso, nadie, ni yo ni el cardenal Ratzinger, podremos escuchar las palabras bienaventuradas:

Vengan, benditos de mi Padre, tomen posesión del Reino preparado para ustedes desde la creación del mundo (Mt 15:34).

...

La jerarquía romana necesita urgentemente de conversión para que pueda encontrar su lugar dentro de la totalidad del pueblo de Dios y como servicio de la comunidad de fe. Ella no es una facción, sino una función de la "Iglesia comunidad de fieles y de servicios". El documento está a años luz de la atmósfera de jovialidad y benevolencia propia de los evangelios y de la gesta de Cristo. Es un texto de escribas y fariseos y no de discípulos de Jesús, un texto carente de virtudes humanas y divinas, más dirigido a juzgar, a condenar y a excluir, que a valorizar, comprender e incluir como se simboliza en la primera alianza que Dios estableció con la vida y la humanidad, en el arco iris. Ratzinger no quiere la multiplicidad de los colores en la unidad del mismo arco iris, sino solamente el predominio imperativo del color negro, el de la triste jerarquía vaticana.

QUINTO DOCUMENTO
Los reyes magos

Introducción

Esta fuente nos llega desde Nicaragua en tiempos de la dictadura de Somoza. En su introducción al libro *El evangelio en Solentiname*, de donde procede esta conversación, el padre Ernesto Cardenal explica que comenzó estas discusiones con su grey y que le parecieron tan importantes que decidió grabarlas. Quienes participaban en esas conversaciones eran en su mayoría campesinos, pescadores y sus familias, además de algún estudiante que regresaba de sus estudios en Managua para una breve vacación. Cardenal dice poco acerca de la mayoría de los participantes. Pero sí dice que Laureano nació en la isla de Solentiname y que lo entendía todo en términos de revolución. Al parecer, Felipe tenía inclinaciones semejantes, puesto que siempre estaba interesado en la "lucha del proletariado". En contraste con ellos, Óscar repetidamente hablaba acerca de la necesidad de unidad. El anciano Tomás Peña, padre de otro participante del mismo nombre, era analfabeto, pero frecuentemente pronunciaba palabras de profunda sabiduría. De los demás sólo conocemos el nombre.

El narrador es el mismo Cardenal, quien estaba claramente comprometido con la causa revolucionaria. Tras la caída de los Somoza y el triunfo de la revolución sandinista, Cardenal ocupó el cargo de ministro de cultura en el nuevo gobierno. Es bien conocida una famosa fotografía en la que Cardenal se arrodilla en el aeropuerto de Managua ante el papa Juan Pablo II, quien le reprende por su participación en la política.

Al leer esta fuente, debemos preguntarnos: ¿Qué papel tiene Cardenal en la conversación? ¿Les estaba diciendo a los demás lo que debían pensar o decir? ¿Cómo contribuía a la conversación? ¿Qué uso hacía de su autoridad como sacerdote?

Sobre la base de lo que los participantes dicen, podemos tratar de entender por qué conversaciones como ésta provocaban la respuesta de un Ratzinger en el tercer documento ("Un regaño oficial"). ¿Vería Ratzinger en esta conversación una señal de la capacidad del laicado para pensar por sí mismo y de la sabiduría de los iletrados? ¿O vería en ella la confirmación de que necesitaban guía?

En este documento se nota el entusiasmo de los participantes al leer la Biblia y descubrir en ella cosas nuevas. Ciertamente conocerían bien la historia de los Reyes Magos, que es tan popular en toda América Latina, donde son los Reyes quienes traen regalos a los niños, normalmente en el día de Epifanía, 6 de enero. Pero los creyentes en Solentiname se muestran interesados en leer la historia y examinar cada detalle de ella, al tiempo que la leen a su manera. ¿Qué relación habrá entre el interés de estas personas en leer la Biblia y lo que vimos en el segundo documento del capítulo 6 ("Vendedores ambulantes")?

Texto[11]

La visita de los magos (Mateo 2:1-12)

Jesús nació en Belén de Judea en tiempos del rey Herodes. Entonces, llegaron a Jerusalén unos magos del oriente diciendo: ¿Dónde está el rey de los judíos que ha nacido? Pues vimos su estrella en el oriente y hemos venido aquí para adorarlo.

Estamos en la iglesia. Digo yo a manera de introducción que estas palabras de Mateo, "en tiempos del rey Herodes", nos están diciendo que Jesús nació bajo una tiranía. Hubo tres Herodes, como decir en Nicaragua tres Somoza: Herodes el viejo,

---

[11] Ernesto Cardenal, *El evangelio en Solentiname*, Departamento Ecuménico de Investigaciones, Managua, Nicaragua, 1975, pp. 40-43. Usado con permiso.

Herodes su hijo, y un Herodes nieto. Herodes el viejo, el del nacimiento de Jesús, había mandado estrangular a dos hijos por sospechas de conspiración, y también mató a una esposa. Por la época del nacimiento de Jesús mató a más de trescientos empleados públicos por otras sospechas de conspiración. Jesús nace pues en un ambiente de represión y terror. Se sabía que el mesías iba a ser rey y por eso los magos llegaron preguntando por el rey de los judíos, queriendo decir el mesías. Los magos eran sabios del oriente (*mago* quería decir 'sabio', 'maestro'), muchas veces eran sacerdotes y alguna vez llegaron a ser reyes, pero eran sobre todo filósofos y gente dedicada al estudio de las ciencias, especialmente a la de los astros. Tal vez podrían parecerse más a los que nosotros llamamos científicos que a los que ahora llamamos magos. Y también podría haber sido un cometa, como el cometa Kohoutek que ahora se acerca a la tierra (se sabe que por la época del nacimiento de Cristo hubo uno grande llamado el cometa Halley) o cualquier otro fenómeno celeste, o puede haber sido sólo una manera de hablar, propia del oriente, comparando al mesías con una estrella. Posiblemente todo este pasaje de Mateo es una ficción, un relato novelesco que él quiso meter aquí. Pero no es inverosímil.

Dice Laureano: Yo creo que estos sabios la cagaron cuando llegaron donde Herodes preguntando por un liberador. Es como que alguien llegue ahora donde Somoza a preguntarle dónde está el que va a liberar a Nicaragua.

Otro de los jóvenes: Es que según me parece a mí estos sabios le tenían miedo a Herodes y no querían hacer nada sin su consentimiento.

Tomás Peña: Fueron a pedirle un pase...

El mismo joven: Irían a consultar primero a Herodes porque le tenían miedo, y toda esa gente de Jerusalén se llenó de miedo cuando oyeron hablar de un mesías, como también a la gente de Nicaragua le da miedo cuando oyen hablar de liberación: apenas oyen hablar que hay jóvenes que están queriendo liberarlos a los que estamos siendo explotados, tiemblan y se llenan de miedo. Cuando oyen decir que hay que derrocar este gobierno, tiemblan y se llenan de miedo.

Adán: A mí me parece una cosa: que esos magos llegaban sabiendo que había nacido el mesías y creían que Herodes estaba enterado y que el mesías iba a ser de la familia de él. Si era rey, era natural que lo fueran a buscar al palacio de Herodes. Pero en ese palacio no había más que corrupción y maldad, y el mesías no podía nacer allí, tenía que nacer entre el pueblo, pobre, en un establo. Ellos tuvieron una lección allí cuando vieron que el mesías no había nacido en un palacio ni en la casa de ningún rico, y por eso es que lo tuvieron que ir a buscar a otra parte. El evangelio dice después que cuando salieron de allí volvieron a ver la estrella, eso quiere decir que cuando llegaron a Jerusalén la estrella no los estaba llevando, ellos la habían perdido.

Félix: Estaban confundidos. Y me parece a mí que como eran extranjeros no conocían bien la situación del país, y fueron a la capital, y fueron donde las autoridades a preguntar por el nuevo jefe.

Cuando el rey Herodes supo eso, se puso muy inquieto, y toda la gente de Jerusalén también.

Oscar: Yo entiendo allí que cuando Herodes supo que había nacido ese rey se llenó de rabia porque él no quería dejar el mando; se sintió arrecho como nosotros decimos. Y ya pensando también cómo eliminarlo a él a como había eliminado a muchos ya.

Pablo: Sentiría odio y envidia. Porque los dictadores siempre se creen dioses. Creen que ellos son los únicos, y el que haya otro superior a ellos no lo pueden permitir.

Gloria: Y sentiría miedo también. Había matado a mucha gente hacía poco y llegan unos señores preguntando dónde está el nuevo rey, el liberador.

Félix: Seguramente puso alerta a toda su policía. Yo creo que eso es lo que el evangelio quiere decir aquí "se puso muy inquieto".

Uno de los jóvenes: Y dice el evangelio que se pusieron inquietos también la demás gente de Jerusalén: quiere decir sus partidarios, los grandotes, como decir los somocistas. Porque para ellos era muy mala noticia que llegara el librador. Pero para los pobres era una gran noticia. Y es que los poderosos sabían que el mesías tenía que estar contra ellos.

El viejo Tomás Peña: Ese rey que mandaba con mano fuerte esa república, el millón de gentes o los que hubiera en aquel entonces, no permitía que nadie dijera ninguna cosa que a él no le gustara, sólo se podía pensar como el gobierno quería, y seguramente que no dejaban que se hablara de mesías. Y debían disgustarse cuando llegaron unas gentes de afuera hablando sobre eso, como decir hablando de un nuevo gobierno.

Manuel: El pueblo estaba esperando ese mesías o liberador desde había tiempo. Y es interesante ver que hasta en el extranjero ya se había corrido la noticia de que había nacido, y estos sabios lo llegaron a saber, me parece a mí, por el pueblo. Pero en Jerusalén los poderosos estaban muy ignorantes de ese nacimiento.

Entonces el rey llamó a todos los jefes de los sacerdotes y a los que enseñaban la ley a la gente, y les preguntó dónde iba a nacer el Cristo.

Felipe: Manda llamar al clero un tirano que ha matado a mucha gente. Y el clero acude. Me parece que si fueron a su palacio es porque eran partidarios de él, estaban de acuerdo con sus asesinatos. Como quien dice hoy día los monseñores que son partidarios del régimen que tenemos. Quiere decir que esa gente era parecida a la que hoy tenemos en Nicaragua.

Ellos le dijeron: En Belén de Judea, porque así está escrito por el profeta.

Digo yo que ellos conocían bien la Biblia y sabían que el mesías debía nacer en ese pueblecito llamado Belén.

Dice don José: Sabían que iba a nacer en un pueblecito, entre la gente del pueblo. Pero ellos estaban en Jerusalén conviviendo con los poderosos y los ricos y llegando a sus palacios.

Así ahora hay muchos dirigentes de iglesia que saben que Jesús nació en Belén, y todos los años predican esto en navidad, que Jesús nació pobre en un establo, pero ellos frecuentan siempre las casas de los ricos y los palacios.

Entonces Herodes llamó en secreto a los magos, y les preguntó el tiempo exacto en que había aparecido la estrella. Entonces los mandó a Belén y les dijo: Vayan allá, y averigüen bien respecto a ese niño; y cuando lo encuentren, avísenme, para que yo también vaya a adorarlo.

Rebeca: Herodes oye que va a nacer en un pueblecito, como decir aquí en Solentiname, que no significa gran cosa. Por eso él les pide a los magos que cuando lo hayan encontrado que le informen. Porque de qué manera se va a enterar él del mesías si el mesías nace entre el pueblo, un chavalito de una mujer pobre. El pueblo de por allí de esos lugares sí estaría bastante enterado, pero lo mantendrían secreto.

Al ver otra vez la estrella se llenaron de alegría. Entraron en la casa; vieron al niño con María su madre, y arrodillándose le adoraron. Luego abrieron sus cajas y le regalaron oro, incienso y mirra.

Tomás: Llegan y abren sus regalos: unos perfumes y unas cuantas cosas de oro. Parece que no recibió grandes regalos. Porque esa gente extranjera que le podrían haber llevado un talego de dinero, un montón de monedas, o fueran billetes, no se lo llevaron. Lo que le llevaron: cosas pobres... Así también nosotros debemos ir pobres, humildes, como somos. Creo yo, a mi parecer.

Olivia: Por esos regalos de los magos es que los ricos tienen la costumbre de hacer regalos de navidad. Pero es entre ellos que se regalan.

Marcelino: Las tiendas están llenas de regalos en navidad en las ciudades, y hacen mucho dinero. Pero no es la fiesta del nacimiento del niño Jesús, es la fiesta del nacimiento del niño del rey Herodes.

Después, advertidos en sueños de que ya no debían volver a donde estaba Herodes, regresaron a su tierra por otro camino.

Tomás: Los sabios o magos se van después por otro camino. Él les inspiró que no dieran parte; porque ya él era un perseguido. Él les hizo ver que no cogieran por ese camino, que mejor se fueran por otro. Defendiendo pues ya el cuerpo de él. Creo yo, me parece a mí.

Felipe: Ya ellos mismos también eran como perseguidos. Se van por otro camino como de huida. Y es que yo creo que si hubieran vuelto a la capital los hubieran matado.

Alejandro: Y es que el liberador ha nacido en un ambiente de persecución, y los que lo llegan a ver son también perseguidos. El pueblo seguramente que mantenía el secreto...

Olivia, su mamá: Es que desde que estaba en el seno de su madre tenía a los ricos en contra. María cuando estaba embarazada había cantado que su hijo llegaba a destronar a los poderosos y llenar de bienes a los pobres y dejar a los ricos sin cosa alguna. Y desde que él nació lo perseguían para matarlo, y entonces tuvo que huir, en brazos de su madre y con el papá...

Gloria: Esa gente del pueblo ya tenía una esperanza. Y desde que supieron que había nacido ya sentían gozo. Los vecinos ya sabían. Esa estrella tal vez fue el rumor del pueblo, que les llegó a los magos.

Tomás con su gran sencillez: Esto viene siendo poco más o menos, tal vez no será así pero poco más o menos: nosotros supimos aquí que venía un sacerdote, entonces nosotros creímos, y dijimos: si a Solentiname viene un padre entonces será una gran cosa, vamos a vivir más alegres, mejor, o en otra forma; parece que todo el pueblo se alegró porque iba a tener padre el lugar. Entonces pues así creo yo que haya sido en ese tiempo. Había que alegrarse por el nacimiento de este chiquito...

Chael: Esos señores magos encontraron algo que no esperaban: que el liberador era un niño pobre, y además un niño perseguido por los poderosos.

Laureano: Los que lo perseguían eran los que mandaban. Como era un tipo que venía a cambiar las cosas, venía a igualar a todo el mundo, venía a liberar a los pobres y a quitar a los que estaban mandando porque la estaban cagando: entonces los poderosos lo perseguían para matarlo.

SEXTO DOCUMENTO

Un retablo

Introducción

El retablo que sigue procede de Rincón de Ramos, una población relativamente pequeña en el estado de Aguascalientes, en el centro de México. Está dedicado al Señor de la Misericordia, una devoción que empezó en Polonia a fines de la década de 1930. Su festividad es el 14 de mayo. Nótese que este retablo está fechado unos pocos días antes, el 5 de mayo. Aunque parte de lo escrito es ilegible, se puede leer lo suficiente como para tener un atisbo de la historia que se encuentra tras el retablo y de la religiosidad de la señora que lo comisionó. La gramática y ortografía del texto muestran claramente que fue escrito por una persona de escasa educación formal. Aunque no está del todo claro, al parecer Meregildo Macías es el autor del texto, y José Hernández es el pintor.

Este retablo nos muestra un poco de la religiosidad personal, que unas veces refleja y otras contrasta con lo que hemos visto en fuentes anteriores en este capítulo. Sería interesante considerar qué pensaría la señora que lo comisionó sobre los debates acerca de la teología de la liberación. Nótese que muy probablemente ella misma era una de esos oprimidos por quienes abogaba la teología de la liberación. El retablo también nos dice algo acerca de la migración mexicana hacia los Estados Unidos. Nótese que lleva fecha de 1945, y que por lo tanto tomó menos de una década para que la devoción al Señor de la Misericordia viajara desde Polonia hasta una pequeña población en México. Esto nos dice mucho acerca de la religiosidad popular y de cómo se comunica.

La imagen[12]

El texto dice:

> Ma. [?????]ra Martinez
> gracias el Sr. de la Misericordia p
> or verle oido sus ruegos, pidiendole
> que se dinara traerle a su hijo que estaba
> enfermo en un ospital de Liberr
> de Montana E.U.A. padecia de astma
> y el sacerdote americano lo consolaba en
> su lecho de enfermeda y sige
> asiendo su peticiones para que
> le acabe de dar su salud por medio del
> presente Retablo.

---

[12] New Mexico State University Art Gallery. Retablo 1966-5-127. Usado con permiso.

Esto sucedio el dia 5 de Mayo de 1945
Rincón de Ramos Ags
Meregildo Macias

Pintor
José Hernández R
Rincon de Ramos
Ags [Aguascalientes]

SÉPTIMO DOCUMENTO
Otro retablo

Introducción

La narración de este retablo originario de México, resulta completamente ilegible. No está claro si fue borrada a propósito o no. En todo caso, resulta imposible saber su fecha, contexto, o la historia a que se refiere. Al parecer fue presentado por uno o ambos de los miembros de la pareja arrodillada al frente. A la izquierda se encuentra un crucifijo que surge de entre las llamas. Y lo que hace al retablo todavía más interesante es que uno de los cuatro que se encuentran entre las llamas, aparentemente en el infierno, lleva una tiara papal, y otro lleva una corona real o imperial.

Considere la actitud de cada uno de los personajes en el cuadro. Sobre la base de lo que sabemos de la historia religiosa de México, ¿qué historia podemos imaginar fue de inspiración para tal retablo? Sería interesante tratar de escribir un texto narrativo en lugar del que falta.

La imagen[13]

[13] New Mexico State University Art Gallery. Retablo 1966-5-56. Usado con permiso.

Una realidad compleja

Introducción

Los primeros cinco capítulos de este libro centraron la atención sobre la Iglesia Católica Romana y su historia, particularmente durante los tiempos de la colonia y las primeras décadas después de la independencia. En el capítulo seis vimos la llegada y el desarrollo del protestantismo tradicional. En el capítulo siete exploramos las relaciones entre el catolicismo romano y el protestantismo, y en el octavo volvimos la atención una vez más hacia el catolicismo romano y su teología durante el siglo 20.

Sin embargo, sería erróneo pensar que esto nos presenta un cuadro completo de la realidad latinoamericana. En los dos primeros capítulos tuvimos un atisbo del modo en que los habitantes originales de lo que ahora llamamos América Latina enfrentaron los cambios religiosos que vinieron sobre ellos con la llegada de los europeos. Más adelante, en casos tales como el de Guiomar d'Oliveira ("Hechizo de amor"), vimos que la disidencia religiosa y las prácticas prohibidas continuaban, frecuentemente en secreto, a pesar de los esfuerzos de la Iglesia Católica de arrancarlas de raíz. En el caso de Manuel Bautista Pérez ("La inquisición en acción"), vemos el temor de la iglesia ante la posible presencia continua de prácticas y tradiciones judías. Al llegar la independencia, la disidencia surgió a la superficie en las ideas liberales y radicales y también con la llegada del protestantismo. Las primeras, y la oposición que encontraron, llevaron a la violencia abierta en algunos casos, tales como en México durante la Revolución Mexicana y en Colombia en el período conocido como La Violencia. El protestantismo le dio origen a un número creciente de iglesias relativamente pequeñas que se esparcían por toda la región.

La segunda mitad del siglo 20 y los primeros años del 21 trajeron aún mayor variedad y complejidad. Aunque hay otros que también podrían tomarse en cuenta, hemos decidido centrar nuestra atención en tres de los factores que bien pueden ser los más importantes para el futuro religioso de América Latina.

El primero de ellos es el surgimiento del movimiento pentecostal. Aunque los orígenes del pentecostalismo latinoamericano se relacionan con acontecimientos parecidos en otros lugares, mucho fue autóctono. A partir del año 1909, con lo que al principio no fue más que un desacuerdo interno entre los metodistas de Chile, el pentecostalismo rápidamente se expandió por todo el continente. Contribuyeron a esto misioneros pentecostales, principalmente procedentes de los Estados Unidos. Hoy el pentecostalismo en sus diversas formas cuenta con un número tal de seguidores que solamente la Iglesia Católica le sobrepasa –y en algunos países llega a casi la mitad de la población. A los pentecostales y otras personas que subrayan los dones extraordinarios del espíritu –hablar en lenguas, tener visiones, las sanidades milagrosas, los éxtasis, etc.– se les llama también "carismáticos", palabra que deriva del griego *charisma*, que quiere decir "don". En las páginas que siguen usaremos el término "pentecostal" para referirnos a las denominaciones que surgieron del movimiento pentecostal, y "carismático" para aquellas personas en otras denominaciones que participan de semejantes experiencias y énfasis. Las dos primeras fuentes en el presente capítulo ofrecerán un atisbo del movimiento pentecostal que está cambiando radicalmente el panorama religioso latinoamericano. La tercera mostrará que el énfasis renovado en el Espíritu Santo también ha influido en el catolicismo romano, en el cual ha surgido también un fuerte movimiento carismático.

El segundo elemento que hemos de considerar es el resurgimiento de las antiguas religiones indígenas y africanas que habían estado sumergidas o suprimidas desde los tiempos coloniales, pero que ahora comenzaron a mostrar una vitalidad sorprendente. Las instrucciones que vimos en el capítulo dos, en las que Pachacama les decía a sus seguidores que debían adorarle tanto al él como al dios de los cristianos, son una muestra de cómo la antigua religión se las arregló para sobrevivir. Hoy algunos lugares que por largo tiempo parecían ser sólo ruinas visitadas por turistas y estudiadas por arqueólogos se han vuelto otra vez centros de culto para los mayas, los aymaras y muchos otros. Algo semejante ha ocurrido con las tradiciones religiosas africanas traídas por los esclavos y por largo tiempo suprimidas. Una serie de circunstancias en varios países del Caribe y en el Brasil han traído esas religiones una vez más a la superficie. En este capítulo, centraremos nuestra atención sobre la persistencia y el reavivamiento de la religión africana, de la cual tratan nuestro cuarto documento "Chango", y la quinta, "Al ritmo de los tambores".

El tercer elemento que es necesario tener en cuenta, particularmente por parte de los lectores de los Estados Unidos y Canadá, es la inmigración a esos países. Hasta el año 1910, el flujo migratorio entre los Estados Unidos y América Latina se había dirigido mayormente hacia el sur. La Revolución Mexicana y otra serie de acontecimientos cambiaron la situación radicalmente, dirigiendo el flujo migratorio hacia el norte. Este creció a tal punto que ya durante la segunda mitad del siglo 20 sólo otros dos países en toda América Latina sobrepasaban a los Estados Unidos en población de habla hispana: México y Argentina. En otras palabras, la América Latina ha llegado a Norteamérica. El resultado es que al principio del siglo 21, más de la mitad de los católicos romanos de los Estados Unidos eran de origen latino. En cualquier ciudad importante en los Estados Unidos hay centenares de iglesias pentecostales latinas y probablemente docenas de otras iglesias también latinas, pero de denominaciones más tradicionales. Nuestro sexto documento, "La historia de un inmigrante", mostrará uno de los modos en que la religiosidad de estos inmigrantes y de sus descendientes se vio afectada por las condiciones en los Estados Unidos. Las siguientes dos fuentes muestran cómo el catolicismo romano por una parte y una de las principales denominaciones protestantes por otra, han tratado de responder a la creciente presencia e influencia de los hispanos en los Estados Unidos.

La primera de estas dos fuentes es un documento oficial proclamado en 1987 por los obispos católicos en los Estados Unidos, en el cual establecían y aprobaban un "Plan pastoral nacional para el ministerio hispano". Por varias décadas, algunos líderes católicos expresaron su preocupación por el hecho de que la iglesia no había desarrollado una respuesta acorde al creciente número de hispanos entre su grey, y que por lo tanto había una tendencia marcada entre los inmigrantes más recientes a perder contacto con la iglesia de sus antepasados. Con el auspicio de la Conferencia de Obispos Católicos de los Estado Unidos (USCCB), y bajo la dirección de un liderazgo hispano, se desarrolló una serie de tres encuentros o reuniones formales para discutir esta cuestión. Entre los participantes había líderes y parroquianos hispanos así como también otros que representaban otras perspectivas. Esta serie comenzó en 1972 y fue ganando impulso según progresó, como bien puede verse en el número de participantes en cada encuentro: 250 en 1972, 1.220 en 1977, y por último 2.000 en 1985. Tras este proceso de consulta extensa, que se llevó también a las parroquias, los obispos endosaron el "Plan pastoral nacional para el ministerio hispano". Con algunas correcciones y adaptaciones hechas sobre la marcha, éste sigue siendo el plan fundamental para el ministerio católico entre los hispanos de los Estados Unidos.

El segundo de estos dos planes denominacionales, el plan metodista unido para ministerios hispanos, fue también el resultado de un largo proceso. Durante varios años los hispanos metodistas de los Estados Unidos habían estado llamando a su iglesia a desarrollar un plan para el trabajo entre los hispanos. Por fin, en 1992, la Iglesia Metodista Unida aprobó el "Plan pastoral nacional para el ministerio hispano", con lo cual fue la primera de las principales denominaciones protestantes en tener un plan global para tal ministerio y en dedicarle una cantidad significativa de fondos. También con una serie de ajustes, este plan continúa vigente.

Finalmente, nuestra última fuente "Teología en grafitos" es una combinación de dos grafitos, ambos de significado ambiguo. Se le incluye en este último capítulo como un recordatorio de la complejidad de las ideas, palabras y percepciones religiosas y como una invitación a la reflexión, el uso de la imaginación y la curiosidad intelectual.

PRIMER DOCUMENTO

El Espíritu Santo en Chile

Introducción

Willis C. Hoover había servido como pastor metodista en Chile durante 20 años antes de que una serie de acontecimientos inesperados empezaran a tener lugar en su iglesia en Valparaíso en la noche de año nuevo de 1909. Unos años antes la parroquia de Hoover había pasado enormes dificultades, incluso una epidemia de viruela y un terremoto que destruyó el templo. Pero la congregación se vio fortalecida por tales dificultades, particularmente en lo que se refiere al liderazgo laico. Por fin, en 1908, se acababa de inaugurar el templo metodista más grande en Chile. Pero al momento, según esperaban el nuevo año, muchos se sintieron impulsados a orar todos a la vez en voz alta, y cayeron de rodillas en oración. Hoover cuenta que tanto él como su congregación quedaron enormemente sorprendidos, pero que todos estaban convencidos de que lo que sucedía era obra del Espíritu Santo. Algún tiempo después, algunos empezaron a tener otras experiencias, incluso la de hablar en lenguas.

La Iglesia Metodista en Chile no veía con buenos ojos lo que estaba ocurriendo en Valparaíso, y trató de detenerlo. Pero entonces acontecimientos semejantes comenzaron a tener lugar en Santiago. El nuevo movimiento, y su conflicto con las autoridades de la Iglesia Metodista, fueron tema de discusión pública en los diarios locales, muy a pesar de ambas partes en la contienda. Tras largos debates y recriminaciones mutuas, una buena parte de la congregación metodista en Valparaíso se apartó de la denominación y llamó a Hoover para que fuera su primer pastor. Esto dio origen a la Iglesia Metodista Pentecostal, que pronto sobrepasó en número a la Iglesia Metodista y de la cual surgieron varias de las principales denominaciones pentecostales en Chile.

Hoover escribió la *Historia del avivamiento pentecostal en Chile* a fin de dejar sentados los hechos de todo el proceso que le llevaron a apartarse de la Iglesia Metodista. Buena parte de ese libro se dedica a una narración paso a paso de las medidas tomadas por un partido o por el otro, de lo que la Iglesia Metodista hizo para detenerle, de sus respuestas, etc. Pero la inmensa mayoría del libro trata de acontecimientos tales como los que se describen en la fuente citada más abajo: conversiones súbitas, personas que llegaban a la iglesia inesperadamente, visiones, sanidades, etc.

Al leer esta selección, es bueno preguntarnos por qué el resto de la Iglesia Metodista veía con malos ojos lo que estaba sucediendo en Valparaíso. ¿Por qué se referían repetidamente a la necesidad de "orden" y "dignidad"? ¿En qué medida verían los metodistas y quizá otros protestantes todo esto como una amenaza a su prestigio social? Sería interesante imaginar, o hasta tratar de reconstruir, un diálogo entre Hoover y los líderes metodistas. ¿Qué argumentos presentaría cada uno?

¿A qué se refería Hoover al hablar de acciones, actitudes o manifestaciones "carnales"? ¿Quería decir cosas relacionadas con las inclinaciones y los deseos físicos? ¿O se refería quizá a todo lo que no surgía del Espíritu, sino del ser humano? ¿Qué criterios ofrece para distinguir entre la obra del Espíritu y la obra del poder demoníaco? ¿Por qué se sentiría impulsado a escribir esta historia, que consiste esencialmente en una defensa de sus propias acciones?

¿Cómo se relaciona esto con otras situaciones religiosas que hemos visto en documentos anteriores? ¿Qué opiniones sociales y políticas, y qué modo de entender el pecado, se manifiestan en la lista de males que confesó el señor que vino a la puerta de Hoover?

¿Qué nos dice el crecimiento explosivo del protestantismo a lo largo de toda la región acerca de la pertinencia del catolicismo romano para la vida de los individuos? ¿Qué nos dice acerca de la pertinencia del protestantismo más tradicional?

Texto[1]

Yo creo que el verdadero secreto de todo el asunto es que, real y verdaderamente creemos al Espíritu Santo–le confiamos, de veras–le reconocemos, de veras–le obedecemos, de veras–le damos libertad, de veras–creemos, de veras, que aquella promesa en los Hechos 1:4, 5 y Joel 2:28, 29 es para nosotros, y hemos cesado de hablar de ella, y creer de ella, mientras continuamos serenamente, o sin esperanza, en nuestra acostumbrada rutina.

Así creemos, esperamos y oramos y EL HA HECHO ESTAS COSAS ANTE NUESTROS OJOS. ¡ALABADO SEA SU NOMBRE!

...

... el avivamiento desde su principio fue acompañado por manifestaciones extraordinarias de diversas clases: risas, llantos, gritos, cantos, lenguas extrañas, visiones, éxtasis en los que las personas caían al suelo y se sentían trasladadas a otra parte, al cielo, al paraíso, a campos hermosos, con experiencias variadas, hablaban con el Señor, con ángeles, o con el diablo.

Los que pasaban por estas experiencias gozaban mucho y generalmente fueron muy cambiados y llenados de alabanzas, del espíritu de oración, de amor.

Estas cosas nos eran extrañas por supuesto. Pero aparecían gradualmente y fueron por lo general acompañadas por frutos buenos; de manera que nos confirmaban que eran de Dios. Algunas veces había evidencia de otros espíritus, pero esto no nos amedrentaba, ni nos hizo incrédulos (aunque venía tentación en esa dirección), sino que nos hacía examinar los espíritus y nos recordaba lo escrito en el libro de Job, cuando "vinieron los hijos de Dios a presentarse delante de Jehová, entre ellos también vino Satán": y que cuando Moisés se preguntó [sic]

---

[1] Willis C. Hoover, *Historia del avivamiento pentecostal en Chile*, Imprenta Excelsior, Valparaíso, Chile, 1948, pp. 39, 40-41, 47-48, 101-102.

ante el Faraón e hizo los prodigios que Dios le mandó, los magos también hicieron lo mismo con sus encantamientos y quedamos contentos al recordar que la vara de Moisés tragó las varas de los magos.

...

Un domingo en la tarde, un joven empleado de mozo en una casa particular en Viña del Mar estaba en la reunión, tal vez por segunda o tercera vez. Orando con muchos en el altar, de repente se levantó y con rostro encendido con fervor dijo como con un impulso irresistible, "¡Dios es amor!" Lo repitió varias veces. Luego: "Tengo que decirlo en la calle", y se fue corriendo por todo el pasillo de la iglesia, empujó la mampara y salió. Hincándose en medio de la calle gritó una y otra vez: "¡Dios es amor!" y enseguida: "¡Dios es amor en la cocina y Dios es amor en la cantina!" Al decir cantina se levanta y corre a una cantina cercana y entrando alza otra vez la voz con "¡Dos es amor!".

El cantinero no soportó el mensaje y menos al mensajero, y llamando a un guardián [sic] lo mandó a la comisaría. Uno que le había seguido de la Iglesia le pasó su sombrero y al ir con el guardián dijo: "No importa; ya está dado el mensaje".

En la noche después del culto varios hermanos conversaban alrededor del altar, cuando de repente se abrió la mampara y entró corriendo así como había salido en la tarde el joven que fue llevado por el guardián. Corrió al altar e hincándose, alabó a Dios por su misericordia.

Tan nuevo era ese joven que nadie le conoció ni su nombre ni nada de él hasta después de este incidente.

Una tarde, al contestar un llamado a la puerta, el pastor vio a un hombre desconocido con sombrero en la mano, temblando de pies a cabeza, quien le dijo: "¿Es Ud. el pastor?" "Sí". Como con voz de asombro o de susto el hombre dijo: "Soy un hombre tan malo y vengo para que Ud. ore por mí". El pastor le invitó a entrar y sentarse: pero el hombre, al entrar, cayó inmediatamente de rodillas llorando con violencia. El pastor no tuvo más que hincarse también y orar, aunque el hombre no hizo caso de nada, sino entre su llanto, como pudo, hablaba así a Dios: "He sido un hombre tan malo. He sido un blasfemo. Te he negado, Señor", y así por un buen rato.

Cuando calmó por fin la violencia de la tempestad y poco a poco había venido el reposo, se le oyó decir, con voz de asombro pero contento: "Señor, siempre te había figurado tan lejos, y aquí estás conmigo." El pastor no tuvo necesidad de orar (aunque oró), porque así el hombre se entendió solo con Dios. Al sentarnos después de la oración, el hombre, con un rostro que figuraba la salida del sol después de una lluvia, dijo: "¿Cómo voy a poder unirme con mis hermanos?"

¿Qué sabía ese hombre de hermanos? Blasfemo, ateo, cabecilla de socialista en el gremio de los panaderos (como contaba, sentado allí), orador de nombre, muy aplaudido cuando negaba la existencia de Dios.

Dijo que un día o dos antes (como dormía de día) había recordado llorando sin saber por qué, y muy extrañado de sí mismo se sacudió preguntándose: "¿Qué es esto? ¿Estoy loco? No: estoy en mis sentidos. ¿Qué, pues, puede ser esto? ¿Será que los demonios están saliendo de mí?" Entonces dijo: "Traté a Dios como compañero, y le dije: Señor, acompáñame en mi voto de no tomar nunca más"; y desde ese tiempo no tuvo sosiego hasta encontrar al pastor.

...

Para aquellos que no conocen el poder de Dios es cosa muy fácil aislarse y hablar de "orden", "dignidad", etc., pero cuando pedimos a Dios que él ponga su poder sobre nosotros y esto es lo que resulta, es muy otra cosa; y un caso como éste con frecuencia hace más provecho que muchos de los mejores sermones que yo puedo predicar. Dice la gente: "¿Quién puede dudar de una experiencia semejante?" Y yo repito: "¿Quién puede dudar de una experiencia semejante?"

Hay ocasiones cuando no tenemos tales manifestaciones; pero durante aquellos períodos no ha habido ninguna alma bautizada con el Espíritu Santo, y aunque ha habido provecho en la instrucción de la Palabra y en los testimonios, etc., no ha habido casi nada de resultados definitivos.

Ahora espero que me van a acusar de apoyar las manifestaciones carnales; pero los que me conocen, y han escuchado mi predicación en estos últimos dos años, saben que nadie puede oponerse con más energía que lo que he hecho yo, a todo lo que es de la carne, y sabrán que constantemente he enseñado que es un pecado que uno haga algo en la carne o de sí mismo... exhorto siempre que todo hijo de Dios se someta primero enteramente a Dios, confíe plenamente en la sangre purificadora de Cristo, y pida que Dios, le dé el don del Espíritu Santo, y entonces dejarle sencillamente obrar a su manera...

Permítame decir otra vez que estoy en contra de todo fanatismo, y sería inútil negar que han habido manifestaciones en este movimiento que son de la carne. Sin duda algunos han ido a extremos, y esto es siempre una evidencia que están en la carne; es decir, se esfuerzan en procurar hacer algo y el resultado es malo siempre; pero el fin de este artículo no es tratar de lo que nosotros tenemos que hacer, sino lo que Dios mismo hace por medio del Espíritu Santo.

Segundo documento

Pentecostales quichuas

Introducción

El primer cuerpo evangélico en establecer obra misionera permanente en Ecuador fue la Unión Misionera Evangélica, fundada a partir de la YMCA y con los cuarteles generales en Kansas City. Esta obra comenzó en 1896, cuando el gobierno liberal de Eloy Alfaro desautorizó la prohibición de misioneros protestantes que por largo tiempo había sido impuesta por los conservadores a pedido de la jerarquía católica.

En la década de 1970, una de las iglesias de esa unión, la Misión Evangélica Ríos de Agua Viva, en la aldea quichua de Pulucate, comenzó a tener contactos con pentecostales no quichuas en lugares cercanos. (Los quichuas son descendientes de los habitantes originales que aún hablan la lengua de los incas.) Con el tiempo, el pentecostalismo se apoderó de la iglesia de

Pulucate, con lo cual comenzó a alejarse de la Unión Misionera y por fin se hizo independiente. Durante ese período, Ríos de Agua Viva también fundó otras iglesias, lo cual resultó en la formación de la primera denominación pentecostal entre la población ecuatoriana de habla quichua. Tras algún tiempo, esa denominación se afilió a la Iglesia de Dios, un cuerpo pentecostal cuyo origen estaba en los Estados Unidos. Pero aun entonces, Ríos de Agua Viva mantuvo su autonomía, lo cual le permitía aprovechar los contactos de la Iglesia de Dios y al mismo tiempo seguir manejando sus propios asuntos.

Lo que sigue son resúmenes de dos entrevistas conducidas por Eloy H. Nolivos como parte de su investigación doctoral acerca de los orígenes y el desarrollo del pentecostalismo entre los ecuatorianos de habla quichua. En la primera de esas dos entrevistas, Nolivos conversó con el obispo administrativo para territorios nacionales de la Iglesia de Dios, Guillermo Vasconez, quien le contó lo que había escuchado acerca de esos acontecimientos. En la segunda, entrevistó a dos quichuas que participaron en los primeros días del avivamiento: Rosendo Guamán, presidente de Ríos de Agua Viva, y Francisco Pilataxi, pastor de la principal iglesia de esa denominación. Estas dos entrevistas nos proveen dos perspectivas diferentes, una desde afuera, y otra desde dentro del movimiento.

Al leer estas entrevistas, podemos preguntarnos: ¿Qué llevaría a estos miembros de la Unión Misionera Evangélica a mirar allende los límites de su denominación en pos de mayores conocimientos acerca de la Biblia? ¿Cómo se relaciona esto con su queja de que los institutos bíblicos en lengua quichua de la Unión Misionera Evangélica eran demasiado básicos y superficiales? ¿Qué nos dice esto acerca del modo en que la Unión Misionera Evangélica veía a la población quichua, y cómo esa población se veía a sí misma? ¿Qué llevaría a Pilataxi y otros a buscar estudios fuera de su denominación? ¿Por qué pondría reparos esa denominación? ¿Qué semejanzas o diferencias vemos entre el modo en que la Unión Misionera Evangélica reaccionó a este movimiento pentecostal y la reacción de la Iglesia Metodista en Chile al movimiento dirigido por Hoover que vimos en nuestra fuente anterior? ¿Qué llevaría a la Misión Evangélica Ríos de Agua Viva a buscar contactos con pentecostales fuera de su propia comunidad indígena, y por qué estaría dispuesta la Iglesia de Dios a prestarles apoyo? ¿Qué nos dice la situación de la Misión Evangélica Ríos de Agua Viva como denominación afiliada a la Iglesia de Dios y sin embargo autónoma, acerca de la apertura pentecostal a la creación de nuevas estructuras y arreglos institucionales?

Vasconez se refiere a la "carnalidad" y a que algunas cosas son "de la carne". Esta frase aparece también en el documento de Hoover. ¿Qué semejanzas o diferencias hay entre estas dos fuentes en cuanto a lo que se entiende por la "carne" y la "carnalidad"?

Si comparamos las dos entrevistas que siguen, ¿qué diferencias vemos entre ellas? ¿Qué tan bien informado estaba Vasconez acerca de los acontecimientos en Pulucate? ¿Cómo los juzgaba?

Texto

Primera entrevista [2]

Nolivos: ¿Cuándo fue el pentecostés quichua?

Vasconez: No sé la fecha exacta, pero fue a principios de los ochenta. Tuvieron un avivamiento, pero lo que habían descubierto era que habían recibido el bautismo del Espíritu Santo.

Nolivos: ¿Quiénes eran los líderes principales?

Vasconez: Rosendo Guamán, Manuel Aucancela, Francisco Tenemasa, y otros líderes de la congregación que se sorprendieron ante la situación. Nunca se les había enseñado nada acerca de ser pentecostales ni habían oído hablar del pentecostalismo.

Nolivos: ¿Cuáles fueron algunos de los antecedentes de ese evento?

---

[2] Guillermo Vasconez, entrevistado por Eloy H. Nolivos, Quito, Ecuador, 30 de junio, 2006, grabación.

Vasconez: Básicamente la congregación era parte de la Unión Misionera Evangélica. Lo que sucedió fue que empezaron a pensar que querían algo más, algo especial de parte de Dios. La iglesia había caído en algunas rutinas, y querían algo más de su experiencia cristiana. De eso surgió el deseo de orar y ayunar, y el resultado de esa búsqueda fue el avivamiento pentecostal.

Nolivos: ¿Qué pasó en ese pentecostés?

Vasconez: Lo que he oído decir es que decidieron orar y ayunar por tres días, e invitaron a toda la congregación, especialmente a los líderes. Se encerraron en la iglesia para orar. Al tercer día, empezaron a sentir una manifestación que era diferente y extraña. De repente, sintieron un gran gozo y un gran calor divino que nunca antes habían experimentado. Al tercer día, algunos de ellos empezaron a hablar en diferentes lenguas y no sabían lo que estaba pasando. Algunos reaccionaron negativamente y dijeron que esto no venía de Dios porque era demasiado extraño. Pero otros empezaron a reflexionar que habían estado ayunando y orándole a Dios durante estos tres días. ¿Cómo podría ser que Dios no respondiera con algo insólito? Empezaron a buscar en la Biblia para entender cómo interpretar lo que sucedía. Y el Espíritu Santo les dio luz para que llegaran a entender que lo que estaban recibiendo en ese momento era la venida del Espíritu de Dios.

Nolivos: ¿Qué resultado ha tenido todo esto, qué impacto se ve todavía hoy, tanto positivo como negativo?

Vasconez: Los resultados negativos y positivos fueron diversos. Una vez que llegaron a la conclusión de que esto venía del Espíritu Santo, empezaron a experimentar otras cosas que en algún punto se volvieron extremos negativos. Algunos empezaron a hacer cosas que estaban completamente fuera de orden. Expresaban su gozo físico, su carnalidad con toda libertad, y se les criticó por las congregaciones cercanas, porque entonces no había pentecostales entre los indígenas quichuas en Chimborazo. Las manifestaciones que empezaron a recibir eran tan extrañas que se les empezó a criticar seriamente por llevar esas manifestaciones al extremo. Aparentemente la gente empezó a rechazarles –es decir, las congregaciones e iglesias cercanas.

Los resultados positivos fueron que poco a poco empezaron a sentir un gran celo por predicar la Palabra. Era un deseo ferviente de darles a conocer su fe a todos los que estaban cerca de ellos y a las comunidades cercanas. Empezaron a volverse una iglesia misionera. Esa actitud de ser iglesia misionera significa que a través de los años han establecido más de veinte iglesias. Algunas de estas iglesias son bastante grandes, otras mucho más pequeñas, pero casi todas ellas se encuentran en comunidades remotas donde antes no se había predicado el evangelio de Jesucristo. Por lo tanto, creo que los resultados positivos han sido mayores que los negativos, y también que según ha ido pasando el tiempo y han ido madurando, dan muestra de su fe y de su pentecostalidad. Un resultado positivo de esto es que entre los indígenas pentecostales, ellos son los más maduros. Tienen una visión clara de su misión en el reino de Dios. Y han hecho impacto en su comunidad de una manera muy particular. Es una comunidad que ha prosperado no sólo en lo espiritual, sino que también ha crecido al punto que ahora la mayoría son pentecostales evangélicos. Tienen una escuela, una escuela superior. Tienen un centro de cuidado de niños. Tienen un proceso para desarrollar su comunidad de modo que se nota que Dios les ha hecho prosperar.

Nolivos: En cuanto a sus orígenes recientes, ¿qué ha sucedido con el avivamiento pentecostal y con su relación con la Unión Misionera Evangélica? Y puesto que ahora están afiliados con la Iglesia de Dios, ¿cómo sucedió esto?

Vasconez: Lo que sucedió fue que después de la experiencia pentecostal y su crecimiento entre ellos empezaron a identificarse como cristianos llenos del Espíritu Santo. Pronto empezaron a darse cuenta de que había otros que no eran indígenas pero que sí eran pentecostales. Fue entonces que empezaron a establecer contacto con otros movimientos pentecostales en otros lugares. Por esa razón empezaron a buscar ayuda en el campo de la educación teológica de otros pentecostales, porque al mismo tiempo habían sido completamente rechazados por la

Unión Misionera Evangélica. La Unión Misionera Evangélica les criticó fuertemente. Los pentecostales fueron declarados após-tatas y personas que negaban la fe, herejes. Por eso, empezaron a buscar apoyo entre otros pentecostales. Nosotros [la Iglesia de Dios] estábamos empezando nuestra obra [en la región in-dígena] cuando nos enteramos de ellos, y nos reunimos con Ro-sendo Guamán, quien es uno de los primeros líderes. Hablamos acerca de cómo trabajar juntos a fin de avanzar el reino de Dios. Ellos necesitaban ayuda en las iglesias en que estaban traba-jando –formación bíblica y teológica, y hasta formación secular para sus pastores y miembros. Primero hicimos un acuerdo para trabajar juntos, y luego eso se volvió una afiliación. Como organización, ellos tienen sus propios reglamentos, pero éste establece que están afiliados con la Iglesia de Dios al mismo tiempo que retienen su autonomía. Trabajan de manera au-tónoma. Tienen su propia estructura de organización. Pero to-davía participan también en la estructura administrativa de la Iglesia de Dios.

Segunda entrevista[3]

Nolivos: ¿Puede contarme la historia del movimiento del Es-píritu Santo en su iglesia?

Pilataxi: Fuimos parte de la Unión Misionera Evangélica por muchos años.

Nolivos: ¿Esta iglesia es hija entonces de la Unión Misionera Evangélica?

Pilataxi: Sí, es hija de la Iglesia Emmanuel. Nos criamos en Emmanuel, pero hubo una división, y construimos esta iglesia alrededor de 1977. Empezamos con unas 150 personas. Tu-vimos un servicio de Navidad, y después del servicio hubo una gran tormenta que inundó toda la comunidad. Duró sólo quince minutos. Las gentes de las lomas descendieron a la iglesia, y resultó una lluvia torrencial, un diluvio. Causó un desastre tre-mendo. Las gentes y los animales fueron arrebatados por varios

---

[3] Rosendo Guamán y Francisco Pilataxi, entrevistados por Eloy H. Nolivos, Quito, Ecuador, 25 de junio, 2006, grabación.

kilómetros de distancia de sus hogares. Familias enteras y sus casas se perdieron. Yo estaba con unas otras cinco personas allí en aquel lugar donde está la pequeña tienda, y escapamos de la avalancha que descendía de las lomas.

Guamán: Vinieron los periodistas y el ejército. Vino gente de las iglesias desde Quito y Guayaquil. Hasta de Colombia vinieron a estudiar y ver lo que había pasado. Siete familias murieron, sus parientes fueron hasta San Martín a reclamar los restos. Todo era un desastre.

Pilataxi: Les pedimos a los cabildos permiso para construir una pequeña iglesia en nuestra propiedad [después de perder la anterior durante la tormenta]. Nos lo concedieron. El pastor fundador fue José María. Comenzamos a adorar aquí en esta iglesia. Los institutos de la Asociación [la Unión Misionera Evangélica] donde enseñaban en quichua eran muy básicos y superficiales. De manera que encontramos enseñanzas más profundas en los seminarios de habla hispana que venían y nos enseñaban la teología pastoral, y compramos sus materiales. Yo asistí a sus estudios con mi sobrino y otras personas, un total de cuatro desde acá. Había estudiantes de todas partes aquí en nuestra comunidad que estudiaban. Por ese entonces … [la Unión Misionera Evangélica y sus líderes] estaban diciendo que estábamos estudiando otra doctrina, otras religiones. No se suponía que lo estuviéramos haciendo. Fue entonces que descubrimos el ayuno, la oración y la sanidad divina…

Pilataxi: Continuemos. El ayuno, la oración y la sanidad divina. Todo esto era nuevo para nosotros. Cuando otros escucharon esta doctrina, el pastor de nuestra propia iglesia, José María, se volvió contra nosotros cuatro que estábamos aprendiendo estas cosas. Queríamos enseñar la nueva doctrina, pero él nos decía "eso es otra doctrina, y es falsa", y fue a dar parte a la Asociación. Hermano, entonces empezó una gran crítica y sufrimos grandemente puesto que nos acusaba de una falsa doctrina, diciendo que esto no debía ser así y que no debíamos hacerlo. Al compartir todo esto en la iglesia, algunos estaban de acuerdo con nosotros mientras que otros seguían al hermano José María. Surgió una división dentro de la iglesia. Continuamos los estudios mientras la Asociación tomó una postura firme contra quienes estábamos estudiando.   *N o l i v o s* : ¿Estaban ustedes entonces enseñado lo que aprendían?

Pilataxi: Sí. Íbamos y predicábamos al aire libre. Las gentes venían a invitarnos de aquí y allá desde otras comunidades... Algunos de los diáconos estaban de acuerdo con el pastor José María y otros no. El pastor Manuel Aucanceal (que entonces todavía no era pastor) nos apoyaba a nosotros y a mi suegro... Entonces otros hermanos empezaron a ayunar y a pedirle a Dios con ayuno y oración, colocando a la juventud en las manos de Dios. Cuando nosotros regresamos del avivamiento, se nos dijo lo que estaba pasando. No sabíamos lo que les estaba ocurriendo a los hermanos. Llevaban ya dos días allí encerrados en la iglesia cuando llegamos.

Guamán: Yo estaba en mi casa y cuando salí a la calle podía escuchar los gritos y alaridos. Vivo cerca de aquí y podía oírlo todo claramente. Salí a la calle y ¡Aaaayyyyy! Había alguna gente dando grandes gritos clamando a Dios. Me pregunté ¿qué es esto?

Nolivos: ¿Recuerda usted lo que estaban diciendo?

Guamán: Sí. Estaban diciendo: "¡Padre, gracias, gracias, Padre por esta manifestación, gracias!" Y la gente al otro lado de la calle por todas partes estaban viniendo como si hubiera habido un accidente. Todos vinieron a la iglesia a ver. Cuando llegamos desde nuestra casa hasta la puerta abierta de la iglesia vimos a la gente que gritaba, mientras otros saltaban y otros estaban tirados por tierra sobre las espaldas recibiendo el bautismo del Espíritu Santo.

Pilataxi: Usted ve. Alguna cosa estaba sucediendo aquí. Hermano, cuando llegamos a la iglesia, a la puerta, ¡había tanto fuego que la gente explotaba! Entonces entramos y había mucha gente fuera que miraba por las ventanas. Cuando entramos, dije: "Gracias Señor". Yo había estado ayunando.

Nolivos: ¿Cuántas personas había adentro?

Pilataxi: Unas quince o veinte. No eran muchos los que estaban dentro. Cuando entramos, le dimos gracias a Dios por lo que estaban haciendo de acuerdo a la Biblia. Por entonces no sabíamos qué era aquella manifestación ni lo que era el poder del Espíritu Santo... Estábamos preocupados porque no sabíamos qué era aquello, ni lo que estaba sucediendo. Entonces notamos que una hermana, Rosa Guamán, estaba hablando en lenguas. Y había otra hermana asida a una Biblia. Era analfabeta, pero empezó a leerla. Otros hermanos estaban profetizando: "Esto va a suceder ... ; esto es lo que el Señor está diciendo ... ; a estos jóvenes, Dios les va a hablar." Algunos estaban cantando y saltando y diciendo "gloria a Dios". No sabíamos esa frase "gloria a Dios" hasta ese momento, ni tampoco "aleluya".

Nolivos: ¿No lo había oído antes?

Pilataxi: No. La Asociación lo tenía prohibido, y los pastores no lo permitían, ni tampoco dar palmadas, porque eso es lo que hacían los mestizos y era una doctrina diferente. Nos decían que no podíamos hacerlo. Estaba prohibido. Pero allá en la iglesia la gente estaba cantando, dando palmadas y diciendo "gloria a Dios". Sólo teníamos instrumentos, y empezaron a tocarlos y la gente empezó a adorar, a cantar y a bailar y hablar en lenguas. Todo esto sucedió, hermano. En ese tiempo el hermano Rosendo seriamente dudaba de todo esto que estaba teniendo lugar. Entró a la iglesia y al ver la gente les dijo: "No deberían estar haciendo esto". Pero, ¿cómo podríamos detenerlos? Porque nadie puede detener el poder de Dios. Sencillamente él temía esto que nunca antes había sucedido entre nosotros, la alabanza, el dar gloria y el arrodillarse...

Guamán: Esa manifestación no tuvo lugar solamente en la iglesia, sino también en varias casas. Quienes temían o dudaban en la casa decían: "Señor, ¿cómo es posible esto? Nunca he visto tal cosa antes." Y el Espíritu empezó a moverse en sus casas, de modo que llegaron al convencimiento de que la manifestación era verdadera. Unos días después fueron a la iglesia y compartieron sus experiencias que Dios les había dado sueños, y manifestaciones demostrándolo...

Pilataxi: No sabíamos entonces acerca de las lenguas. ¿Cómo íbamos a saberlo? De modo que decidimos visitar los hogares de las gentes que tenían dudas y orar con ellos. Así que fuimos por aquí y por allá visitando. Ya sabíamos acerca de la imposición de las manos gracias a nuestros estudios teológicos anteriores. Decíamos: "Ayúdanos a entender la lengua en que hablan. Háblanos Señor." Lo pusimos en las manos de Dios, y esto les dio a los hermanos y hermanas alguna paz. Las reuniones de oración duraban dos o tres horas. Al mismo tiempo había muchos comentarios que llegaban de parte de la Asociación de Iglesias. Se volvieron nuestros enemigos diciendo por radio: "Esa gente en el Centro de Pulucate son locos, son fanáticos, tienen doctrina falsa. Tenemos que prevenirlo, preguntar y ver lo que está teniendo lugar."

TERCER DOCUMENTO
Un sacerdote carismático

Introducción

El movimiento pentecostal en América Latina se ha hecho sentir en prácticamente todas las denominaciones. Creyentes metodistas, presbiterianos, discípulos, bautistas y muchos otros han adoptado varias de las características del movimiento, y en muchas denominaciones hay también un movimiento carismático que incluye un culto más emotivo, hablar en lenguas, profetizar, y otras manifestaciones semejantes. En la Iglesia Católica Romana el número de quienes dan muestras de haber recibido influencias del movimiento carismático aumenta rápidamente. Una de las primeras manifestaciones carismáticas entre los católicos latinoamericanos tuvo lugar en Santo Domingo, bajo el liderazgo del padre Emiliano Tardif (1926-1999).

Tardif, de origen canadiense, fue enviado a la República Dominicana por los Misioneros del Sagrado Corazón. Desde el principio, dedicó la mayoría de sus esfuerzos a trabajar entre los pobres. En 1973 recuperó la salud después de una seria enfermedad y llegó a la convicción de que se debía a la ferviente oración de un grupo de creyentes carismáticos. Se unió al movimiento, y pronto tanto él como ellos decidieron que Dios estaba efectuando curaciones milagrosas a través de las oraciones de Tardif, quien además tenía dones extraordinarios de discernimiento. Entonces el padre Emiliano fundó la Comunidad Siervos de Cristo Vivo. Esta es una comunidad carismática originalmente centrada en Santo Domingo, pero cuya influencia pronto se expandió por toda América Latina y más allá. Según fue creciendo la fama de esta comunidad, Tardif empezó a pasar ocho meses al año viajando y sólo cuatro en Santo Domingo. Poco después de su muerte varios de sus seguidores pidieron su beatificación y la consecuente canonización como santo. Como parte de ese proceso se han recolectado millares de testimonios acerca de sanidades y otros milagros.

La carta que sigue es el informe de Tardif sobre sus actividades de viaje por Paraguay. Nótese que dentro del catolicismo el movimiento carismático frecuentemente se llama "renovación carismática" o sencillamente "renovación".

Al leer esta fuente, veremos que el tema de la sanidad mediante la fe una vez más surge a la superficie. Podemos tratar de relacionar todo esto con las lecturas anteriores. ¿Qué evolución podemos ver en las ideas respecto a la sanidad mediante la fe?

Hagamos también un esfuerzo por relacionar este documento más específicamente con los dos que le anteceden. ¿Qué temas comunes encontramos aquí? ¿Qué diferencias? Tómese en cuenta particularmente la relación entre los grupos carismáticos de cada uno de esos documentos y sus denominaciones. Se notará que en todos los casos hay oposición por parte de las autoridades superiores. ¿En qué difiere la respuesta de Tardif de la de los otros que hemos leído hasta aquí? ¿Qué consecuencias prácticas tendría su respuesta en contraste con la de los grupos protestantes en esas otras fuentes?

Texto[4]

Diciembre 1993

Yo estoy llegando de Paraguay. Estamos realmente viviendo un tiempo hermoso: el sábado, 27 de noviembre, había como 17.000 personas en el Centro Deportivo, en Asunción, Paraguay. En el momento de la Comunión el Señor saná [*sic*] a un hombre que tenía veinticinco años ciego, ¡que no veía nada! Fue impactante cuando el hombre –que tiene cincuenta y un años de edad– después de la comunión, llorando, se acercó. Quería dar su testimonio. Dijo que en el momento de la comunión, sintió un calor muy grande en los ojos, y comenzó a ver una neblina. Después se fue la neblina y comenzó a ver la gente. Su testimonio lo dio de una vez en la noche.

Al otro día, por televisión, la gente hablaba de la "sanación del ciego" (igual que el "ciego de Jericó", ¿verdad?). Esto es un signo de que Jesús está vivo hoy. El mismo Jesús que sanó al "Ciego de Jericó" sanó al "Ciego de Asunción".

El Señor nos ha bendecido mucho. Pero la gente no nos dejó ni medio día libre. ¡Quince días llenos, viajando acá y allá!

En una diócesis, el obispo no acepta la Renovación, y yo no fui. Los dirigentes de la Renovación sabían que el obispo no aceptaba la Renovación. Entonces prepararon una misa de sanación con "una tarde de evangelización" en la frontera con Brasil y nos dijeron: "Allí no nos pueden molestar. Vamos a celebrar en Brasil". Pero resulta que la víspera, el obispo se enteró, y nos mandó a decir que no permitía la Renovación en su Diócesis.

Yo no fui pero la gente, sí fue. Había más de seis mil personas. Llegaron en autobuses desde Brasil, y de todas las ciudades de los alrededores de Paraguay. ¡Fue una pena! Salió en el periódico, y yo estaba en primera plana. Le dije, bromeando, al Presidente de Paraguay, Juan Carlos Wasmosy: "Te quité tu

---

[4] John Fleury, *El Padre Emiliano nos escribe*, Editora Corripio, Santo Domingo, DR, 2007, pp. 68-70. Usado con permiso de John Fleury.

puesto", porque cada día suele salir el Presidente en primera plana. Pero ahora, en primera plana decía: "Tardif no tiene permiso para celebrar Misa de Sanación en la Diócesis de Concepción". Yo no fui. La verdad es que a mí no me hizo nada, pero a la gente le molestó mucho.

Y al fin y al cabo la radio comenzó a hablar de eso, y los periódicos, discutiendo, y la televisión. ¡Ese Obispo le ha hecho una propaganda a la Renovación Carismática como nadie! Porque hay mucha gente que no sabía el nombre de la Renovación Carismática y ahora ¡todo el mundo quería saber qué era eso!

Entonces me tocó predicar a los dos días en el Santuario Nacional de Nuestra Señora de Caacupé, y allí había cuarenta mil personas. Preparaban la fiesta nacional de la Patrona de Paraguay, Nuestra Señora de Caacupé (que se celebra el 8 de diciembre), y yo di mi conferencia sobre "La Virgen María, modelo de vida carismática". Hablé de los carismas de la Virgen, modelo de vida en el Espíritu. Los carismas de María Santísima: carisma de milagros; de curación; de profecía, y dije que María Santísima es la madre de los creyentes. Ella es modelo de la vida carismática, y no tiene una fe alienante. Los periodistas lo captaron y lo pusieron en grandes titulares. Dijeron: "Tardif dice que la Virgen María no tiene una fe alienante".

Así que el obispo ya tiene setenta y seis años. Yo creo que él perdió la batalla. Yo no fui al campo de batalla.

Sencillamente obedecí al obispo. Nunca voy a predicar en una diócesis donde el obispo no me invita o por lo menos donde el obispo no acepta la Renovación. Pero les diré que son muy pocos los obispos en el mundo donde encontramos un rechazo a la Renovación Carismática.

Los poco [sic] que encontré en los cincuenta y nueve países donde he predicado hasta ahora son tan pocos que podrían sumarse con los dedos de una sola mano. Como el papa nos anima a seguir trabajando en esa línea de la Renovación Carismática, se entiende que los obispos en general animan o por lo menos aceptan esta Renovación.

Y de todo esto saco la conclusión de que lo primero y lo más importante es la obediencia. Si obedecemos, no tendremos problemas. Después de la cancelación de dicho encuentro, un periodista fue a encontrarme con su grabadora en mano para tratar de grabar algún comentario mío acerca de dicho acontecimiento, y me preguntó: "¿Qué quiere decirle Ud. a nuestra gente que escucha esta emisora en todo el país? ¿Qué dice Ud. al rechazo del obispo de Concepción a la Renovación Carismática?". Le contesté: "NADA, no tengo nada que decir. Si el obispo no acepta la Renovación, no voy a predicar en su diócesis. Y punto. No tengo nada más que agregar. Iré a predicar en otras diócesis, pues son muchas las peticiones de retiros que estamos recibiendo por todas partes. Y seguiremos predicando solamente en las diócesis de los obispos que nos invitan o que, por lo menos, no se oponen a nuestro ministerio carismático".

Así es la obediencia en la Iglesia.

Cuarto documento
Changó

Introducción

Esta fuente nos provee una introducción a algunos de los elementos principales de la religión afrocaribeña mediante un ensayo narrativo y una fotografía. El primero es una breve introducción a esa religión escrita por Miguel Ramos, Ilarií Obá, erudito que ha alcanzado los altos niveles de un olorisha ordenado a Changó y de un Obá Oriaté, maestro de ceremonias en los ritos Lucumís de ordenación y otras celebraciones. La segunda es una foto de un altar o trono a Changó, con su explicación, ambas provistas también por Ramos. Changó es uno de los principales orishas o deidades y la que más amplia veneración alcanza entre los devotos afrocaribeños. Estos dos elementos servirán como introducción a algunas de las características de la religión que frecuentemente se conoce como "santería" –aunque, como Ramos explica, ese nombre no es correcto. Esta tradición religiosa ha mostrado gran adaptabilidad y persistencia, pues tras haber sido suprimida por largo tiempo, primero por la inquisición y luego por presiones sociales y culturales, ha resurgido con renovado vigor durante la segunda mitad del siglo 20.

Al leer la narración de Ramos y examinar la fotografía del trono de Changó, vale la pena preguntarnos qué nos dice todo esto acerca del poder que tiene una tradición religiosa para conservar y afirmar la identidad de un grupo social. Y, por el otro lado, también podemos preguntarnos qué nos dice esta historia acerca del modo en que una identidad étnica o racial fortalece su tradición religiosa. ¿Cómo fue posible que estas creencias y prácticas continuaran aun a pesar del ojo avizor de la inquisición? También es de notarse la aseveración de Ramos en el sentido de que la presencia misma del catolicismo, particularmente de la clase de catolicismo que practicaban las masas, ayudó a conservar la tradición religiosa yoruba. ¿Qué puntos de contacto habrá entre ambos? ¿Por qué insistirían los sacerdotes de los orishas en que todos sus seguidores fueran bautizados? ¿Qué nos dice esto acerca del modo en que entendían el bautismo? ¿Qué nos dice acerca de la actitud de esos sacerdotes hacia el catolicismo? En cuanto al bautismo, sería bueno regresar al documento que aparece en el capítulo cuatro, "Apuntes de un viajero", en el cual también se habla del bautismo de los esclavos. ¿Qué relación puede haber entre lo que se dice en aquella fuente y lo que Ramos afirma acerca de las prácticas bautismales en Cuba?

Ramos se refiere a ofrendas consistentes en una papilla de harina de maíz y quimbombó –vegetal de origen africano también conocido como molondrón y ocra. ¿En qué modo ilustra esto la influencia recíproca entre dos culturas que se encuentran? ¿Habrá otras conexiones en estas fuentes?

¿De qué manera nos ayuda la fotografía a entender lo que Ramos nos dice acerca de su tradición religiosa? Nótese que Ramos establece un paralelismo entre compartir las frutas y la comunión cristiana. Una vez más, ¿cómo vemos aquí la influencia de una cultura sobre otra? ¿Cómo se relaciona todo esto con lo que Ramos dice acerca del bautismo?

Parte A[5]

Muchos de los esclavos traídos de África a través del Atlántico hasta el Caribe eran yorubas [personas procedentes de Nigeria y Benín]. Aún en medio de sus labores físicas y de la deshumanización institucionalizada, los yorubas encontraron maneras de conservar buena parte de su identidad y religión. La cultura que trajeron dejó su huella en la cultura de Cuba y de otros países donde fueron esclavizados –huella que se puede ver hasta el día de hoy. Esto era particularmente cierto porque los yorubas, supuestamente más amables y dóciles que otros esclavos, frecuentemente servían como esclavos domésticos, de modo que la participación de las mujeres yorubas en el cuidado de los hijos de sus amos fue un factor que desde temprano comenzó a contribuir a la cultura cubana cuyo carácter único estaba surgiendo –una cultura que incluía importantes elementos tanto de España como de África. Hasta el día de hoy es fácil encontrar vestigios de la cultura yoruba en la música, el arte, el folclor y la cocina no sólo de Cuba, sino también de buena parte del Caribe y de Brasil.

En el campo de la religión, los yorubas encontraron la forma de asegurarse de que muchas de sus costumbres ancestrales sobrevivieran, aunque con ciertas adaptaciones al nuevo ambiente. Una de esas adaptaciones fue establecer contactos entre las características y atributos de algunas de las deidades menores africanas, conocidas como *orishas*, con santos católicos que compartían las mismas características y atributos. Por ejemplo, a Changó, el más difundido de los antiguos orishas africanos en el hemisferio occidental, cuyo dominio incluía el trueno, se le relacionó con Santa Bárbara, la patrona de la artillería y las explosiones. Por esa razón, observadores externos frecuentemente le han dado a esta religión el nombre de "Santería", cuando en realidad esto es sólo uno de muchos elementos de la religión afrocaribeña. Sería más preciso llamarla "tradición cubana de

---

[5] Miguel "Willie Ramos, "Afro-Cuban *Orisha* Worship," en *Santería Aesthetics in Contemporary Latin American Art,* Smithsonian Institute Press, Washington, DC, 1996, pp. 51-56, 72-73. Adaptado y condensado por Ramos.

los orishas", o "religión lucumí" –el antiguo nombre que recibían quienes hoy se conocen como yorubas.

Mientras Cuba fue colonia española, el catolicismo tenía el monopolio religioso de la isla. Cuando se trataba de esclavos africanos, aunque la iglesia requería que se les convirtiera y bautizara, los esclavos mismos encontraban puntos de contacto entre sus propias tradiciones religiosas y lo que la iglesia enseñaba. Resultaba particularmente fácil encontrar tales puntos de contacto con las expresiones populares del catolicismo que los esclavos veían a sus amos practicar y seguir. En la religión yoruba, como en la católica, había un solo dios supremo, Olodumare, creador del cielo y la tierra. Olodumare también creó a los orishas como puentes o intermediarios entre el cielo y la tierra. Cada uno de sus orishas se relaciona con uno o más elementos de la naturaleza y de la existencia humana sobre la tierra. Son divinos, pues no sólo representan a Olodumare, sino que también manifiestan su omnipresencia y omnipotencia. Por esa razón los devotos frecuentemente buscan la ayuda y el apoyo de algún orisha específico, particularmente en tiempos difíciles, cuando hay que tomar decisiones, cuando se manifiesta la enfermedad, o ante otras necesidades semejantes. Era muy fácil relacionar todo esto con lo que la iglesia enseñaba y los católicos individuales practicaban, puesto que también en el catolicismo había un dios supremo, creador del cielo y la tierra, y en la piedad popular católica que se había desarrollado a través de la Edad Media y que todavía predominaba en Cuba los santos eran vistos como intermediarios entre los peticionarios y Dios –de modo que cada santo, como los orishas, tenía atributos, preocupaciones y campos de responsabilidad específicos.

Igual que los santos católicos, los orishas no son poderes distantes. Al contrario, tienen características humanas. Por esa razón se pueden relacionar directamente con sus devotos. Y, como los santos, ellos también tienen esferas particulares de influencia, lugares donde habitan, símbolos y parafernalia ritual, colores distintivos, etc. Por ejemplo, Changó, el orisha poderoso del rayo y el trueno, frecuentemente recibe sus ofrendas al pie de las palmas reales y de las ceibas, algo que el catolicismo popular considera también sagrado, puesto que el rayo nunca cae sobre ellas. Al mismo tiempo que Changó está dispuesto a acudir en socorro de sus devotos, rechaza todo lo que sea decepción o mentira. De manera más específica, se le sirve con sacrificios de gallos, carneros y tortugas, y también gusta de los bananos, la fruta tropical llamada mamey, y una papilla de quimbombó y harina de maíz. Sus colores son el rojo y el blanco, y los lleva tanto en su ropa como en cadenas de cuentas. En sus bailes lleva un hacha de dos filos.

Los eruditos y otras personas que se dedican al estudio, así como quienes practican la religión afrocubana, difieren ampliamente en cuanto al grado en que las dos tradiciones religiosas se fusionaron y también en cuanto a las razones que produjeron tal fusión. Algunos tienden a interpretar lo que aconteció como una mezcla o sincretismo entre las dos tradiciones religiosas. Otros sostienen que los yorubas y quienes abrazaron sus tradiciones religiosas escondían sus creencias y ritos bajo un barniz de piedad católica popular, evitando así las duras medidas que de otra manera se hubieran tomado contra ellos. Por lo general, los devotos afrocubanos tratan de establecer una distinción clara entre su religión y el catolicismo, pero también resulta evidente que ha habido influencia mutua entre el catolicismo popular y la tradición de los orishas. Esto puede verse en el modo en que se conectan los orishas afrocubanos con los santos católicos, a tal punto que prácticamente cada orisha tiene su santo correspondiente. Ciertamente, tal encuentro ha dejado su huella en ambas tradiciones religiosas, y la religión yoruba tal como se practica en Cuba muestra que varios de sus elementos africanos originales se han modificado o diluido por razón de la influencia católica. No importa cómo uno interprete o evalúe la influencia mutua entre estas dos tradiciones religiosas, no cabe duda que hay profundas semejanzas entre ambas. Esas semejanzas le han permitido a la religión yoruba no sólo sobrevivir, sino hasta ser entendida y adoptada por personas de descendencia europea.

En general, quienes siguen la religión yoruba distinguen entre el orisha y su santo correspondiente. El santo y el orisha no se unen ni confunden, pero aun así, algunos aspectos de la teología yoruba han sido modificados u ocultados por la doctrina y la religiosidad católicas, especialmente en el caso de aquellos católicos que se han convertido y adoptado la tradición de los orishas sin apartarse completamente del catolicismo.

En tiempos de la esclavitud, los sacerdotes de los orishas insistían en que sus seguidores fueran bautizados como católicos, y esto es todavía práctica común en Cuba –aunque va desapareciendo en la diáspora cubana. Puesto que varios de los ritos tradicionales no podían practicarse en el contexto de la esclavitud y bajo el ojo de la iglesia, se los reemplazó por ceremonias y ritos paralelos y con propósitos semejantes. Así, por ejemplo, las ceremonias tradicionales que se relacionaban con los grandes momentos de la vida tales como el nacimiento, el matrimonio y el llegar a ser adulto fueron reemplazadas por otras que se practicaban en el catolicismo.

Sin embargo, la inmensa mayoría de las costumbres y tradiciones yorubas todavía sobrevive. Se las transmite de generación en generación mediante oráculos o patakis, que son mitos semejantes a los pasajes bíblicos, contados por videntes en contacto con los orishas. Estos patakis también reciben la influencia de la sociedad y el contexto circundantes, y por lo tanto frecuentemente han sido adaptados y reinterpretados. Pero así y todo, un examen cuidadoso de todo el conjunto de patakis muestra que reflejan la riqueza y variedad de la cultura yoruba.

Una vez más, hay que subrayar el hecho de que los orishas no son seres distantes, ajenos a quienes les adoran. No son deidades a quienes el devoto ora semanalmente. Al contrario, son una presencia constante y presente que actúa en todas las dimensiones de la vida cotidiana. Cuando el devoto tiene motivo de alegría o de dolor, el orisha también se alegra o siente dolor. Esto crea un vínculo constante entre el orisha y el devoto, vínculo de mutualidad en que el devoto se compromete con el orisha, y el orisha con el devoto.

Aunque todos los creyentes pueden sentir este vínculo con los orishas, algunos son llamados a servirles de manera más directa, a la postre pasando por ritos de ordenación para pasar a ser olorishas (sacerdotes ordenados). Son estos pocos quienes, puesto que saben que su vida no es sino un breve período, o un grano de arena en el vasto océano de la experiencia humana, continúan traspasando su conocimiento y sus tradiciones ancestrales a las nuevas generaciones. Como dice un antiguo canto ritual, *alagba-lagba ofe s'noro* –los antiguos han visto, y han hablado.

Parte B[6]

Changó es el orisha del trueno y el rayo, y se ocupa particularmente de que la justicia divina se cumpla en la tierra. En la devoción cubana, se le identifica también con la masculinidad, el gozo y en general la vida buena. Su contraparte femenina es Oshún, a quien frecuentemente se llama "la Venus yoruba".

En este trono, Changó esta vestido de rojo y blanco, lo cual señala el relámpago y el poder. La piel de leopardo simboliza su

---

[6] Gracias a Miguel Ramos, Ilarií Obá, por la foto y la explicación.

habilidad como cazador –aunque con mayor frecuencia aquellos a quienes Changó caza son quienes desobedecen los principios y mandatos del Ser Supremo, para hacer justicia sobre ellos. El hacha de dos filos es también símbolo de Changó como señor del trueno y la justicia, que puede ejecutar con la velocidad de un relámpago.

Los senos en la figura central simbolizan el cuidado amoroso y maternal con que el orisha nutre al creyente, que es semejante al amor de una madre hacia sus hijos. Lo que aparece sobre la cabeza de la imagen es la batea, que contiene los implementos relacionados con el orisha. Ésta también está cubierta con un paño de piel que imita las marcas de la piel del leopardo. Las frutas al pie del altar son ofrendas que más tarde serán compartidas entre todos los participantes en el rito, en una comida común parecida a la comunión.

QUINTO DOCUMENTO
Al ritmo de los tambores

Introducción

El documento que acabamos de leer es una expresión y explicación de la religión Lucumí por un practicante que también tiene el alto rango de *Obá Oriaté*, que le capacita para presidir ceremonias y ordenaciones en esa religión. Pero, como sucede en todos los cuerpos religiosos, la religión que buena parte del pueblo practica no es siempre la misma que enseñan sus líderes. Esto se ve claramente en la fuente que ahora presentamos, que consiste de dos entrevistas a practicantes de la religión Lucumí, pero sin rango sacerdotal. Aquí ofrecemos unos pasajes seleccionados de dos entrevistas realizadas por el Dr. Héctor E. López-Sierra, profesor de la Universidad Interamericana de Puerto Rico, a quien le agradecemos su cortesía al permitirnos incluirlas en este libro. Estas dos entrevistas son parte de una extensa colección compilada por López-Sierra como parte de su investigación acerca de la etnografía y la religión afrocaribeñas.

Se trata de dos personas con profundas inquietudes religiosas. La primera, Héctor Cardona, se formó en la iglesia pentecostal, y al tiempo de la entrevista muestra todavía cierta ansiedad e indecisión en cuanto al camino que ha de tomar. La segunda, María Georgina Toro Sola, también habla de experiencias religiosas desde el tiempo de su niñez, y de su práctica de la religión que ella llama "santerismo".

A leer estas entrevistas, cabe preguntarnos: ¿Qué elementos o tradiciones religiosas se mezclan en la religión de cada una de estas personas? ¿Dónde vemos vestigios del catolicismo? ¿Qué diría la jerarquía católica acerca de la religión del padre de María Georgina? ¿Dónde se ven elementos protestantes, particularmente pentecostales? ¿Qué diría un pastor pentecostal acerca de cada una de estas entrevistas y de las prácticas de las que se habla en ellas? ¿Dónde se ve la tradición africana? ¿Qué diría Miguel Ramos, el autor del documento que acabamos de leer antes de estas entrevistas? ¿Qué otras influencias religiosas vemos, y dónde se manifiestan? ¿Qué fue lo que atrajo a cada una de estas dos personas a la religión afrocaribeña? ¿Por qué le interesaría tanto el tambor a Héctor? ¿Qué papel jugaron los parientes y amigos? ¿Quiénes fueron los maestros o guías espirituales de estas dos personas?

Texto[7]

Entrevista a Héctor Cardona, practicante no-sacerdote

A los cinco años, … de edad yo visitaba a la iglesia católica con … mi papá el señor Roberto Calderón Parrilla, y a veces con mi hermana…

Entonces, pues entonces empiezo a visitar las distintas iglesias y me empiezo a empapar desde pequeño de esos contenidos religiosos y me gustó… Cuando yo tenía seis años, mi

---

[7] Hector E. Lopéz Sierra, Transcripción de algunas entrevistas etnográficas y notas introductorias y explicativas presentadas como parte de la ponencia "Construcción de identidades afrorreligiosas en la modernidad puertorriqueña. El caso de la religión de Ocha e Ifá: Perspectivas fenomenológicas y transdisciplinarias", presentado en el 1er Simposio Actualidad de las Tradiciones Espirituales y Culturales Africanas en el Caribe y Latinoamérica, San Juan, Puerto Rico, 19 - 21 de julio, 2005, pp. 2-5, 9-11.

papá muere. Eso provoca que en mi casa todo el mundo ... se conviertan más al evangelio. Y ... empiezo yo a visitar la Iglesia Defensores de la Fe. Mi mamá se convierte en una creyente del ... pentecostalismo y mis hermanos también... Entonces yo crecí en la iglesia, yo estuve visitando desde los seis años en la iglesia corrido hasta los doce años... un muchacho que le gustaba tanto la historia y todo eso. Aprendí bastante... del contenido histórico y sobre todo de los análisis que se hacen en las escuelas bíblicas y eso era lo que a mí me gustaba, más que otra cosa. Más que los ayunos, más que rezar, más que ir a hacer lo que hacen ... las iglesias pentecostales de escuchar sermones y testimonios. A mí lo que me gustaba era el estudio... Sucede, que ... en [la iglesia de] Loiza Valley había un muchacho que se llama ... Juan Tartabul Fuentes que era una persona que tocaba el tambor batá. Estaba aprendiendo a tocar el tambor batá y ... practicaba en la cancha de Loiza Valley. Para yo llegar para la iglesia, yo tenía que pasar por la cancha. Y entonces él, que me conocía desde pequeño ... y se llevaba siempre conmigo bien... Cuando yo pasaba siempre me quedaba. Me paraba a escuchar el tambor batá... Me llamaban la atención esos sonidos que se podían sacar con el tambor batá y parece que Juan se dio cuenta de eso y me dio la oportunidad de practicar... Pero él sabía que en casa eran cristianos... Como yo tenía afición a la música, y tenía esa habilidad, pues él me enseñaba porque yo cogía las cosas rápido. De esa manera cuando yo iba a la cancha o no iba a la iglesia me sentaba con él a practicar. Eso provocó que me interesara más ese tambor. Con el tiempo yo me fui alejando un poco de la iglesia. [A los] catorce o quince años yo no iba mucho a la iglesia. Porque quizás estaba pasando por esa etapa que pasan los jóvenes. Quizás un poquito de rebeldía, cansancio ... Estancamiento religioso, me dedico más a la música... Empezamos por el toque fundamental, el de Eleguá, y yo lo estaba trabajando en el segundo y lo pudimos hacer. Eso parece que le sorprendió mucho, cuando tuve la oportunidad de conocer a José Ramírez, el colorao, que hoy en día es mi padrino, ... le dijo "este es el muchacho que sacó Eleguá en veinte minutos". O sea, que se había sorprendido o se había alegrado... Entonces le digo que quería pasar por su casa y José me dijo que estaba bien que pasara. Cuadramos para un sábado y ... fui a la casa.

Cuando fui me dijo: "Héctor esto es un tambor religioso". Y me explicó sobre unos compromisos que había que tomar y hacer, unos pasos a seguir en el tambor. Pero me dijo: "eso con el tiempo va a llegar y eso tú lo vas a hacer cuando tú lo sientas". Y pues empecé a aprender con él y él empezó a enseñarme y a ir con él a los toques... Entonces ahí empecé a tener contacto con la santería. Yo diría que ha sido un proceso bien lento para mí y a veces me he dado cuenta de unas cosas y las he analizado y ... yo que he sido fuerte, ... yo me crié en la Iglesia Defensores de la Fe, [donde] le enseñan unas cosas.

Hasta ahora yo me he mantenido tocando el tambor, y sí me iba a consultar y sí me interesa recibir unos sacramentos. Pero lo tomo todo con calma, porque yo sé que a pesar de todo uno tiene familia cercana y no están de acuerdo y eso para mí ha sido fuerte, difícil, sobre todo difícil... Mi primer gran compromiso, ... había que hacer ceremonia para tocar ... tambor. Eso fue una decisión que tuvimos que tomar en ese momento... Y tomamos la decisión de facultarnos para poder tocar el tambor. Y fue una decisión que nosotros la pensamos bastante. Estuvimos todo un año trabajando... Hicimos la ceremonia y me he mantenido tocando el tambor batá. En este año, ya vamos para seis que llevo tocando el tambor, me han ocurrido una serie de cosas, problemas, situaciones, en las que he tenido que recurrir por voluntad propia a Ifá. Lo digo porque José ha ayudado a otras personas... He tenido comprobación. En las fiestas a veces los santos bajan y le hablan a uno y me han dicho cosas ciertas... Tengo que decir, insisto, que no se me ha hecho fácil. Todavía hay unas cosas con las que me he criado, situaciones teóricas, cosas que le enseñan a uno espirituales dentro de la Iglesia Pentecostal que han sido un choque en la santería y no se me ha hecho fácil. Espero que al final la verdad sea la que prevalezca y seguir en el camino que esté en mi destino. No me he arrepentido de nada de lo que hecho.

Entrevista a María Georgina Toro Sola, practicante no-sacerdotisa

Desde los nueve años entré en la espiritualidad en la cual tuve revelaciones de sueño, en la cual fui transportada al sitial de lo alto del cielo, en el cual vi muchas protecciones, muchos espíritus protectores, en el cual yo quería quedarme allí porque había una tremenda paz... Podía visualizar diferentes territorios de tierra y el mundo completo adquiriendo una paz en el cielo en una morada del Señor. Le dije a un espíritu que vino, con un manto blanco, barba larga, trigueño.[8] Le dije que si me podía quedar en esa paz y me dijo que no. En ese momento fui expulsada y se abrieron las nubes. Pude ver algunos territorios quemados, o sea, la tierra quemada que eran las guerras; las contrariedades de las personas y otros no. Otros orando por esa paz. Al momento que fui expulsada, que quería quedarme porque había mucha paz, ... en la tierra, en mi cuerpo y vi una gran luz alrededor mío en forma de una luna, en el cual no podía hablar ni llamar a mis padres porque era muy pequeña y sin conocimiento de la obra espiritual.

Entonces se iba acercando más y más y yo me ponía más rígida. No podía moverme, no podía hablar. Pero dentro de mi conciencia había una voz, y yo decía quiero hablar con mi madre para que se entere Padre mío. Ahí de momento me vino la fuerza y pude llamar a mi madre. Ella vino pero yo todavía no podía levantarme de la cama. Al momento como que me vino la energía otra vez y me pude levantar.

Ella trajo una fuente de agua y lo que yo pude ver en esa fuente fue un indio con una pluma arriba, desnudo de la cintura para arriba, con un taparrabo y entonces su flecha. El pelo largo negro. Entonces le dijo a mi madre que tenía que seguir la obra espiritual en la cual yo venía. Sucesivamente, todas las noches me ocurría algo diferente y me trasladaban al cielo, como digo yo, a la dimensión de luz. Luego, mi madre al ver todas esas controversias noche tras noche que no podía dormir, se impresiona tanto que me lleva a un centro espiritual en el cual me

_____
[8] En Puerto Rico se refiere a personas con tez de piel oscura.

sentaron, en el cual tuve comunicación con la entidad, la entidad mía fue Santa Clara con un rosario.

Entonces, siguen desarrollándose las facultades mías en ese centro. Claro no recuerdo el centro que era porque hacen muchos años. Tuvieron unas controversias porque el centro se cayó y volvió y seguí en rutina, como todos, buscando el desenvolvimiento. Luego, a la mayoría de edad me casé con el primer matrimonio mío en el cual la suegra era santera, en el cual ella me introdujo al santerismo. Ella fue la que me presentó al babalawo Luis Ramos, en el cual fue él que me dio los eleguaces, los collares y entonces ahí fui comprendiendo ciertas cosas espirituales. Fue acercándose una entidad mía que es un africano, el cual me introdujo mucho más en la religión hasta ahora, en que estoy ejerciendo poco a poco, desarrollando ciertas áreas en el campo santero. En mi casa éramos católicos pero no se practicaba el espiritismo. Yo lo desarrollé a los nueve años. Mi mamá tenía alguna intuición, pero no la ejercía. Ella tenía visión. Eso sí, promoción de ideas que le daban los espíritus en su mente para poder, de protección y visión de espíritus que veía en la casa y alrededor, lo que venía y lo que iba.

Mi papá era masón, entiende, y estuvo en diferentes instituciones de masonería. Era católico también porque su familia era toda católica. Fue un gran maestro de la masonería. Fue presidente, fue secretario. Yo nací a los ocho meses pesando cuarto libras. Me crié en moisés[9] y alrededor de ese moisés veían como una luna bien blanca.

Una vez ella fue donde una espiritista. Ella tenía nociones, sí, pero no eran tan frecuentes. Me mandó unos resguardos para que yo siguiera arribando. La espiritista decía que yo era el espíritu de una persona bien mayor encarnado. Y que iba a nacer para morir. Pero a base de esos resguardos y las oraciones de mi madre pues yo fui arribando en ese moisés. Cuando llego a cierta edad que me ocurrieron estas cosas lo que la indujeron

---

[9] Se denomina popularmente moisés a una especie de cuna en donde por lo regular duerme un recién nacido. El nombre de moisés viene del personaje de la Biblia hebrea.

[sic] a llevarme a mí era lo mala que yo me ponía de noche, los estremecimientos en mi cuerpo, las revelaciones que yo tuve de lo que yo le contaba que yo veía espiritualmente. Entonces, ella dijo que tenía que llevarme a un sitio donde yo pudiera desarrollarme todo lo que yo traía.

Sexto documento

La historia de un inmigrante

Introducción

Lo que sigue es la transcripción de una entrevista al pastor presbiteriano Trinidad Salazar que en 1987 realizó la historiadora Jane Atkins-Vásquez como parte de la preparación para un volumen en conmemoración del centenario de la obra presbiteriana entre los hispanos en California. Aunque no lo dice en esta entrevista, Salazar fue un líder respetado entre los presbiterianos hispanos. Por más de cincuenta años escribió y editó en español influyentes publicaciones periódicas. Sirvió como pastor en Los Angeles, Redlands, San Francisco, Phoenix y Gardena. Su prestigio e influencia fueron tales que se le comisionó como delegado a la Asamblea General –el cuerpo supremo de gobierno de la Iglesia Presbiteriana– no una vez, sino cinco. Murió poco después de esta entrevista, antes de que el libro –dedicado a su memoria– fuera publicado.

Este contexto es importante para entender el material que sigue. Debemos tener en cuenta su humilde origen, sus primeras luchas, y sus éxitos e influencia posterior. Nos sería difícil encontrar su pueblo natal, Cusihuilatchi –también llamado Cusihuiriachi– en un mapa. Cuando Salazar nació, era un pequeño pueblo junto a la orilla de un río, con menos de dos mil habitantes que se dedicaban a las minas de plata. Ahora las minas de plata se han cerrado y la población no alcanza el centenar de personas. Los "Tayamaras" a quienes se refiere como el pueblo de su madre, eran probablemente quienes hoy llamamos los Tarahumaras, viven mayormente en el estado de Chihuahua, y son alrededor de sesenta o setenta mil. Chihuahua es un amplio estado en la zona norte y central de México, límite con Texas.

Su principal ciudad es Juárez, junto al Río Bravo y frente a El Paso, Texas.

Tomemos en cuenta primero lo que Salazar dice acerca de la Revolución Mexicana y cómo afectó a su familia. El año 1924, en que Salazar cruzó a los Estados Unidos, marcó también el recrudecimiento de las relaciones entre la iglesia y el estado que pronto llevarían a la rebelión de los cristeros. En el capítulo cinco, en el documento "Un último intento" (la entrevista entre el Presidente de México y los líderes de la iglesia) hemos visto cómo esas tensiones se iban intensificando. Podemos imaginar cómo sería vivir en una familia dividida por la guerra civil, como era el caso de Salazar. ¿Cuál parece ser la actitud de Salazar frente a la Revolución Mexicana? ¿En qué modo puede haber afectado esto su trabajo en el teatro en El Paso, y llevado a su despido? ¿Por qué se le consideraría bolchevique, aun cuando él mismo no sabía lo que esa palabra quería decir? Al leer esta historia, también podemos ver que hay en toda la vida de Salazar un hilo conductor de crítica a la realidad existente y hasta resistencia.

Nótese que la primera vez que Salazar cruzó a los Estados Unidos no fue para permanecer allí. Pero luego regresó, esta vez para quedarse –aunque esto queda implícito en la entrevista. ¿Qué llevaría a la familia de su esposa, y aparentemente a él también, a mudarse a El Paso, en Texas?

Dado el propósito de este libro, debemos prestarle especial atención a lo que Salazar dice acerca de su religión. Notemos el papel de la familia de su esposa en su conversión al protestantismo y más tarde en la decisión de unirse a la Iglesia Presbiteriana. ¿Por qué le molestaría al pastor que Salazar fuera a la cantina? Nótese su referencia a cuando se enteró por primera vez del "cristianismo", y cómo dice también que había sido criado como "un católico romano bien conservador". ¿Qué nos dice del modo en que Salazar veía al catolicismo romano? ¿Cómo se reconcilia esto con el hecho de que su padre creyera "en Dios, pero no en los curas, ni en la iglesia"?

También es de notarse la relación entre la conversión de Salazar al protestantismo y su participación en la Iglesia Presbiteriana por una parte, y sus logros educativos por otra. ¿Qué nos dice acerca del papel de la iglesia como agente de mejoramiento social y económico entre los inmigrantes a los Estados Unidos? También es interesante tener en cuenta el papel del pastor Warnshuis en la vida y carrera de Salazar. ¿Qué patrones de autoridad dentro de la Iglesia Presbiteriana de aquellos tiempos nos muestra ese papel? ¿Hubiera podido Salazar alcanzar lo que pudo de no haberse sometido a la autoridad de Warnshuis? Nótese también que Salazar fue ordenado antes de cumplir los requisitos de educación, y que esto se hizo debido al crecimiento de la iglesia de El Siloé. ¿Qué nos dice acerca de cómo la Iglesia Presbiteriana estaba dispuesta a reinterpretar y hasta obviar las reglas cuando le parecía necesario? ¿En qué modo puede esto haber ayudado o estorbado el crecimiento de los presbiterianos entre los hispanos del sudoeste norteamericano?

Texto[10]

Yo nací en Cusihuilatchi, en la Sierra Madre, en tierra de los Tayamaras, en el estado de Chihuahua. Mi madre tenía alguna herencia Tayamara, y yo la reclamo. Mi padre era maestro de escuela.

Cuando vino la revolución las escuelas fueron cerradas y mi educación se detuvo por un tiempo. Por algunos años viví en Chihuahua con mi hermana mayor, quien había enviudado porque su esposo era soldado del gobierno. Por el otro bando, el hermano de mi mamá, el tío Gabino, estaba con Pancho Villa. Lo llamábamos *El Bandido Cano*, y era coronel. Su regimiento se llamaba los cazadores de la Sierra. Fue así que pude conocer a Pancho Villa, quien vino a nuestra casa.

Fui a los Estados Unidos con mi hermana en 1924. Crucé ilegalmente, lo que llaman espalda mojada, en El Paso. En Chi-

---

[10] Jane Atkins-Vásquez, ed., "Trinidad Salazar: A Call to Service," en *Hispanic Presbyterians in Southern California: One Hundred Years of Ministry,* Synod of Southern California and Hawaii, Los Angeles, 1988, pp. 160-161. Usado con permiso.

huahua había trabajado como electricista en un cine, y después como administrador de dos teatros en Hidalgo del Parral. Empecé a trabajar en un teatro en El Paso, pero me echaron porque decían que era comunista. Yo no sabía lo que era un bolchevique. Lo único que sí sabía era que yo era un rebelde.

Regresé, conocí a Guadalupe Payán, y nos casamos en 1926. Mi esposa era presbiteriana. Alguien había invitado a su familia a asistir a unos servicios especiales en Ciudad Juárez y todos ellos se convirtieron. Cuando fueron a El Paso se unieron a la iglesia metodista, excepto mi esposa. Ella empezó a asistir a una pequeña iglesia presbiteriana donde el ministro era Abrán Fernández. Ella y Fernández me aguijoneaban para que fuera a la iglesia. Yo salía del trabajo a la cantina, solamente por molestar a Fernández.

Empecé por fin a asistir a la iglesia con cierta regularidad. Fue allí que por primera vez aprendí algo acerca del cristianismo. Yo había sido un católico romano bien conservador, lo cual es característico de la cultura mejicana. Mi papá nos llevaba a misa porque creía en Dios, pero no en los curas ni en la iglesia. Yo sentí que sabía muy poco acerca de la religión. El hermano Fernández me dio una Biblia enorme, y fue así que empecé mis estudios cristianos, con la Biblia. Fue allí que aprendí con Guadalupe Armendáriz, quien era superintendente de la escuela dominical.

Cuando vino la depresión nos mudamos a California en 1930, y allí asistimos a la iglesia presbiteriana El Divino Salvador en Los Angeles. El pastor era Huberto Falcón. En 1932 Paul Warnshuis estaba buscando que alguien le ayudara en El Siloé. Fue al Divino Salvador y le pidió al consistorio si alguno de los ancianos quería ayudarle, mientras buscaba un pastor.[11] Me habían elegido como anciano en El Paso, pero todavía yo pensaba que no sabía nada. Ni siquiera había enseñado en la escuela dominical. Hubo seis hombres que se ofrecieron como voluntarios. Warnshuis llevó sus nombres a El Siloé, y de entre

---

[11] El consistorio es el cuerpo de gobierno de la iglesia local presbiteriana, y los ancianos son sus miembros.

esos seis miembros El Siloé escogió el único de que no sabía nada: yo.

El Siloé era una pequeña capilla que había sido construida al mismo tiempo en que se construyó la iglesia en La Verne. Al tiempo que me ocupaba de la responsabilidad de la iglesia –predicar, enseñar y todo lo demás– fui a la escuela superior a aprender inglés. Tenía 31 años. Warnshuis me ayudó a ir a Redlands, donde trabajé en una pequeña iglesia y fui al colegio de San Bernardino y luego a la universidad. Fui solo. Me daban un salario de $30 al mes. Mi esposa trabajaba también, y se quedó en Los Angeles. Por fin obtuve mi grado de bachiller en sociología, con una concentración secundaria en sicología. Warnshuis me ayudó empujándome.

La iglesia de Redlands estaba recibiendo nuevos miembros, y teníamos que pedirle al pastor de la iglesia americana, Chester Green, que viniera repetidamente. Él fue la razón por la que me ordenaron, porque le dijo al Presbiterio de Riverside que no podía ocuparse de sus propias tareas porque tenía que dedicarse a bautizar, casar, asistir en la comunión y recibir nuevos miembros en nuestra iglesia. De modo que fui ordenado antes de terminar mis estudios en la universidad.

En 1941 Warnshuis me mandó a la iglesia de San Francisco para que pudiera asistir al Seminario Teológico de San Francisco.

Entonces fuimos a Phoenix [la capital del estado de Arizona]. Yo no quería ir a Arizona, pero Warnshuis me mandó a Phoenix, donde había estado Abrán Fernández. Estuvimos allí 17 años. Mientras estaba allí decidí que si iba a continuar en el ministerio quería tener mejor educación. En la cuidad de Tempe obtuve una maestría en educación al mismo tiempo que servía como pastor. De modo que cuando alguien me dice que no puede hacer algo, le respondo que es sencillamente cuestión de la mayordomía del tiempo.

Cuando regresé de Phoenix a California en 1969 un grupo de ministros hispanos estaba organizando acá el movimiento de Hombres de Iglesia y de la Raza. Elegimos a Arturo Archuleta como presidente. El propósito era trabajar juntos. A lo largo de toda la vida habíamos estado peleando entre nosotros mismos, y queríamos unirnos. Tony Hernández, Livingston Falcón, Peter Sámano, y Huberto Falcón fueron algunos de los que participaron. También había laicos.

Toda mi vida he estado involucrado en controversias. Si alguien me dice algo, inmediatamente digo lo contrario, o trato de ver los resultados negativos. Ese es mi espíritu. Tengo que refrenarme. Deberíamos pensar en la enseñanza bíblica de no conformarnos, sino ser transformados, lo cual es el fundamento del cristianismo.

SÉPTIMO DOCUMENTO
La respuesta católica

Introducción

A fin de entender la importancia de este "Plan pastoral nacional para el ministerio hispano", es necesario tener en cuenta la serie de encuentros que llevaron a él. Estos encuentros reunieron a líderes católicos, tanto laicos como ordenados, para discutir la misión de la iglesia entre los hispanos. Pero las reuniones en sí y las discusiones que tuvieron lugar, ayudaron a despertar la conciencia de los católicos hispanos acerca de la necesidad de tener una voz más fuerte y mejor coordinada dentro de la vida de la iglesia. Al tiempo que estos encuentros subrayaban la importancia de la evangelización, también subrayaron la relación entre la evangelización y la justicia social, y de ambas con la "educación integral". En cuanto a la evangelización, el tercer encuentro había declarado que "la iglesia existe para evangelizar" y que "una evangelización encarnada en una cultura dada es esencial para todos los pueblos". En cuanto a la justicia social, los tres encuentros afirmaron que era parte de la evangelización, y que era un tema de importancia particular para los hispanos "por razón de su propia condición social". Por último, el tercer encuentro definió la educación integral como "una formación global sobre la vida económica, política, social, cultural, familiar y eclesial que lleva a una madurez en la fe y una responsabilidad en la historia".[12]

Las porciones del "Plan pastoral nacional para el ministerio hispano" que se incluyen aquí han sido seleccionadas como ejemplo de su perspectiva teológica y su orientación general. Es importante señalar, sin embargo, que estas palabras bastante generales sirvieron también como fundamento para un plan de acción detallado y abarcador que involucraba a todos los niveles de la iglesia, desde el nacional hasta el diocesano y la parroquia, así como un amplio número de organizaciones nacionales y regionales, órdenes religiosas, instituciones educativas y organizaciones laicas. El plan también estableció un Comité Asesor Nacional que trabajaría en colaboración con el Secretariado de Asuntos Hispanos de la Conferencia de Obispos Católicos en los Estados Unidos (USCCB), a la cual corresponderían la supervisión general y la responsabilidad de implementar el plan.

El plan se refiere a novenas, pastorelas, posadas, nacimientos y al vía crucis. Estos son varios elementos de la devoción católica hispana. Una novena es una secuencia de nueve días de oración. Las pastorelas son dramas navideños. Las posadas son dramatizaciones de la búsqueda por parte de María y José de un lugar donde hospedarse en Belén. Los nacimientos y el vía crucis son elementos bien conocidos en toda América Latina. Al leer este documento, es bueno tener en mente los que hemos leído antes. Nótese, por ejemplo, la referencia a la Virgen de Guadalupe. ¿Qué nos dice esto acerca de las raíces del catolicismo hispano tal como existe en los Estados Unidos? ¿Qué pensaban los obispos acerca de las culturas prehispanas en América Latina y de su religiosidad? ¿Qué ecos encontramos aquí de todo el proceso de conquista y conversión que tuvo lugar quinientos años antes?

---

[12] United States Conference of Catholic Bishops, *Ministerio hispano: Tres documentos importantes,* "Voces proféticas," United States Conference of Catholic Bishops, Washington, DC, 1995, p. 36.

Después de tales consideraciones, bien vale la pena volver nuevamente a los documentos protestantes que aparecen en los capítulos 6 y 7. ¿Cómo responderían Speer ("Raza y misión") y Mackay ("Justificar la presencia") a este documento?

¿Qué razones dan los obispos como fundamento para su decisión de endosar este plan en el momento en que lo hicieron? Nótese lo que el documento dice acerca de la integración y de la asimilación, y ténganse en cuenta las consecuencias que cada una de esas dos políticas podría tener para la vida de la iglesia. ¿Cómo juzgaban los obispos el modo en que la Iglesia Católica había respondido a la presencia latina en los Estados Unidos? ¿Qué nos dice el documento acerca de la preocupación de los obispos por el número de hispanos que estaban abandonando la Iglesia Católica?

Un buen ejercicio sería considerar, si tuviéramos que escoger tres palabras para caracterizar el tono general de este documento, qué palabras usaríamos.

Texto[13]

Plan Pastoral Nacional para el ministerio hispano
18 de noviembre, 1987

Prefacio

Este Plan Pastoral va dirigido a toda la Iglesia de los Estados Unidos. Enfoca las necesidades pastorales de los hispanos católicos pero es un reto también a todos los católicos como miembros del mismo Cuerpo de Cristo.[14]...

Nosotros, los Obispos de los Estados Unidos, adoptamos los objetivos de este plan y endosamos los medios específicos para alcanzarlos que están contenidos aquí. Pedimos a las diócesis y parroquias que incorporen este plan con el debido respeto por las adaptaciones locales. Lo hacemos con un sentido de ur-

---

[13] United States Conference of Catholic Bishops, *Ministerio hispano: Tres documentos importantes*, "Plan pastoral nacional para el ministerio hispano," United States Conference of Catholic Bishops, Washington, DC, 1995, pp. 65, 66, 68-70, 77, 79, 80, 89. Usado con permiso.

[14] 1Co 12:12-13.

gencia y en respuesta al enorme reto que encierra la presencia de un número creciente de hispanos en los Estados Unidos. No sólo aceptamos esta presencia dentro de nosotros como parte de nuestra responsabilidad pastoral, concientes *[sic]* de la misión que nos encomendó Cristo[15], sino que lo hacemos con alegría y gratitud. Como dijimos en la Carta Pastoral de 1983: "En este momento de gracia reconocemos que la comunidad hispana que vive entre nosotros es una bendición de Dios".[16]

Presentamos este plan en espíritu de fe: fe en Dios que nos dará la fuerza y los recursos para llevar a cabo su plan divino en la tierra; fe en todo el Pueblo de Dios y en su colaboración en la grandiosa tarea ante nosotros; fe en los católicos hispanos y en que ellos se unirán con el resto de la Iglesia para edificar todo el Cuerpo de Cristo. Dedicamos este plan para honor y gloria de Dios, y en este Año Mariano invocamos la intercesión de la Bienaventurada Virgen María bajo el título de Nuestra Señora de Guadalupe...

Este plan es una respuesta pastoral a la realidad y a las necesidades de los hispanos en sus esfuerzos por lograr la integración y la participación en la vida de nuestra Iglesia y en la edificación del Reino de Dios.

La integración no debe confundirse con la asimilación. Por medio de una política de asimilación, los nuevos inmigrantes son forzados a abandonar su idioma, cultura, valores, tradiciones y a adoptar una forma de vida y un culto que son extraños para poder ser aceptados como miembros de la parroquia. Esta actitud aleja a los nuevos inmigrantes católicos de la Iglesia y los hace víctimas de las sectas y de otras denominaciones.

La integración quiere decir que los hispanos deben ser bienvenidos a nuestras instituciones eclesiásticas en todos los círculos. Deben ser servidos en su idioma siempre que sea posible y se deben respetar sus valores y tradiciones religiosas. Además

---

[15] Mt 28:18-20.

[16] Conferencia Nacional de Obispos Católicos, *La Presencia Hispana: Esperanza y Compromiso (PH)*, Carta Pastoral de los Obispos de los E.U.A., USCC Office of Publishing and Promotion Services, Washington, D.C.,1983, no. 1.

debemos trabajar para el enriquecimiento mutuo por medio del intercambio de las dos culturas. Nuestros planteles deben ser accesibles a la comunidad hispana. Se debe procurar y apreciar la participación hispana en las instituciones, programas y actividades de la Iglesia. Este plan trata de organizar y dirigir la mejor manera de realizar esta integración...

Los Estados Unidos de América no es toda la América. Hablamos de las Américas para describir un hemisferio de muchas culturas y tres idiomas dominantes –dos de la península ibérica y el otro de una isla del Atlántico norte. Ya que la Iglesia es la guardiana de la misión de Jesucristo, tiene siempre que acomodar las poblaciones cambiantes y las culturas en transición del mundo. Si la Iglesia está impregnada de normas culturales entonces divide y separa: pero si reemplaza normas culturales con la importancia suprema del amor, une a los muchos en el Cuerpo de Cristo sin disolver las diferencias ni destruir la identidad.

Cultura

La realidad histórica del Suroeste, la proximidad de los países de origen y la continua inmigración, contribuyen al mantenimiento de la cultura y el idioma hispano dentro de los Estados Unidos. Esta presencia cultural se expresa de muchas maneras: en el inmigrante que siente el "choque cultural" o en el hispano que tiene raíces en los Estados Unidos que datan de varias generaciones y que lucha con preguntas sobre su identidad mientras que frecuentemente se le hace sentir como un extraño en su propio país.

A pesar de estas diferencias, hay ciertas similitudes culturales que identifican a los hispanos como pueblo. La cultura expresa principalmente cómo un pueblo vive y percibe el mundo, los demás y Dios. La cultura es el conjunto de valores con los cuales un pueblo juzga, acepta y vive lo que considera importante para la comunidad.

Algunos valores que son parte de la cultura hispana incluyen "un profundo respeto por la dignidad de cada *persona*... un profundo y respetuoso amor por la *vida familiar*... un maravilloso sentido de *comunidad*... un afectuoso agradecimiento por la *vida*, don de Dios... y una auténtica y firme *devoción a María*".[17]

Para los hispanos católicos, la cultura se ha convertido en un modo de vivir la fe y de transmitirla. Muchas prácticas locales de piedad popular se han convertido en expresiones culturales generalmente aceptadas. Pero la cultura hispana, al igual que todas las demás, tiene que ser evangelizada continuamente.[18]

Realidad Social

La edad promedio de los hispanos es de 25 años. Este hecho junto con el flujo continuo de inmigrantes asegura un aumento constante de la población.

Falta de educación y de preparación profesional contribuye a un alto grado de desempleo. Ni la educación pública ni la privada han respondido a las necesidades urgentes de esta población. Sólo el 8% de hispanos se gradúa de la universidad.[19]

Las familias se enfrentan a una gran variedad de problemas. El 25% de ellas vive en la pobreza y el 28% son familias con sólo padre o madre.[20]

Gran movilidad, educación deficiente, economía limitada y prejuicio racial son algunos de los factores que influyen en la poca participación de los hispanos en las actividades políticas.

En conjunto, los hispanos son un pueblo religioso. Un 83% considera que la religión es importante. Tienen gran interés en conocer mejor la Biblia y hay un gran apego a las prácticas religiosas populares.[21] ...

---

[17] *La Presencia Hispana: Esperanza y Compromiso*, no. 3.

[18] *Evangelii Nuntiandi*, no. 20.

[19] Oficina del Censo de los Estados Unidos, diciembre 1985.

[20] *Ibid.*

[21] Roberto González y Michael LaVelle, *The Hispanic Catholic in the United States: A Socio-Cultural and Religious Profile,* Northeast Catholic Pastoral Center for Hispanics, 1985.

Diagnóstico

El patrimonio católico y la identidad cultural de los hispanos están siendo amenazados por los valores seculares que predominan en la sociedad americana. Los hispanos participan al margen de la Iglesia y de la sociedad y sufren las consecuencias de la pobreza y de la marginación.

Estas mismas personas, debido a su gran sentido religioso, de familia y de comunidad, son una presencia profética frente al materialismo e individualismo de la sociedad. Por el hecho de que la mayoría de los hispanos son católicos, su presencia puede ser una fuente de renovación dentro de la Iglesia Católica en Norteamérica. A causa de su juventud y crecimiento, esta comunidad continuará siendo una presencia importante en el futuro.

El proceso pastoral actual ofrece posibilidades magníficas en el aspecto social y religioso; más participación activa en la Iglesia, una crítica a la sociedad con la perspectiva de los pobres y un compromiso con la justicia social.

Al acercarse el año 1992 con la celebración del quinto centenario de la evangelización de las Américas, es más importante que nunca que los hispanos en los Estados Unidos recobren su identidad y su catolicismo, vuelvan a ser re-evangelizados por la Palabra de Dios y forjen una unidad muy necesaria entre todos los hispanos que han venido desde todo el mundo donde se habla español...

Estas pequeñas comunidades promueven las experiencias de fe y conversión así como también el interés en cada persona y un proceso de evangelización con oración, reflexión, acción y celebración.

El objetivo de los programas siguientes es de continuar, apoyar y extender el proceso evangelizador a todo el pueblo hispano. De esta forma la comunidad católica tendrá una respuesta factible frente al proselitismo de los grupos fundamentalistas y a la atracción que ellos ejercen sobre los hispanos. Además, estaremos más concientes [sic] de nuestra responsabilidad de dar la bienvenida a los recién llegados, y de atraer a los inactivos y a los que no tienen iglesia...

Antecedentes

Durante el proceso del III Encuentro, los hispanos hicieron una opción preferencial por los pobres, los marginados, la familia, la mujer y la juventud. Estos grupos prioritarios no son sólo los destinatarios sino los sujetos del ministerio pastoral hispano.

Los pobres y marginados tienen participación limitada en el proceso político, social, económico y religioso. Esto se debe a su subdesarrollo y marginación de las estructuras de la Iglesia y de la sociedad donde se toman las decisiones y se ofrecen los servicios...

Objetivo específico

Promover la fe y la participación eficaz de estos grupos prioritarios (los pobres, la mujer, la familia y la juventud) en la Iglesia y en las estructuras sociales para que puedan ser agentes de su propio destino (autodeterminación) y capaces de superarse y organizarse...

Espiritualidad y mística

La espiritualidad de los hispanos, una realidad viva a lo largo de su peregrinaje, se manifiesta en muchas formas. A veces es en forma de oración, novenas, canciones y gestos sagrados. Se manifiesta también en las relaciones personales y la hospitalidad. Otras veces, se muestra como tolerancia, paciencia, fortaleza y esperanza en medio del sufrimiento y las dificultades. Esta espiritualidad también inspira la lucha por la libertad, la justicia y la paz. Con frecuencia se manifiesta en compromiso y perdón como también en celebración, danzas, imágenes y símbolos sagrados. Altarcitos, imágenes y velas en la casa son sacramentales de la presencia de Dios. Las pastorelas, las *posadas*, los *nacimientos*, el *vía crucis*, las *peregrinaciones*, las procesiones y las bendiciones que ofrecen las madres, los padres y los abuelos son manifestaciones de esta espiritualidad y fe profunda.

A través de los siglos, estas devociones se han desviado o empobrecido por falta de una catequesis clara y enriquecedora. Este plan pastoral con su énfasis evangelizador, comunitario y formativo puede ser ocasión de evangelización para estas devociones populares y un aliciente para enriquecer las celebraciones litúrgicas con expresiones culturales de fe. Este plan trata de libertar al Espíritu que vive en las reuniones del pueblo.

OCTAVO DOCUMENTO
Una respuesta protestante

Introducción

El documento que sigue es una selección de porciones del *Plan nacional para el ministerio hispano* de la Iglesia Metodista Unida. Este plan fue aprobado en 1992 por la Conferencia General, que es el supremo cuerpo legislativo de esa denominación. Como en el caso de su contraparte católica, el plan metodista involucra a cada junta y agencia de la denominación, como también a cada nivel de su sistema de gobierno. La selección que sigue subraya la visión fundamental que se encuentra tras el plan, y no incluye las recomendaciones concretas ni el modo en que las diversas responsabilidades se asignaron a cada una de las agencias de la iglesia. Al leer este documento, debemos compararlo con el plan católico. Notemos aquellos puntos en que se asemejan y aquellos en que difieren. ¿Qué temas o énfasis de los que aparecen en el plan católico no se encuentran aquí? Y viceversa, ¿qué temas o énfasis del plan metodista no son parte del plan católico?

También es bueno tomar nota de los recursos que el documento dice que la Iglesia Metodista tiene para ampliar sus ministerios hispanos, así como los puntos débiles que podrían señalarse. También esto se puede comparar con el documento católico. Si tuviéramos que escoger tres palabras para describir el tono esencial de este documento, ¿qué palabras emplearíamos? ¿Serían las mismas que para el documento católico? ¿Por qué?

Texto[22]

Visión y oportunidad

Una nueva realidad va surgiendo durante nuestra generación, según el Señor de la historia une a diversos pueblos, con sus culturas y tradiciones. Es un tiempo emocionante, y lleno de oportunidades.

Es dentro de ese contexto que la Iglesia Metodista Unida ha de considerar sus ministerios hispanos. Tales ministerios no son solamente un intento de servir al pueblo hispano, sino que son también y sobre todo un llamado a la iglesia en su totalidad a ser fiel, de tal modo que todos podamos unirnos en lo que Dios está haciendo en su creación y en el surgimiento de la nueva realidad que va naciendo. Si hemos de "reformar el continente y diseminar la santidad bíblica" debemos ante todo responder fielmente a lo que Dios está haciendo en esta tierra. Debemos arrancar de raíz de nuestras perspectivas todo racismo y chauvinismo cultural, y regocijarnos en el futuro que Dios abre ante nosotros. Ese es el desafío principal que la creciente presencia hispana alza ante la Iglesia Metodista Unida.

Nuestra visión es de una iglesia en la que, como en aquel primer Pentecostés, todos puedan oír de los grandes hechos de Dios en su propia lengua (Hch 2:8) –lo cual no se refiere solamente a la cuestión del lenguaje, sino también a la identidad cultural, las tradiciones familiares, etc. En Pentecostés, el Espíritu Santo no destruyó ni se desentendió de la identidad cultural de quienes estaban presentes, sino que hizo que el evangelio estuviera al alcance de todos ellos en cualquier idioma que hablasen. Esto llevó a aquella primitiva iglesia a una nueva vida y nuevo crecimiento. De manera semejante, en la iglesia de hoy tenemos que encontrar modos de afirmar las diversas identidades culturales de las personas entre las cuales damos testimonio. Y esas mismas personas también han de recibir estímulo

---

[22] "Report of the Committee to Develop a National Plan for Hispanic Ministry," *Daily Christian Advocate Advance Edition* 1, febrero de 1992, pp. 715-716, 718-719. Usado con permiso.

de modo que puedan también hablar de los grandes hechos de Dios "en su propia lengua". Como en aquel primer Pentecostés, algunos no entenderán. Algunos dirán que la iglesia está "llena de vino nuevo" (Hch 2:13). En tal caso nuestra tarea, como la de Pedro, será alzarnos y proclamar que lo que el mundo está viendo no es otra cosa que la acción de Dios (Hch 2:16: "esto es lo que fue dicho por el profeta …").

Al mismo tiempo, nuestra visión es la de una iglesia en la que tal diversidad, en lugar de dividir, une, juntando a todos en una tarea común, aún dentro de una variedad de circunstancias, para dirigirse a una meta común (1Co 12:12-13).

Nuestra visión es de una iglesia dinámica y creciente, que gozosamente comparte y vive las buenas nuevas de Jesucristo en una multiplicidad de lugares, tanto urbanos como rurales, en congregaciones tanto grandes como pequeñas, y en una variedad de contextos culturales. En esta iglesia, aquellos grupos que tradicionalmente han sido marginados serán compañeros plenos en el ministerio de Cristo, y los dones de todo hispano –varón y mujer, joven y anciano, obrero y profesional, inmigrante y nativo– serán puestos al servicio del crecimiento de todo el cuerpo (1Ts 5:11).

En esa visión, la iglesia como pueblo de Dios, como *laos*, es ante todo un pueblo peregrino. Aquellos entre este laos que han sido ordenados para servir en ministerios especiales han recibido esa ordenación para capacitar a todo el pueblo de Dios en sus diversos ministerios, más bien que para llevar a cabo ellos mismos los ministerios de la iglesia, o para usurpar el ministerio del laicado.

Según esta visión, las congregaciones metodistas unidas –tanto hispanas como otras– estarán profunda y activamente comprometidas a un modo de ver la misión que se fundamenta en la relación entre el crecimiento de la iglesia y el servicio a la comunidad, entre el testimonio mediante la palabra y el testimonio mediante la acción, mediante el evangelismo y mediante la abogacía. Al evangelizar, invitamos a otros a seguir a un Dios cuyo amor por el mundo se manifiesta en la dádiva de sí mismo, y que nos promete tanto vida eterna como un reino de amor, paz y justicia. Al defender la justicia tanto para nosotros como para los demás, damos testimonio de ese mismo Dios. Invitamos a otros a unirse a nosotros, aceptando la vida eterna mediante Jesucristo, y viviendo también como quienes, mediante el mismo Jesucristo, esperan y buscan el modo de señalar hacia el venidero reino de Dios.

Dentro de esa visión, la creciente presencia hispana y su participación activa será provechosa para la Iglesia Metodista Unida, no sólo en términos de mayor número de miembros, sino también en términos de los dones que los hispanos traen a nuestra denominación –dones surgidos de una larga historia de lucha y sufrimiento, a través de la cual la fe ha sido probada y revitalizada. La vitalidad del culto y la fe hispanos, la seriedad con que los hispanos estudian las Escrituras y buscan en ellas guía para el presente, el gozo con el que experimentan y comparten su fe, el compartimiento generoso que tiene lugar dentro de las congregaciones hispanas, y el empeño con que muchos hispanos tratan de traducir todo esto en obras de misericordia y de justicia, serán una contribución significativa a la vida de la iglesia toda.

Este tiempo emocionante es también aterrador. La resistencia al cambio provoca y despierta las fuerzas del racismo que siempre han plagado a nuestra sociedad. La sociedad multicultural que va surgiendo ofrece una oportunidad para mayor comprensión mutua y un futuro más glorioso. Pero también corremos el riesgo de perder esa oportunidad si nuestros planes, nuestro alcance y nuestro compromiso son tales que no logramos alcanzar a esa nueva población. En tal caso, nos desentenderemos de un buen porciento de una extensa población a la que somos llamados a servir y ministrar (quienes para el año 2080 bien pueden ser el 28 por ciento de toda la población). Nuestra iglesia tradicionalmente de clase media tiene que responder a las necesidades de esa población o bien contentarse con verse cada vez más marginada dentro del país.

Por otra parte, si el pueblo llamado metodista, con el corazón ardiente con una visión de ese futuro hacia el que Dios nos llama, se muestra dispuesto a dar los pasos necesarios para alcanzar a la población hispana, el resultado bien podría ser una sorprendente revitalización y crecimiento para toda la denominación.

Esa visión de la iglesia y su ministerio entre el pueblo hispano es el hilo conductor que se encuentra a través del informe de este comité y sus recomendaciones. No se trata de que la iglesia hará algo en favor de los hispanos, sino más bien que toda la iglesia, incluyendo todos los grupos étnicos en su seno, responda al desafío ante nosotros. Estamos convencidos de que Dios nos está colocando delante un gran reto en el cual nuestro compromiso y nuestro discipulado serán puestos a prueba. Por lo tanto, en el espíritu de oración urgimos a la Conferencia General a adoptar las recomendaciones que se encuentran en este informe, y aun más invitamos a toda la Iglesia Metodista Unida a hacerse partícipe de la visión que hemos avistado...

Una larga experiencia también nos revela tanto algunas de las ventajas que tiene la Iglesia Metodista Unida como algunas de las dificultades que tendrá que enfrentar al involucrarse de manera más intencional en el ministerio hispano.

En primer lugar, dadas las circunstancias en que vive la mayoría de los hispanos, y el racismo que sufren, los hispanos cada vez más miran con suspicacia a cualquier religiosidad supuestamente cristiana que no se traduzca en obras de misericordia y justicia. El metodismo unido bien podría mostrar un atractivo especial hacia los hispanos por cuanto tradicionalmente ha insistido en la necesidad tanto de "obras de religiosidad" como de "obras de misericordia". En su mejor expresión, la tradición metodista provee estos dos elementos en una comprensión integral del Evangelio de Jesucristo.

En segundo lugar, la variedad de formas y expresiones en el culto que el metodismo unido permite tradicionalmente ha de mostrar su atractivo para los hispanos. Dentro de esa variedad, hay campo para quienes desean conservar mucho de su legado cultural y religioso. También hay campo para nuevas formas de culto que incorporen y afirmen la cultura y tradiciones hispanas.

En tercer lugar, el metodismo unido se proclama a sí mismo como un movimiento pluralista tanto en etnias como en culturas, y como tal afirma que hay un lugar dentro de él para los hispanos y para las demás minorías, sin que por eso tengan ellos que abandonar su identidad. Aunque todavía queda mucho por hacer, la postura explícita del metodismo unido ciertamente es una ventaja para sus ministerios hispanos...

En cuarto lugar, el metodismo unido ha cultivado y desarrollado liderazgo dentro de la comunidad hispana, tanto en la iglesia como fuera de ella, en una medida que ampliamente excede la proporción de hispanos dentro de la iglesia misma. Esto le ha ganado respeto y hasta admiración en diversos círculos hispanos.

Por último, los metodistas unidos hispanos representan un gran valor para la misión global de la iglesia. En el campo internacional, los hispanos en los Estados Unidos por largo tiempo han tenido vínculos allende las fronteras y los mares. Desde el principio, el metodismo méxico-americano fue orgánicamente uno con el metodismo al sur de la frontera. Lo mismo fue cierto del metodismo en Cuba y en el sur de la Florida. El metodismo unido en el nordeste y en el centro del país le debe mucho a su conexión con Puerto Rico. Al presente, hay un contacto creciente entre MARCHA (Methodists Associated to Represent the Cause of Hispanic-Americans, el grupo de abogacía latino dentro de la iglesia) y CIEMAL (el Consejo de Iglesias Evangélicas Metodistas en América Latina). Tales relaciones son importantes para los hispanos tanto dentro de la iglesia como más allá, y son un recurso valioso para la conciencia global y el alcance misionero de toda la Iglesia Metodista Unida.

Por otra parte, hay todavía una serie de obstáculos que debemos vencer a fin de ser fieles y efectivos en nuestro ministerio hispano, y estos van más allá de las barreras obvias de la lengua y la cultura.

Esos obstáculos son muchos, pero el primero de ellos es una larga historia de vacilaciones y falta de dirección planificada en los ministerios hispanos. Algunas políticas que buscaban afirmar la identidad y la autodeterminación hispanas frecuentemente han sido interrumpidas por otras que buscaban la asimilación y el desmantelamiento de los programas y las estructuras que servían para fortalecer y expresar tal autodeterminación. Según estos ciclos se han ido siguiendo unos a otros, frecuentemente sin suficiente consulta a los hispanos mismos, los hispanos se han sentido despreciados y marginados. Esa es una de las razones por las que ahora necesitamos un Plan nacional para el ministerio hispano que sea abarcador y que, comenzando en este próximo cuadrienio, logre el compromiso de toda una generación de metodistas unidos.

En segundo lugar, por falta de tal plan nacional y de una visión conjunta tras él, así como de los recursos necesarios para implementarlo, el ministerio hispano frecuentemente se ha emprendido de una manera desorganizada, con escaso conocimiento de las cuestiones involucradas o de experiencias pasadas de las que mucho se pudo aprender.

En tercer lugar, por varias razones no hemos desarrollado, y hasta a veces hemos desmantelado, las políticas y estructuras necesarias para el ministerio entre los pobres, apoyado y llevado a cabo por los pobres mismos. Dicho tajantemente, el modo en que por lo general se concibe la congregación metodista unida típica, y el modo en que se la estructura y sostiene son tales que en muchas comunidades pobres hispanas tales congregaciones sencillamente no son factibles. Tenemos que desarrollar estructuras y recursos afines a una iglesia de los pobres, de tal modo que los ministerios hispanos no dejen a un lado la vasta mayoría de la población hispana, ni tampoco requieran tanto apoyo de recursos externos que se vuelvan dependientes y pierdan su autoestima.

Por último, y en parte como resultado de lo que antecede, el reclutamiento y el adiestramiento de líderes hispanos, tanto laicos como ordenados, han quedado rezagados si se le compara con la necesidad que hay de tales líderes. En particular, al presente hay una gran escasez de ministros ordenados, y esa escasez se espera que empeorará a medida que los cambios demográficos discutidos más arriba vayan teniendo su impacto en la iglesia...

En nuestra visión, el "desarrollo congregacional" y el "ministerio en la comunidad", al mismo tiempo que presentan dos focos de la misión cristiana, son inseparables. El desarrollo congregacional que aquí se propone busca crear y desarrollar congregaciones que desde sus mismos inicios vean el ministerio en la comunidad como elemento fundamental de su misión. De igual modo, nuestra visión del ministerio en la comunidad no es tal que se prive a esa comunidad de la bendición sin paralelo de reunirse para adorar y para el estudio de las escrituras, y así llegar a ser una congregación.

Dada la variedad de contextos y circunstancias en que viven los hispanos, nuestro plan nacional ha de incluir una variedad de modelos de congregación para el servicio a los hispanos. Esto incluirá congregaciones hispanas en las que la mayoría de los servicios sean en español, congregaciones bilingües y biculturales, congregaciones hispanas de habla inglesa, y congregaciones que hablan inglés en las que los hispanos participarán. Nuestro plan nacional tiene que referirse a las congregaciones que ya existen, así como al desarrollo de otras nuevas. En el caso de las que ya existen, el plan buscará su revitalización –lo cual quiere decir hacer de ellas centros activos no sólo de adoración y comunión, sino también de misión. Todos estos diversos modelos ya existentes han de ser reafirmados, fortalecidos y revitalizados...

Sin embargo, ninguno de estos modelos, ni tampoco todos juntos, serán suficientes para traer a la realidad la visión de una Iglesia Metodista Unida con cientos de congregaciones hispanas dispersas por todo el país, sintiendo el pulso de la población hispana y respondiendo a sus necesidades. Esa visión está estrechamente unida a la visión de un metodismo unido como pueblo peregrino –como *laos*– sobre la marcha. En ese *laos* quienes han sido capacitados para el ministerio cristiano en virtud de su bautismo (el laicado) y quienes han sido comisionados para ministerios específicos en virtud de una ordenación (el clero) forman una unión para el servicio de todos, tanto dentro como fuera de la iglesia. En este *laos*, todos son compañeros trabajando juntos en el desarrollo de las congregaciones y en los ministerios en la comunidad.

Por lo tanto, al tiempo que reafirma el valor de los modelos descritos arriba, nuestro plan nacional ha de enfocarse primordialmente en un modelo de trabajo conjunto entre el laicado y el clero siguiendo el patrón del sistema tradicional metodista de clases y de predicadores itinerantes. Este ministerio será primordialmente obra de un cuerpo de misioneros laicos para ministerios hispanos, ... en compañerismo con el ministerio ordenado de la iglesia, y trabajando normalmente como equipos de misión. Esos equipos formarán nuevas comunidades de fe en una variedad de contextos, revitalizarán las congregaciones existentes, y buscarán el desarrollo y el apoyo de los ministerios en la comunidad. La tarea de los pastores, de las congregaciones, de las conferencias anuales y de las agencias generales de la iglesia será presentarle al laicado la posibilidad de que algunos de ellos sean llamados a esta tarea, identificar a quienes verdaderamente lo sean, y asegurarse de que se les adiestre y equipe adecuadamente para su misión.

Desde el principio mismo, se esperará que cada una de estas nuevas comunidades de fe se reúna para el culto a Dios y el estudio de las escrituras, para la oración, y para buscar la voluntad de Dios para ellas en su propio contexto. Tales comunidades promoverán el desarrollo congregacional compartiendo su fe, invitando a otros a seguir al Señor y buscando modos de involucrarse en cualquier forma de ministerio y defensa de la justicia que el Señor requiera en sus comunidades. Se verán a sí mismas como centros de evangelismo, de acción misionera y de adiestramiento para la misión, tanto a nivel local como global. Desde sus inicios, estas comunidades de fe entenderán que la mayordomía es elemento fundamental del discipulado cristiano, y se les estimulará a contribuir económicamente para su propio sostén así como para apoyar la misión total de la iglesia.

Noveno documento

Teología en grafito

Introducción

Lo que sigue es una fotografía de un muro cerca de la Universidad de Puerto Rico, en San Juan, tomada hacia fines del siglo 20. Las palabras de cada uno de los dos grafitos son fáciles de entender, pero su sentido se puede interpretar de diversas maneras. El grafito original decía "Cristo no es religión". Entonces alguien intentó cubrir o borrar la palabra "no", de modo que dijera "Cristo es religión".

Naturalmente, resulta imposible saber exactamente lo que cada uno de estos dos escritores quería decir. Pero como ejercicio intelectual y como medio de reflexión y discusión acerca de todo lo que se ha discutido en este libro, podemos imaginar que ambos eran militantes cristianos. ¿Qué quería decir el primero? ¿Qué entendería esa persona por "religión"? Sobre la base de todo lo que se ha leído en este libro, ¿qué elementos de la "religión" estaría rechazando esa persona en nombre de Cristo? Pensemos ahora sobre el segundo escritor, imaginándole también como cristiano convencido. ¿Cómo interpretaría el primer grafito? ¿Qué le ofendería en él? ¿Por qué trataría de quitar el "no"?

Imaginemos una conversación entre estas dos personas. ¿Qué ofendería a una de ellas o a la otra? ¿En qué puntos estarían de acuerdo, y en cuáles en desacuerdo?

Tomando el sentido contrario, imaginemos que el primer escritor se proponía atacar al cristianismo. ¿Qué querría decir entonces el grafito? ¿Será posible que el segundo autor también abrigara sentimientos anticristianos? En tal caso, ¿por qué trataría de borrar el "no"?

¿Qué relación vemos entre lo que nuestras reflexiones sobre estos grafitos han producido y las diversas opiniones que hemos encontrado en el resto de este libro? ¿Cuáles de las fuentes que hemos leído se acercarían más a las opiniones del primer escritor, o las del segundo?

Epílogo

Han pasado más de quinientos años desde que Montesinos subió al púlpito aquel último domingo antes de navidad en 1511 para declararse como la "voz que clama en el desierto" reclamando justicia. Nuestro viaje de cinco siglos nos ha llevado a lugares muy diferentes. Hemos visto abuso, explotación y hasta genocidio en nombre de la religión, y hemos visto también a la religión levantarse como defensora de los colonizados, los pobres y los oprimidos. Hemos visto a obispos protestar contra el más mínimo ataque a lo que pensaban ser sus derechos y privilegios, y hemos visto a otros obispos hacer un llamado a una iglesia de los pobres, una iglesia que fuese instrumental para traer un nuevo orden de paz y justicia. Hemos leído acerca de una iglesia bajo el patronato de la corona, y también de conflictos entre la iglesia y el estado. Nos hemos encontrado con una mujer de genio extraordinario que se vio forzada a proseguir sus estudios en la cocina por el solo hecho de ser mujer, y también hemos visto a mujeres de condición privilegiada intentando interpretar la condición de otras mujeres. Hemos visto los horrores de la inquisición, y hemos escuchado de una mujer que esperaba volver a ganar el amor de su esposo a través de la magia. Hemos escuchado a un dios que trataba de llegar a un entendimiento con el dios cristiano, y hemos visto también a ese dios cristiano siendo empleado para justificar el robo y la rapiña. Hemos escuchado a poetas, políticos y predicadores. Hemos sido testigos del prejuicio racial y cultural. Hemos escuchado ecos distantes pero insistentes de antiguos tambores africanos. Hemos leído acerca de avivamientos, experiencias misioneras y sanidades divinas.

Y sin embargo, sólo nos hemos asomado a la superficie de una vasta región en la que viven más católicos y más pentecostales que en cualquier otra parte del mundo. ¡Hay tanto todavía que decir y que aprender! Nada hemos dicho de la historia de un sacerdote de santa piedad que se quitaba el sombrero para saludar a un esclavo africano, pero al ver que se acercaba un amo de esclavos cruzaba al otro lado de la calle para no tener que saludarle. Nada se ha dicho de aquel misionero que demostró su afirmación de que el pan de los conquistadores estaba hecho con sangre exprimiendo sangre de una tortilla. Nada hemos dicho de la tragedia de niños criados en orfanatos auspiciados por la iglesia echados a la calle a vivir como adultos a la tierna edad de cinco años. Hubo rebeliones de esclavos y de indios, puestos misioneros en lugares remotos, mártires y charlatanes, sabios y diletantes, misioneros que insistían en métodos pacíficos, y otros que resultaron ser hábiles generales.

Ahora que llega el momento de dejarle, amable lector o lectora, lo hacemos con la esperanza de que lo que usted ha leído y aprendido le inspire a seguir investigando y aprendiendo. Hay en América Latina ejemplos de la rectitud moral que se alzan por encima de los Andes, historias de fe cuyo misterio es tan sobrecogedor como los de Machu Pichu, Teotihuacán o Tiahuanaco, y corrientes y contracorrientes intelectuales cuyo flujo es tan amplio y profundo como el Amazonas mismo.